P9-DBL-408
GOLDMANN
ESOTERIK

Buch

Schon im Altertum wußte man, daß jeder Gemütszustand seine Entsprechung im Körperlichen hat. Daher gab man sich nicht mit der Bekämpfung der Krankheitssymptome zufrieden, sondern versuchte, die innere Ordnung des Menschen wiederherzustellen.

Die Heilungsgeheimnisse der Jahrhunderte verbergen sich hinter dem Wissen von zwölf dynamischen Geisteskräften, die in zwölf beherrschenden Nervenzentren im menschlichen Körper liegen. Wer ihre Funktion erkennt und zu unterstützen weiß, wird beeindruckende Heilungsresultate erzielen. Catherine Ponder vermittelt diesen wichtigen und altbewährten Weg der Heilung und Selbstheilung auf anschauliche und leichtverständliche Weise.

Autorin

Catherine Ponder ist eine der bedeutendsten Lebenshilfe-Autorinnen Amerikas. Sie ist Geistliche der unkonfessionellen Unity-Bewegung und als Wegbereiterin des Positiven Denkens bekannt – vielfach hat man sie als den weiblichen Norman Vincent Peale bezeichnet. Seit 1956 wirkt sie an der Unity-Kirche und gründete zu Beginn der achtziger Jahre die konfessionell nicht gebundene Unity Church Worldwide, die ihren Hauptsitz in Palm Desert, Kalifornien, hat.

Von der Autorin liegen bei Goldmann außerdem vor:

Die dynamischen Gesetze des Reichtums (11879)

Bete und werde reich (11881)

Catherine
PONDER

Die Heilungsgeheimnisse der Jahrhunderte

Die 12 Geisteskräfte des Menschen

Aus dem Amerikanischen
übertragen und bearbeitet
von Dietrich Singelmann

GOLDMANN VERLAG

Umwelthinweis:
Alle bedruckten Materialien dieses Taschenbuches sind chlorfrei und umweltschonend.
Das Papier enthält bereits Recycling-Anteile.

Der Goldmann Verlag
ist ein Unternehmen der Verlagsgruppe Bertelsmann

Vollständige Taschenbuchausgabe September 1992

Originalverlag: Parker Publishing Co., Inc.
Originaltitel: The Healing Secret of the Ages

Umschlaggestaltung: Design Team München
Umschlagfoto: Zefa/Stockmarket, Düsseldorf
Satz: Uhl + Massopust, Aalen
Druck: Elsnerdruck, Berlin
Verlagsnummer: 11880
Ba · Herstellung: Heidrun Nawrot/sc
Made in Germany
ISBN 3-442-11880-8

10 9 8 7 6 5

Inhalt

EINFÜHRUNG

Vor einiger Zeit hielt ich eine große Versammlung in Pasadena (Kalifornien) ab. Nach meiner Ansprache wartete eine lange Schlange von Besuchern darauf, mich persönlich zu begrüßen. Unter ihnen war ein Herr, der auch meine Bücher gelesen hatte und danach eine erstaunliche Heilung erlebte: Er mußte einige Monate zuvor wegen einer unheilbaren Lungenkrankheit fest zu Bett liegen. Wie ich es verstanden habe, hatten sich plötzlich seine Lungen erweitert und waren schwammig geworden. Es bestand nur ganz geringe Hoffnung auf Besserung.

Ein Nachbar brachte dem kranken Mann mein Buch »The Prosperity Secret of the Ages« (Das Erfolgsgeheimnis der Jahrhunderte). In diesem Buch wird auf eine ganze Anzahl von Fällen Bezug genommen, die des Menschen schier unglaubliche Fähigkeit und Kraft zur Selbstheilung beweisen. Als nun der Mann das Buch las und die darin enthaltenen Heilungsideen auf sich anzuwenden begann, wurde der so ernstlich kranke Mann geheilt! Nur wenige Monate später stand er in der Menschenschlange, um sein Erlebnis zu berichten: »Eigentlich sollte ich nicht mehr leben, aber durch die Änderung meiner Denkweise wurde ich geheilt.«

Später erkundigte ich mich bei einem Arzt nach dieser Art von Lungenkrankheit. Der Doktor schüttelte nur seinen Kopf: »Wenn ein Patient in diesem Zustand zu mir käme, würde ich versuchen, es ihm so leicht wie möglich zu machen und auch seinen Pflegern das gleiche anempfehlen, denn das ist so ziemlich das einzige, was man tun kann; es gibt eben einfach keine Heilmethode für diese Art Krankheit.«

Als ich dem Arzt nun von meiner Erfahrung erzählte, war seine Antwort: »Das muß eine geistige Heilung gewesen sein; es gibt keine andere Erklärung dafür.«

So sehen die Geschichten aus, die von des Menschen unglaublicher Heilungskraft berichten.

50 Millionen Dollar kostet der Bau einer Medizinischen

Schule und noch einmal 5 Millionen pro Jahr, um eine solche Schule zu unterhalten. Zur Zeit herrscht ein großer Mangel an Medizinischen Schulen und ebenso ein drastischer Mangel an Krankenhäusern, von denen die meisten überbelegt sind und zu wenig Personal haben.

Wieviel Geld, Aufregungen und physische Schmerzen könnten wir uns ersparen, wenn die Menschen über die unglaubliche Heilungskraft Bescheid wüßten, die in ihnen selbst liegt und die sie betätigen können zu ihrem eigenen Wohlergehen. Sie ist außerdem von enormer Hilfe für den eventuell herbeigerufenen Hausarzt.

Es ist eine traurige Tatsache, daß die meisten Menschen sich mehr um ihren Wagen kümmern als um ihre körperliche Gesundheit und ihren Gemütszustand, der so stark ihre Gesamtverfassung beeinflußt.

Und das ist für den Hausarzt eine zusätzliche Belastung bei dem Versuch, eine Heilung herbeizuführen.

Ihre zwölf Heilungskräfte

In einem meiner früheren Bücher »The Dynamic Laws of Healing« (Die dynamischen Heilungsgesetze) werden Sie viele Beispiele von Heilungen finden, die im Leben von Leuten aller möglichen Klassen geschehen sind, nachdem sie von der Kraft ihrer Gedanken und ihrem rechten Gesundheitsempfinden vernommen hatten.

Auf den folgenden Seiten möchte ich Ihnen ein unglaubliches Heilungsgeheimnis mitteilen, das »großen Geistern« durch alle Jahrhunderte hindurch bekannt war und von ihnen angewandt wurde. Es ist eine Lehre, die, wohlbewahrt bis zum heutigen Tage, nur einigen Auserwählten von Jahrhundert zu Jahrhundert weitergegeben wurde.

Diese Geheimlehre hat mit den zwölf Gemütskräften zu tun, die im Nervensystem Ihres Körpers liegen und die Ihre Gesundheit stark beeinflussen, entweder aufbauend oder zerstörend, je nachdem, wie Sie diese Gemütskräfte gebrauchen.

In heutiger Zeit haben wir bereits viel über die Bedeutung der menschlichen Drüsen gehört und besonders darüber, wie stark die Gesundheit des Menschen von dem Zustand dieser Drüsen abhängt. Das ist wichtig, aber eben aus mehr als nur physischen Gründen. Der Gesundheitszustand des Menschen wird deswegen so stark vom Zustand dieser Drüsen beeinflußt, weil die Stellen im Körper, wo die Nervendrüsen angesiedelt sind, zugleich Zentren wichtiger Geisteskräfte sind. Diese wichtigen Geisteskräfte liegen eben innerhalb der Drüsen und haben als solche immer schon im Unbewußten gearbeitet; oft leider zum Nachteil der menschlichen Gesundheit, weil man von ihrem Vorhandensein nichts wußte. Es ist wirklich so, daß die Gesundheit eines Menschen aufbauend oder zerstörend beeinflußt wird, je nach der Art, wie ein Mensch diese Geisteskräfte in den Drüsen-Nervenzentren benutzt.

Das ist das wohlbehütetste Heilungsgeheimnis der Jahrhunderte

Ursprünglich hörte ich von dieser Geheimlehre, als ich anfing, praktisches Christentum zu studieren; ich hörte von diesen Geisteskräften, die man »die zwölf Menschenkräfte« nannte. Ihre mystische Bedeutung wurde mit Jesus und seinen zwölf Jüngern (im Neuen Testament) und mit den zwölf Stämmen Israels (im Alten Testament) in Verbindung gebracht.

Die okkulte Philosophie hat seit langem erkannt, daß sieben Geisteskräfte in sieben wichtigen Nervenzentren des Körpers existieren. »Die zwölf Menschenkräfte« umfassen und erweitern diese sieben natürlichen Kräfte zu zwölf gottgesegneten Geisteskräften. Die Zahl Zwölf ist ja von jeher als heilige Zahl der Vollständigkeit in der Ausbildung der Geisteskräfte des Menschen erachtet worden.

Diese Kräfte haben unzählige Menschen geheilt

Ein Grundstücksmakler aus Missouri, Charles Fillmore und seine Frau Myrtle, eine Lehrerin, erfuhren einiges über diese erstaunlichen Kräfte zu einer Zeit, als beide anscheinend unheilbar krank waren (von ihren Heilungen wird im 1. Kapitel berichtet). Als die Fillmores damit begannen, diese Geisteskräfte in ihrem eigenen Körper zu entwickeln, überwanden sie nicht nur ihre »Todesurteile« und lebten noch eine Anzahl von Jahrzehnten, sondern begründeten sogar währenddessen eine der ausgedehntesten Heilungsbewegungen dieses Jahrhunderts, die unter dem Namen »Unity« bekannt ist. Ihre Lehren vereinen die großen Wahrheiten aller Zeiten.

Es gibt Leute, die sagen, man kann die zwölf Geisteskräfte nur entwickeln, wenn man in Gemüt und Geist entsprechend erleuchtet sei. Ich habe aber gefunden, daß das nicht wahr ist. Ganz im Gegenteil, ich habe in den letzten zehn Jahren, in denen ich aktiv als Geistheiler tätig war und die Gesetze der Gemüts- und Geistheilung untersuchte, festgestellt, daß beinahe in jedem mir bekannt gewordenen Krankheitsfall einige der zwölf Geisteskräfte vom Leidenden mißbraucht wurden. Und oft hatte er sehr wenig oder gar keine Erleuchtung, ein Grund, weshalb er mich um Hilfe bat.

Augenscheinlich wirkten die zwölf Geisteskräfte bis zu einem bestimmten Grade in seinem Geist und Körper, doch das Unterbewußtsein war nicht stark genug, um ihm zu helfen, sie richtig einzusetzen.

Sicher ist, daß auch jemand, der nur wenig von den zwölf Geisteskräften weiß, diese bewußt aufzubauen imstande ist, anstatt es dem Unterbewußtsein zu überlassen, sie in positiver oder negativer Weise einzusetzen. Beschleunigte Heilwirkung auf Geist und Körper ist das natürliche Resultat.

Nachdem ich diese Entdeckung gemacht hatte, wollte ich nun soviel wie nur irgend möglich über diese Geheimlehre erfahren, um sie den Menschen zugänglich zu machen. Dieses Buch ist das Ergebnis meiner Bemühungen, und es bringt Ihnen gute Nachrichten.

Für Sie ist immer wieder Hoffnung vorhanden, ein gesundes Leben führen zu können, sobald Sie von diesen uns innewohnenden Geisteskräften hören: wie ein Mißbrauch Ihre Gesundheit schädigt und wie ein rechter Gebrauch Ihnen helfen kann, wieder gesund zu werden.

Zum Beispiel werden Sie entdecken, daß ein Mensch, der einen Kräfteverschleiß durch Beschwerden im Rücken spürt, sich zuvor gedanklich auf ein kräftezehrendes Niveau begeben hat. Gewöhnlich mißbraucht man in Geldangelegenheiten die Geisteskraft der Stärke, die im Kreuz liegt. Sie werden entdekken, daß Leute, die viel kritisieren, dazu neigen, die Geisteskraft der Urteilsfähigkeit zu mißbrauchen, die in der Magengrube liegt. Unregelmäßige Verdauung, Geschwüre, ja sogar Magenkrebs sind die natürliche Auswirkung davon. Sie werden feststellen, daß Liebeskummer, der sich in Enttäuschung, Bitterkeit, Übelnehmen, Engherzigkeit und Nachtragen äußert, Beschwerden in der Lunge, in der Brust oder dem Brustkorb und Herzen zur Folge hat, also im Zentrum der Geisteskraft der Liebe im Körper. Herzbeschwerden, Asthma, Tuberkulose oder Brustkrebs sind die Folge.

Sie werden merken, daß Schwierigkeiten mit den Verdauungsorganen im Körper auftreten, weil gewisse schlechte Regungen nicht von der Geisteskraft der Ausscheidung neutralisiert wurden, die in der Darmgegend, den Nieren und anderen Ausscheidungsorganen des Unterleibs liegt. Sie werden entdecken, daß Krankheit immer eine geistige Entsprechung besitzt zu einer der zwölf Geisteskräfte im Körper. Dieses Wissen löst das Mysteriöse an den Krankheiten auf und führt Sie hinauf zu der hellen Straße dauernder Gesundheit.

Gehen Sie nun schnell zum Lesen des 1. Kapitels über, um das »Geheimnis« in allen Einzelheiten zu erfahren. Sie werden nämlich dann Ihr eigenes Heilungserlebnis haben, sobald Sie sich damit beschäftigen, das durch das Lesen der nachfolgenden Kapitel erworbene Wissen anzuwenden. Sie werden dann freudig in den Spruch Salomos einstimmen: »Mein ist beides, Rat und Tat; ich habe Verstand und Macht.« (Sprüche 8, Vers 14)

1. Kapitel

Die Heilungsgeheimnisse der Jahrhunderte jetzt offenbart

Ein Witzbild zeigt einen verzweifelten Geschäftsmann, der gerade das Krankenhaus mit seinen Koffern verläßt. Ihm folgt seine Frau mit der Pflegerin. Auf dem Wege nach draußen stöhnt er: »Diese verdammten Wunderheilmittel. Gerade legte ich mich ins Bett, und nun bin ich schon wieder draußen!«

Was dieser Mann nicht versteht, ist, daß er bald wieder in das Krankenhaus zurückkehren wird, um noch mehr von diesen »verdammten Wunderheilmitteln« zu schlucken, es sei denn, er entdeckte die geistige Ursache seiner Krankheit tief in seinen eigenen Gefühlen. Wenn er jedoch etwas von den geistigen Heilkräften in seinem Körper wüßte und sie anzuwenden verstünde, könnten seine Krankheitsfälle ganz vermieden werden.

Das Heilungsgeheimnis der Jahrhunderte besteht darin, daß Sie zwölf dynamische Geisteskräfte besitzen, die in den zwölf dominierenden Nervenzentren Ihres Körpers liegen

Die meisten Menschen sind überrascht, daß diese zwölf Geisteskräfte nicht im Gehirn, also im Kopf ihren Sitz haben, sondern über den ganzen Körper verteilt sind. Denkende Gehirnzellen werden überall in Ihrem Wesen und Ihrem Körper gefunden. Diese Intelligenz wartet darauf, anerkannt und freigesetzt zu werden, um ihr Heilungswerk zu vollbringen. Auf diese Weise ist tatsächlich Ihr ganzer Körper geistig und arbeitet so, wie Sie es wünschen.

Die Menschen des Altertums benutzten diese Kräfte

Das ist absolut keine neue Entdeckung. Die zwölf Geisteskräfte des Menschen werden in den ältesten Schriften erwähnt, die sich mit dem Wollen und Handeln des Menschen, seinen spirituellen Vorstellungen und seinen religiösen Bräuchen beschäftigen. Die alten Griechen, Perser, Ägypter und Hindus fühlten, daß jeder Teil ihres Körpers eine geheime Bedeutung habe; und ihre Priester stellten Nachbildungen des menschlichen Körpers in ihren Tempeln auf, um die Geheimnisse zu studieren.

Seher des Altertums glaubten lange Zeit vor Christi, daß zwölf »kosmische Zentren« im Menschen vorhanden sind. Diese könnten ungeheure Kraft auslösen und damit Geist, Körper und Dinge in Bewegung setzen, wenn sie richtig verstanden und gehandhabt würden. Die Mysterien des Orients offenbarten den Wahrheitssuchern in symbolhaften und geheimen Formeln einiges von diesen Lehren. Der jüdische Philosoph Philo und der griechische Philosoph Aristoteles nahmen auf diese Kräfte im Menschen Bezug; ebenso der deutsche Arzt Paracelsus, wenn er von den »Energiekernen« sprach. Edwin John Dingle, der Gründer der Science of Metaphysics (Wissenschaft der Metaphysik) berichtet in seinem Buch »My Life in Tibet« (Mein Leben in Tibet, erschienen 1939 bei Econolith Press), wie er vor vielen Jahren von seinem tibetischen Meister darin unterrichtet wurde, ungeheure Energien in verschiedenen Teilen des Körpers freizusetzen. Edgar Cayce bezog sich in seinen berühmten Trance-Lesungen auf die Geisteskräfte, die nach alten Überlieferungen in den Drüsen liegen sollen. Auch die jahrhundertealte »Wissenschaft der Astrologie« lehrt, daß immer da, wo ein ausgewogenes Denken ist, auch eine ausgewogene Drüsentätigkeit herrscht und umgekehrt. May Rowland, die Leiterin von Silent Unity, hat Tausenden von Menschen durch ihren »Drill in the Silence« (Unterweisung in der Ruhe) gezeigt, wie man diese Kräfte in sich aktiviert, um bessere Gesundheit und friedvolles Denken zu erfahren. Ihre eigene jugendlich lebhafte Erscheinung inmitten eines ausgefüllten und aufgabenreichen Lebens ist ein wertvolles Zeugnis für die Kräfte, die man entwickeln kann, wenn man die zwölf Geisteskräfte pflegt.

Der bekannte Wissenschaftler und Arzt Alexis Carrel legte dar, wie der Körper von Geisteskräften eingehüllt ist, die dirigiert und kontrolliert werden könnten: »Der Geist ist verborgen in der belebten Materie ... vollständig vernachlässigt von Physiologen und Naturforschern, beinahe übersehen von Ärzten. Und doch ist er die allergewaltigste Kraft in dieser Welt.«

Über die Art und Weise, in der diese innewohnende Kraft den Körper beeinflußt, schrieb Dr. Carrel: »Jeder Geisteszustand hat wahrscheinlich eine Entsprechung im Körperlichen ... Gedanken können körperlich verletzen ...« Über die Art und Weise, in der wir unsere Gedanken und ihre Wirkungen auf den Körper lenken und kontrollieren können, schrieb er: »Wenn unsere Aktivitäten auf ein genaues Ziel gerichtet sind, werden unsere geistigen und organischen Funktionen ganz harmonisch ... Um sein geistiges und körper-organbedingtes Gleichgewicht zu bewahren, muß man sich einer inneren Ordnung unterwerfen.«

Die Wissenschaft beweist den Einfluß des Geistes auf den Körper

Die mystische Einflußnahme des menschlichen Geistes auf den Körper schien unseren Vorfahren wichtiger als physisches Unwohlsein und Schmerzen. Lange Jahrhunderte war das metaphysische Studium für weit mehr Menschen viel interessanter als das Studium der Medizin. Die Ärzte des Altertums schrieben Temperament und Anschauung des Menschen weit größere Bedeutung zu in bezug auf seine Gesundheit. Erst seit der Renaissance des 16. Jahrhunderts sind die körperlichen Auswirkungen schlechter Gesundheit stärker betont worden als ihre geistigen und gefühlsmäßigen Ursachen. Glücklicherweise beginnt das Pendel in den letzten Jahren wieder nach der anderen Seite auszuschlagen.

Heute sind sich unsere Wissenschaftler und Ärzte darüber im klaren, daß der Mensch in sich große Kräfte birgt, die er nicht nutzt. Mediziner behaupten, daß 75 % aller Menschen nur 25 % ihrer physischen Kräfte richtig einsetzen. Der Vater der amerikanischen Psychologie, William James, sagte vor vielen Jahren, daß 90 % von uns nur 10 % ihrer Geisteskraft benutzen. »Verglichen mit dem, was wir Menschen unserer Anlage nach sein könnten, sind wir nur halb da! Wir wenden tatsächlich nur einen kleinen Teil unseres geistigen und physischen Vermögens an. Grob ausgedrückt, lebt das menschliche Individuum bis jetzt innerhalb ganz enger Grenzen. Es besitzt Kräfte verschiedenster Arten, die es meistens einfach nicht benutzt.«

In Energien ausgedrückt, verkünden uns Wissenschaftler, seien wir erfüllt von atomarer Kraft. In den Zellen unseres Körpers ist genügend Energie vorhanden, um eine Stadt zu zerstören, wenn sie nur in bestimmter Weise freigesetzt würde. Die meisten Menschen sind sich dieser Kraft nicht bewußt, weil sie Teil der tieferen Geistesschichten ist.

Moderne Psychologen gehen noch viel weiter in ihren Behauptungen als William James: Sie schätzen, daß der Mensch nur 1/10 Prozent seiner Energien und Kräfte benutzt. Der Rest seiner Kräfte ist verloren, weil er sie nach außen hin vergeudet, anstatt sie innerlich zum Auswirken zu bringen. Anscheinend ist das ein uraltes Problem; denn auch die Menschen des Altertums fühlten, daß alle Schwierigkeiten im Leben von einer Unterernährung in bezug auf Gemüt und Geist herrühren und alle Energie aus dem Inneren des Menschen kommt. Medizinstudenten bekräftigen das: Sie haben festgestellt, daß der Mensch ein sich selbst erneuernder Organismus ist; daß jeder von uns genug Energie in sich selbst hat, um ein Universum am Leben zu erhalten, wenn er nur wüßte, wie er sie freisetzen und damit umgehen kann. Edison ging so weit, zu behaupten, daß seine Untersuchungen ihn davon überzeugt hätten, daß der menschliche Körper aus Milliarden von Atomen besteht, von denen jedes ein Intelligenzzentrum ist. Und wenn der Mensch es fertig brächte, durch seinen Willen seine angeborene Intelligenz zu beherrschen, so könnte er ewig leben.

Vor zwanzig Jahrhunderten versuchte der große Arzt Jesus auf die Quelle der dem Menschen innewohnenden unendlichen Kraft hinzuweisen, als er zu den zweifelnden Pharisäern sagte: »Das Reich Gottes ist in euch.« (Lukas 17; 21) Und unsere modernen Psychologen sind gerade dabei, die Aufforderung des Paulus an die Römer richtig zu verstehen: »Ändert euch durch Erneuerung eures Sinnes.« (Römer 12, Vers 2)

Wie Myrtle Fillmore von Tuberkulose geheilt wurde

Myrtle Fillmore war mit einem Grundstücksmakler in Kansas City verheiratet und hatte drei Jungen. 1886 erfuhr sie, daß sie Tuberkulose hatte, was zu der Zeit als unheilbare Krankheit galt. Gerade sechs Monate sollte sie noch zu leben haben. An einem warmen Frühlingsabend ließ ihr Mann sie einen Vortrag über Metaphysik mit anhören. Das Ehepaar Fillmore war fromm erzogen, wußte jedoch nichts von der Heilkraft der Gedanken; dennoch wollten sie in ihrer Verzweiflung jede Möglichkeit zur Wiedergewinnung der Gesundheit prüfen.

Im Vortrag sagte der Sprecher: »Sie sind ein Kind Gottes, und Sie können keine Krankheit erben.« Das war ein zündender Gedanke für Mrs. Fillmore, die man glauben gemacht hatte, sie hätte wahrscheinlich ihre angeblich unheilbare Tuberkulose geerbt – ein weiterer Grund dafür, daß nichts für ihre Heilung getan werden könnte.

In dem Buch »The Household of Faith« (Der Haushalt des Glaubens) berichtet Mrs. Fillmore, wie sie ihre Energien nach innen statt nach außen sandte, und wie sie ihr Denken nach dem »inneren Gesetz« orientierte, von dem Dr. Carrel schrieb und dabei heilend wirkte:

»Es scheint mir, ich habe eine Entdeckung gemacht. Ich war schrecklich krank; ich hatte alle Krankheiten an Geist und Körper, die einem Menschen überhaupt zugemutet werden können. Medizin und Ärzte konnten mir keine Besserung mehr bringen, und ich war zutiefst verzweifelt, bis ich schließlich praktisches Christentum fand. Ich nahm es an und war geheilt.

Den größten Teil der Heilung bewirkte ich selbst, weil ich mir diese Erkenntnis für zukünftigen Gebrauch zunutze machte. Und das ist der Weg, auf dem ich zu meiner Entdeckung kam:

Ich dachte über Leben nach. Leben ist überall – im Wurm und im Menschen. Warum bildet das Leben im Wurm nicht einen Körper, wie ihn der Mensch hat? So fragte ich. Dann dachte ich: Der Wurm hat nicht so viele Sinne wie der Mensch. Ah! Intelligenz und Leben sind nötig, um einen Körper zu bauen, wie ihn der Mensch besitzt. Hier ist der Schlüssel zu meiner Entdeckung. Leben muß von der Intelligenz geleitet werden, um alle Formen zu bilden. Das gleiche Gesetz wirkt in meinem Körper.

Leben ist einfach eine Form von Energie und muß von der Intelligenz des Menschen in seinem Körper geleitet und dirigiert werden. Wie treten wir nun mit der Intelligenz in Verbindung? Durch Denken und Sprechen natürlich. Dann kam es in einem Gedankenblitz zu mir: Ich muß zum Leben in jedem Teil meines Körpers sprechen und ihn tun lassen, was ich wünsche. Ich begann, mit meinem Körper zu reden und erhielt wunderbare Ergebnisse.

Ich sagte zum Leben in meiner Leber, daß ich nicht schlaff oder träge sei, sondern voll Kraft und Energie. Ich sagte zum Leben in meinem Magen, ich sei nicht schwach oder untätig, sondern energisch, stark und intelligent. Ich sagte zum Leben in meinem Leib, ich sei nicht mehr vergiftet von unwissenden Krankheitsgedanken . . . sondern erfüllt von der süßen, reinen, gesunden Gottesenergie. Ich sagte meinen Gliedern, sie sollten aktiv und stark sein.

Ich wandte mich an alle Lebenszentren in meinem Körper und sprach zu ihnen Worte der Wahrheit – Worte der Kraft und der Stärke. Ich bat sie um Verzeihung wegen der närrischen, unwissenden Art, die ich in der Vergangenheit gezeigt hatte, als ich sie als schwach, untätig, krank beschimpfte. Ich war auch nicht entmutigt, daß sie nur langsam reagierten, sondern ich ließ nicht ab, sowohl im stillen als auch laut die Worte der Wahrheit zu erklären, bis die Organe ansprachen.«

Der Gesundungsprozeß setzte schnell ein. Innerhalb von

zwei Jahren war Myrtle Fillmore wieder vollständig geheilt und lebte danach noch 40 glückliche, arbeitsreiche Jahre.

Wie Charles Fillmore von tuberkulösen Abszessen geheilt wurde

Inzwischen erkannte auch ihr Ehemann für sich eine Heilungsmöglichkeit: »Obwohl ich ein Invalide und ganz selten ohne Schmerzen war, gefiel mir die Lehre zunächst nicht«, schrieb er später. Er war jedoch ein realistischer Mann; und als er den Heilungsprozeß seiner Frau miterlebte und dann auch den anderer Menschen, die später bei ihr Hilfe suchten, konnte er die Tatsache, daß große Kräfte freigesetzt wurden, nicht mehr leugnen. Und so wuchs schließlich sein Interesse. Über seine eigene Heilung schrieb er in seinem Buch »Atom Smashing Power of Mind« (Atomspaltende Geisteskraft): »Ich bin imstande, über die an mir selbst erlebte Heilung von Hüfttuberkulose Zeugnis abzulegen. Als zehnjähriger Junge erkrankte ich, wie es hieß, an Rheumatismus. Daraus entstand ein sehr schweres Hüftleiden. Ich mußte über ein Jahr lang das Bett hüten; und von dieser Zeit an war ich gelähmt und litt 25 Jahre lang Schmerzen. Dann fing ich an, das Göttliche Gesetz anzuwenden. Am Ende des Hüftknochens bildeten sich zwei große Abszesse, die mich nach Ansicht der Ärzte schließlich das Leben kosten würden. Jedoch gelang es mir, an Krücken zu gehen, wobei ich eine 10 cm lange Verlängerung meines rechten Beines aus Stahl und Kork benutzte. Die ganze rechte Seite wurde in Mitleidenschaft gezogen; mein rechtes Ohr war taub, mein rechtes Auge schwach. Von der Hüfte bis zum Knie war das Fleisch ein glasiger Körperanhang mit wenig Empfindung.

Als ich mit der geistigen Behandlung begann, war lange Zeit nur eine geringe Reaktion im Bein zu spüren; jedoch fühlte ich mich besser und merkte, daß ich mit dem rechten Ohr wieder etwas hörte. Dann stellte ich fest, daß das Gefühl in mein rechtes Bein zurückkehrte. Im Verlauf der Jahre wurde das verknorpelte Gelenk weicher, das zusammengeschrumpfte

Fleisch dehnte sich, bis das rechte Bein so lang war wie das andere. Dann warf ich die Stahl- und Kork-Verlängerung fort und trug einen normalen Schuh mit einem hohen Absatz von 2,5 cm Höhe. Jetzt ist das Bein genauso lang wie das andere, die Muskeln sind wieder heil, und obgleich das Hüftgelenk noch nicht ineinanderpaßt, bin ich doch sicher, daß es bald der Fall sein wird und ich vollkommen gesund sein werde.

Ich gebe diese genauen Einzelheiten meiner Heilung bekannt, weil sie vom medizinischen Standpunkt aus gesehen als unmöglich und vom religiösen als ein Wunder erachtet würden. Tatsächlich habe ich aber die Heilung Jahr um Jahr beobachtet, nachdem ich begonnen hatte, die Gedankenkraft anzuwenden. Und ich weiß, es geschieht unter Göttlichem Gesetz. Ich bin überzeugt, das ist der Beweis für das Gesetz, daß der Geist den Körper baut und ihn auch wiederherstellen kann.«

Charles Fillmore wurde geheilt durch die Anwendung und das Ansprechen der phantastischen Geisteskräfte, die tatsächlich im Körper ruhen. Er bezeichnete sie später als die »zwölf Menschenkräfte«. An sich selbst bewies er, daß ein Mensch fähig ist, diese dynamischen Geisteskräfte zu entwickeln und freizusetzen und damit ans Unglaubliche grenzende Gesundheitsprobleme zu lösen. Im Alter von 84 Jahren schrieb er später: »Ich fühle, daß ich elektrische Kräfte freisetze, die in den Nerven des Körpers versiegelt sind. Mein physischer Organismus ist Zelle für Zelle verändert.«

Mr. Fillmore lebte hiernach noch ein weiteres arbeitreiches und glückliches Jahrzehnt.

Wissenschaftlicher Beweis für die Wirkung der Gedankenkräfte auf den Körper

Kommt es Ihnen nicht phantastisch vor, daß ein Mensch solche unbegrenzten Kräfte für seine physische Erneuerung in sich trägt und anwenden kann, wie es den Fillmores gelang?

Das ist keine neue Idee. Anfang des Jahrhunderts erbrachte ein Professor der Yale-Universität den Beweis auf wissenschaftliche Weise, daß Gedanken Macht über den Körper haben. Er legte in seinem Laboratorium einen jungen Mann auf eine austarierte Waage. Dann sagte er ihm, er solle an ein schwieriges mathematisches Problem denken und versuchen, es im Kopf zu lösen. Als der Mann scharf nachdachte, senkte sich die Waagschale nach der Seite, wo der Kopf des Mannes lag. Das Blut floß in größerer Menge zum Gehirn und senkte so die Waagschale. Jetzt befahl er dem jungen Mann, an »Laufen« zu denken, denn er war Fußballspieler und interessierte sich auch für Wettlauf. Als der Mann an einen 100-Meter-Lauf dachte bzw. daran, mit dem Ball unterm Arm das Spielfeld zu überqueren, senkte sich die Waage nach der Seite, wo seine Beine und Füße lagen. Das Blut floß nun freier zu diesen Organen.

Wurde der Mann gebeten, das Einmaleins mit der 9 aufzusagen, sank die Waage tiefer, als wenn er das Einmaleins mit der 5 sprach, das einfacher ist. Der Professor fand, daß sich der Körperschwerpunkt um ganze 10 cm verschob, nur weil er sein Denken änderte; und dabei bewegte sich nicht ein Muskel. Dieser Professor bewies direkt, daß Gedanken Dinge sind, deren Kraft zum Guten oder Bösen genau gewogen und gemessen werden kann. Hier ist tatsächlich eine Kraft vorhanden, die ohne weiteres benutzt werden kann.

Wenn das Blut durch Gedankenänderung dazu gebracht werden kann, hierhin oder dorthin zu fließen, wenn die ganzen Prozesse der Verdauung, der Nahrungsaufnahme, der Zirkulation und der Ausscheidung beeinflußt werden können mit Hilfe von guten oder kranken Gemütszuständen, wenn alle diese Funktionen, die in ständiger Verbindung mit dem Nervensystem stehen, in ihrer Arbeit unterstützt oder behindert werden können durch unsere eigenen Gedanken, dann werden Sie begreifen, warum das Heilungsgeheimnis der Jahrhunderte so machtvoll ist. Tatsächlich werden unsere wichtigsten Körperfunktionen – Nahrungsaufnahme, Verdauung, Zirkulation und Ausscheidung – wenn auch unbewußt, so doch dauernd und stark von der Kraft unserer bewußten Gedanken in ihrer Arbeit beeinflußt. Das bedeutet, daß Sie nicht auf Gnade oder Ungnade einer schlechten Gesundheit ausgeliefert sind. Sie sind fähig, Ihr Los zu ändern durch bewußte Verbesserung Ihrer Gedankenqualität.

Welche Kräfte sind es, und wo liegen sie?

Die Heilungsgeheimnisse der Jahrhunderte bestehen darin, daß Sie, lieber Leser oder liebe Leserin, in sich selbst die folgenden zwölf Geisteskräfte besitzen, die ihren Sitz in den folgenden Nerven- und Drüsen-Zentren im Körper haben, wie die Figur 1.1 zeigt:

1) Glaube; die Geisteskraft des Glaubens liegt im Zentrum des Gehirns bei der Epiphyse.
2) Stärke; die Geisteskraft der Stärke liegt zwischen den Adrenalindrüsen und den Lenden im Kreuz.
3) Urteilskraft; die Geisteskraft der Urteilskraft liegt in der Magengrube beim Solarplexus in der Nähe der Bauchspeicheldrüse; das Wort »Urteilskraft« sollte besser lauten »gefühlsmäßige Beurteilung oder Abschätzung der momentanen Situation«.
4) Liebe; die Geisteskraft der Liebe liegt in der Brust nahe der Herzgegend, mehr hinter dem Herzen in der Nähe der Thymusdrüse.
5) Macht; die Geisteskraft der Macht liegt an der Zungenwurzel im Hals nahe der Schilddrüse.
6) Imagination; die Geisteskraft der Vorstellung liegt zwischen den Augen eingebettet in der Nähe der Augennervwurzel.
7) Verstand; die Geisteskraft des Verstandes liegt in der Stirn gerade über den Augen.
8) Wille; die Geisteskraft des Willens liegt hinter der Stirn in der Mitte des Vorderhirns.
9) Ordnung; die Geisteskraft der Ordnung liegt bei einem großen Nervenzentrum hinter dem Nabel im Unterleib, das in alten Zeiten Lydendrüse genannt wurde.
10) Initiative; die Geisteskraft von Wagemut und Begeisterung

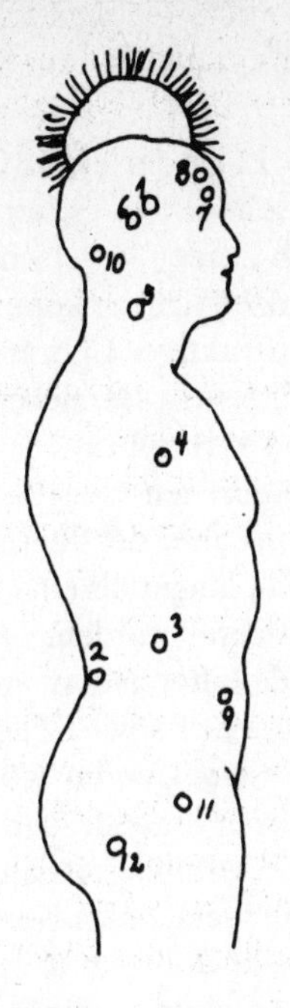

Figur 1.1 Die Lage der zwölf Geisteskräfte in den Drüsen- und Nervenzentren des Körpers.

liegt an der Gehirnbasis im Nacken an dem verdickten Ende der Wirbelsäule.

11) Elimination; die Geisteskraft der Ausscheidung liegt in den Ausscheidungsorganen am Ende des Rückens.
12) Leben; die Geisteskraft des Lebens liegt in den Geschlechtsorganen.

Bitte beachten Sie: Neben den genannten zwölf Geisteskräften existiert noch das ICH BIN oder der Christus-Geist, der in einem Ganglienzentrum auf dem Gehirnscheitel in der Krone des Kopfes liegt. Er setzt, wenn angeregt, eine Überintelligenz frei, die sich auf alle zwölf Geisteskräfte erstreckt. Bitte, beachten Sie die Eintragung in Figur 1.1.

Wo liegen die Krankheiten?

Nachdem Sie nun die Lage der zwölf Geisteskräfte kennen, werden Sie leicht einsehen, wie es bei ihrem Mißbrauch zu bestimmten physischen Leiden in verschiedenen Körperbereichen, aber auch am ganzen Körper kommen kann. Umgekehrt wird ihr freier und konstruktiver Gebrauch unsere Gesundheit und Vitalität in den einzelnen Bereichen wie auch im ganzen Körper vergrößern und verbessern.

Obgleich diese dynamischen Geisteskräfte hin und wieder von der Menschheit im Laufe der Jahrhunderte benutzt wurden, sollten sie nun nicht länger als eine Geheimlehre »nur für Fortgeschrittene« betrachtet werden. Diese Kräfte sollten in diesem aufgeklärten Zeitalter jedermann bekannt und auch von jedem benutzt werden. Es wird Zeit, daß die ganze Welt erfährt, daß Krankheit weniger im Körper als vielmehr im Geist liegt, der den Körper umhüllt; daß Krankheit weniger in den Nerven und Drüsen zu finden ist als vielmehr in der Geisteskraft, die in den entsprechenden Nerven und Drüsen liegt. Sie leben gar nicht so sehr in Ihrem Körper, sondern vielmehr in Ihren Gedanken und Gefühlen, die Ihren Körper umgeben. Dort ist die Stelle, wo Krankheit oder Mangel an Entspannung zuerst auftreten. Es ist nicht so, daß Gesundheit kommt und geht. Gesundheit ist ewig gegenwärtig! Es ist vielmehr unsere Vorstellung von Gesundheit, die kommt und geht, je nach unserer Stimmung und unseren Empfindungen, die dauernd den Körper beeinflussen. Ärzte stimmen in der Meinung darin überein, daß der Gebrauch von Medikamenten den Zweck haben soll, unsere natürlichen Körperfunktionen anzuregen. Aber Medikamente sprechen nicht das intelligente Prinzip an, das die natürlichen Körperfunktionen lenkt; daher bewirken sie keine dauernde Heilung, die eben nur eintritt, wenn das intelligente Prinzip erlöst oder befreit wird.

Wie setzt man die intelligente Heilkraft frei?

In Ihnen ist ein göttlicher Strom, der die Heilkraft herbeiführt. Wie Mr. und Mrs. Fillmore und viele andere vorher und nachher bewiesen haben, fließt Ihre Energie dorthin, wohin Sie Ihre Aufmerksamkeit lenken. Und das ist der Weg, wie Sie das intelligente Prinzip zu den einzelnen Körperteilen senden können. Sobald Sie mit vollem Bewußtsein Ihre Aufmerksamkeit dirigieren und den Energiefluß strömen lassen, rufen Sie das intelligente Prinzip wach, das eben in dem betreffenden Körperteil liegt und überall Energie steigert. Bessere Gesundheit ist das natürliche Ergebnis.

Wiederum ist das keine neue Idee, sondern von altersher eine bewiesene Heilmethode. Sowohl die Ägypter als auch die Brahmanen wußten, daß die Konzentration der gesamten Aufmerksamkeit die Bewußtseinszentren im Körper belebt und Heilung erfolgt. Sie wußten und bewiesen, daß die Bewußtseinskräfte in ihrer Wirkung auf den Körper nahezu unermeßlich sind!

Versteifen sie sich nicht auf die Suche nach der genauen Lage der verschiedenen Geisteskräfte, wie sie in Figur 1.1 angegeben sind. Versuchen Sie nicht, Ihr Unbehagen und Ihre Schmerzen ganz genau mit den verschiedenen Geisteskräften in Verbindung bringen zu wollen. Gehen Sie lieber, während Sie zur Linderung der akutesten Auswirkungen von gewissen Beschwerden ärztliche, chiropraktische oder therapeutische Behandlung in Anspruch nehmen, einen Schritt weiter und fangen Sie an, nach den geistigen und emotionalen Ursachen zu forschen. Die allgemeine Lage Ihrer Krankheitssymptome ist meistens Hinweis genug darauf, welche Geisteskräfte mißbraucht worden sind.

So wie die alten Philosophen glaubten, daß der Mensch über zwölf Stufen zu seiner Erleuchtung emporsteigt, so schlage ich vor, daß Sie dieses ganze Buch durchstudieren, um Ihre zwölf Geisteskräfte kennenzulernen und auch die Art und Weise, wie sie Ihre Gesundheit beeinflussen. Dieses Wissen verhilft Ihnen dazu, den gesamten Menschen metaphysisch zu behandeln und nicht nur seine spezifische Krankheit. Danach können Sie an jene Geisteskräfte herangehen, die Sie am meisten interessieren, können anfangen, sie zu entwickeln, während Sie die mit ihnen verbundenen Gesundheitsprobleme lösen.

Wie diese Geisteskräfte wirken

Diese zwölf Geisteskräfte arbeiten mit Mächten, die außerhalb der Sphäre bewußten Denkens liegen. Wenn Sie sie zu entwikkeln beginnen, können sie in unerwarteter Weise zu reagieren anfangen. Oft werden sie zunächst im Unterbewußtsein wirken und Ihre Gefühle sowie Ihren ganzen Körper von negativen Gedanken, häßlichen Erinnerungen, altem Groll, Haß und Furcht befreien, reinigen und säubern, vor allem also, was Ihrer Heilung entgegensteht. Tatsächlich gehört die Reinigung des Geistes zu einem der ersten Schritte, die für eine dauernde Heilung unternommen werden müssen.

Diese Geisteskräfte arbeiten also zunächst in Ihrem Unterbewußtsein. Sie werden blitzartig inspiriert. Ihren Hinweisen sollten Sie Folge leisten. Sie zeigen Ihnen Dinge, die Sie tun sollten, selbst wenn sie in keinem Zusammenhang mit Ihrer Heilung zu stehen scheinen. Erst später werden Sie sehen, wie diese unterbewußten und überbewußten Gedankenphasen zunächst in Tätigkeiten gesetzt werden mußten, bevor die bewußte Ebene Ihres Seins mit einer kompletten Heilung nachkommen konnte.

So werden Sie bitte nicht ungeduldig und erwarten Sie nicht, daß sich etwas »ganz Dramatisches« ereignet. Aus den Gesetzen der Physik wissen Sie, daß eine Kraft, die auf einen Punkt ausgeübt wird, tatsächlich zu gleicher Zeit an jedem anderen Punkt wirkt. So geht es auch mit der Krankheit und ihrer Heilung: sie beschränkt sich eben niemals auf ein einziges Organ, sondern beeinflußt den ganzen Körper. Wenn Sie Ihren Teil dazu beitragen und freimütig Ihre Geisteskräfte konstruktiv wirken lassen, können Sie versichert sein, daß Ihr Unterbewußtsein, das die motorischen Funktionen Ihres Körpers regelt, zu seiner Zeit und auf seine Weise seinen Teil zur Heilungsarbeit beisteuert.

So wie ein gesunder Körper normalerweise in der Stille arbeitet, so brauchen Sie auch nicht zu hören, zu fühlen oder sich darüber bewußt zu sein, daß der Heilungsprozeß einsetzt; unter gewissen Umständen könnte das allerdings doch der Fall sein. Manchmal stellen Sie einige Zeit später bei sich fest, daß sich Ihr Zustand normalisiert hat. Seelenfrieden geht der Körperheilung voraus. Sobald Sie also ein Gefühl der Stille erfahren, ist das ein Anzeichen dafür, daß die Heilung einsetzt. Von diesem Zeitpunkt an danken Sie dafür, geheilt zu sein. Das Wort »Doktor« heißt buchstäblich »Lehrer«! Der Zweck dieses Buches ist es nicht, Ihren Hausarzt zu ersetzen, sondern Sie darin zu unterrichten, wie Sie Ihre Geisteskräfte in den einzelnen Körperteilen konstruktiv nutzen sollen, und Ihnen zu helfen, zu den geistigen und emotionalen Ursachen der Leiden in diesen Körperteilen vorzudringen.

In der Weise wirkt dieses Buch sowohl als Arzt als auch als Lehrer. Daneben können Sie natürlich weiterhin ärztliche Hilfe in schwereren Fällen in Anspruch nehmen, wenn es darum geht, extreme Auswirkungen eines Leidens zu mildern.

Ein zweites Heilungsgeheimnis: das Überbewußtsein

Falls Sie zögern, diese zwölf Geisteskräfte zu entwickeln: Seien Sie versichert, daß Sie sie bereits gebraucht oder mißbraucht und damit entweder ein konstruktives oder destruktives Ergebnis erzielt haben. Jetzt können Sie also damit beginnen, sie weise, vertrauensvoll und entschieden zugunsten einer größeren und andauernden guten Gesundheit zu benutzen. Das führt nun zu einem zweiten allgewaltigen und wenig bekannten Heilungsgeheimnis der Jahrhunderte:

Wir haben gerade von den bewußten, unterbewußten und überbewußten Geistesaktivitäten gesprochen, die durch Ihre zwölf Geisteskräfte wirken. Diese drei Ebenen der Geistesaktivität liegen ebenfalls direkt in Ihrem Körper. Sobald Sie wissen, wo sie liegen, werden Sie besser beurteilen können, ob Ihr bewußtes oder unterbewußtes Denken die einzelnen Krankheiten verursacht. Auch werden Sie bemerken, daß, wenn Sie von Ihrer überbewußten Geistesaktivität Energie zu den zwei anderen Aktivitäten aussenden, die metaphysischen Ursachen von Leiden leichter erkannt werden können. Solch ein Wissen nimmt alles »Mysteriöse der Krankheit« hinweg und hilft Ihnen, sofort mit der Gesundheitserneuerung zu beginnen.

Die folgenden Abschnitte enthalten eine genauere Beschreibung der in Ihnen liegenden Aktivitätsebenen, so wie sie auch in Figur 1.2 illustriert sind.

Erstens: Ihr Bewußtsein – welches urteilt, analysiert, bewußt denkt – liegt im vorderen Teil der Stirn und strahlt in alle fünf Sinne aus. Was Sie bewußt denken und wohlüberlegt sagen, beeinflußt alle Ihre Geisteskräfte, die zwischen Stirn und Hals liegen.

1) Die Geisteskraft des Willens, die in der Stirn im Zentrum des vorderen Gehirns liegt (im Bild Nr. 8).
2) Die Geisteskraft des Verstehens, die in der Stirn im vorderen Gehirn liegt (im Bild Nr. 7).
3) Die Geisteskraft des Glaubens, die im Zentralhirn liegt (im Bild Nr. 1).
4) Die Geisteskraft der Vorstellung, die zwischen den Augen liegt (im Bild Nr. 6).
5) Die Geisteskraft der Initiative (Unternehmungslust), die an der Gehirnbasis im Nacken liegt (im Bild Nr. 10).
6) Die Geisteskraft der Macht, die an der Zungenwurzel im Hals liegt (im Bild Nr. 5).

Der Mißbrauch auch nur einer dieser Geisteskräfte erzeugt fast umgehend eine krankhafte Reaktion in dem betreffenden Körperteil. Ein Beispiel: Eine Frau hatte mit ihrem Mann einen heftigen Streit und warf ihm ihre ganze Kritik an den Kopf. Durch den Mißbrauch ihrer Geisteskraft der Macht (des Sprechens) bekam sie innerhalb von zwei Stunden eine Halsentzündung und Erkältung, an der sie zwei Wochen litt.

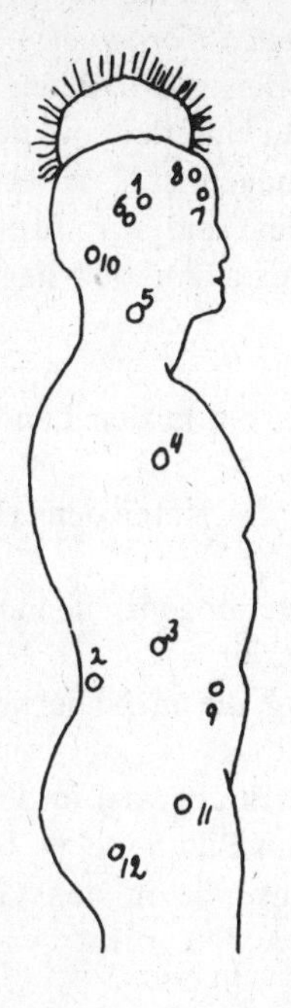

Figur 1.2 Die drei Aktivitätsregionen Ihres Geistes.

Die Tatsache, daß diese Geisteskräfte im bewußten Bereich liegen, zeigt Ihnen an, daß Störungen in Stirn, Gehirn, Augen, Ohren, Nase und Hals auf Ihre eben erst gedachten Gedanken zurückzuführen sind. Sie ist gleichzeitig auch ein Zeichen dafür, daß Sie mit Ihren gegenwärtigen wohlüberlegten und konstruktiven Gedanken Gesundheitsprobleme in diesen Körperteilen lösen helfen können.

Besondere Bemerkung: Obwohl sich die bewußten, unterbewußten und überbewußten Geistesaktivitäten über den ganzen Körper erstrecken und laut medizinischer Wissenschaft auch mit bestimmten Hirnteilen verbunden sind, weise ich dennoch hier auf den Sitz der metaphysischen Aktivitäten dieser drei Geistkraftarten *in den verschiedenen Körperteilen* hin.

Zweitens: Die unterbewßten Geistesaktivitäten im Körper liegen in der Gegend von Herz und Unterleib, wo der Sitz Ihrer Emotionen und tiefen Empfindungen ist. Das, was Sie stark empfinden und wovon Sie überzeugt sind, wird zu einem unterbewußten Gedankenbild, das Ihre im Unterleib liegenden Geisteskräfte berührt.

1) Die Geisteskraft der Stärke, die in den Lenden und im Kreuz liegt (im Bild Seite 33, Nr. 2).
2) Die Geisteskraft der Liebe, die hinter dem Herzen liegt (im Bild Seite 33, Nr. 4).
3) Die Geisteskraft des Urteilsvermögens, die in der Magengrube liegt (im Bild Seite 33, Nr. 3).
4) Die Geisteskraft der Ordnung, die am Nabel liegt (im Bild Seite 33, Nr. 9).
5) Die Geisteskraft der Ausscheidung, die in den Organen des unteren Rückens liegt (im Bild Seite 33, Nr. 11).
6) Die Geisteskraft des Lebens, die in den Geschlechtsorganen liegt (im Bild Seite 33, Nr. 12).

Wenn Sie physische Beschwerden am Herzen oder im Unterleib haben, so ist die Ursache dafür oft in unbewußten Erregungen und Empfindungen zu suchen, an die Sie sich nicht mehr bewußt erinnern, z. B. alte Kränkungen, Vorurteile, Unversöhnlichkeiten, Aufregungen und bittere Erfahrungen, die gerade in diesem unterbewußten Körperteil aufgestaut sind und dort Unruhe stiften.

Manche Leute haben Herzweh, Unterleibserkrankungen, Nierenleiden, Magenstörungen und die verschiedensten Verdauungsbeschwerden, die meistens von seelischen Erschütterungen tief im Unterbewußtsein zurückgeblieben sind und aus negativen Erfahrungen im Umgang mit anderen Menschen herrühren. Diese Vorgänge müssen erst bereinigt werden, bevor sich anhaltende Gesundheit im Unterleib einstellen kann.

Wenn Sie nun besonders die sechs oben genannten Geisteskräfte zu entwickeln beginnen, werden diese Ihnen helfen, gerade die Leiden des Unterleibs zu heilen.

Drittens: Die überbewußte Aktivität der Geistesfunktionen vom Scheitel des Kopfes. Diese Geistaktivität wird der Christus-Geist und das »Ich Bin« genannt, auch Zentrum der göttlichen Intelligenz und Weisheit, da sie direkten Zugang zum vollkommenen Leben und zur Allweisheit besitzt. Ihre plötzlichen Eingebungen, Intuitionen, Geistesblitze, Fingerzeige, telepathischen oder andere außersinnlichen Wahrnehmungskräfte kommen von daher. Lebendige Energien werden von hier freigesetzt, um zu allen zwölf Geisteskräften und physischen Körperfunktionen zu fließen.

Die überbewußte Geistesaktivität erweckt und aktiviert die allerstärkste Energieart im menschlichen Geist und Körper. Augenscheinliche Wunder geschehen, sobald diese göttliche Kraft aktiviert wird. Sie vermag so tiefe Geistesgründe zu erreichen, daß gegebenenfalls die den Körper regierenden Naturgesetze umgekehrt werden, so daß Unheilbares geheilt wird.

Sie aktivieren nun die überbewußte Ebene des Geistes mit Hilfe von geistigem Studium, Gebeten und Bejahungen, die geeignet sind, diese überbewußte Geistesphase zu erwecken. Die spanische Mystikerin des 16. Jahrhunderts, die heilige Therese von Avila, beschreibt in ihrem bedeutsamen Buch »Interior Castle« (Die Burg der Seele), wie durch Gebete Geisteskräfte im oberen Teil ihres Kopfes erweckt wurden. Die Menschen des Alten Testaments bejahten die Namen »Jehova« und »Ich Bin« und die des Neuen Testaments »Jesus Christus«. Die Christen des ersten und zweiten Jahrhunderts bewirkten Wunder durch die häufige Wiederholung des Vaterunsers. Dadurch wurde das Christus-Bewußtsein ausgelöst.

Eine Hausfrau litt 18 Jahre lang an einem Pilz im Ohr, der ein Trommelfell völlig zerstört und im anderen ein großes Loch hervorgerufen hatte. Die Pilzsporen ruhten in einem infektiösen Teil des Mittelohrs. Wenn sie niesen mußte oder Wasser ins Ohr lief, entstanden Schwellungen im Gehörgang, die diesen oft vollständig verschlossen. Dieser Vorgang war sehr schmerzhaft. Sie hatte viel Geld für medizinische Hilfe ausgegeben. Bei ärztlichen Laboratoriumsversuchen stellte sich heraus, daß kein Medikament, keine Antibiotika diesen Pilz zu töten vermochten. Ihr Gesundheitszustand war außerordentlich besorgniserregend, da die Entzündung in der Nähe von Mittelohr und Gehirn lag.

Als sie von der lebendigen Kraft hörte, die durch die überbewußte Geistesaktivität in Tätigkeit gesetzt werden kann, eignete sie sich während einer schmerzvollen Attacke eine Technik an, die darin bestand, immer wieder »Jesus Christus, Jesus Christus, Jesus Christus« zu wiederholen. Innerhalb von sechs Stunden verschwanden Schwellung und Schmerz, und keine Spur der Infektion blieb zurück. Diese Heilung geschah vor acht Jahren, und seitdem hat diese Hausfrau keine Not mehr mit ihren Ohren gehabt.

In meinen Büchern »The Dynamic Laws of Prosperity« (Die dynamischen Gesetze des Reichtums*) und »The Dynamic Laws of Healing« finden Sie einige Kapitel, die Sie darüber unterrichten, wie die überbewußten Geisteskräfte für eine Heilung entwickelt werden können.

Wie verordnet man göttliche Intelligenz?

Zur Erreichung der Ziele, die sich dieses Buch gesetzt hat, schlage ich vor, Sie verordnen »Göttliche Intelligenz«. Augenscheinlich war das das Geheimnis von Myrtle Fillmore bei ihrer Heilung von einem hoffnungslosen Leiden: »Intelligenz und Leben sind nötig, um einen Körper zu bauen . . . Leben muß von Intelligenz geleitet werden . . . Leben ist eben eine Energieform und *muß* von der Intelligenz des Menschen in seinem Körper geleitet und gelenkt werden. Wie verkehren wir mit der Intelligenz? Durch Denken und Sprechen natürlich!«

Sie können augenblicklich damit beginnen, dynamische

* Goldmann Verlag (11879)

Energie von Ihrem Überbewußtsein freizusetzen durch tägliches Entspannen, tiefes Atmen und Bejahen: *Ich bin göttliche Intelligenz, Ich Bin, Ich Bin, Ich Bin; ich lasse göttliche Intelligenz jetzt durch mich Ausdruck finden. Ich Bin, Ich Bin, Ich Bin.* Lassen Sie Ihre Aufmerksamkeit vom Scheitel bis zu den Zehenspitzen schweifen und wiederholen Sie immer wieder diese Worte. Sie können sogar noch weitergehen und Wunderkräfte in Ihr Leben und Wirken strömen lassen, wenn Sie täglich bejahen: *Es wird mir zu jeder Zeit und in jeder Situation genau gezeigt, was zu tun ist. Ich bin fähig, jetzt alles vollkommen auszuführen.*

Die Bejahung von göttlicher Intelligenz erweckt die überbewußte Kraft im Scheitel des Kopfes und vereinigt sie dann mit der Intelligenz des bewußten Geistes in der Stirn. Die vereinten Intelligenzen des Überbewußten und Bewußten fließen dann ins Unterbewußte, das im Unterkörper liegt. Bessere Zirkulation und erhöhte Vitalität sind das natürliche Ergebnis.

Wenn Sie täglich diese Geistesübungen machen, werden Sie sich bald besser, lebendiger, kraftvoller, friedlicher fühlen, werden auch mehr Vertrauen haben und bemerken, daß tatsächlich eine höhere Intelligenz in Ihrem Geist, Körper und allen Angelegenheiten zu wirken scheint. Ihnen wird klar, wie Sie jede Phase Ihres Lebens siegreich durchleben können.

Ein drittes Heilungsgeheimnis: das Verhältnis von rechter und linker Körperhälfte

Es bleibt noch ein letztes Heilungsgeheimnis, das Ihnen einen Hinweis auf Gesundheitsprobleme geben kann. Die Menschen des Altertums betrachteten die rechte Seite des menschlichen Körpers als maskulin und die linke als feminin. In alten Zeiten kämpften die Männer mit ihrem rechten Arm und verteidigten sich mit der linken, mit dem sie einen Schild trugen.

Die Heilungssymbolik erklärt sich folgendermaßen: Wenn Sie sich über eine männliche Person ärgern, können Sie eine Menge Gesundheitsprobleme auf der rechten Körperhälfte haben, bis Sie den Ärger durch Vergebung und befreiende Gedanken zur Auflösung bringen.

Die männliche, rechte Körperhälfte symbolisiert Weisheit. Wenn Sie Ihre Weisheit mißbrauchen, können Sie immer wieder Störungen auf Ihrer rechten Körperhälfte erleben, bis Sie Ihre Weisheit richtig gebrauchen. (Die vorangegangenen Bejahungen über Intelligenz sind sehr hilfreich für diesen Zweck.)

Der rechte Arm ist zu gleicher Zeit der Arm, mit dem man gibt, und häufige Gesundheitsprobleme auf der rechten Körperhälfte zeigen unter Umständen an, daß es hier notwendig wäre, etwas zu geben. Sie haben auf der physischen, finanziellen, geistigen oder gefühlsmäßigen Seite des Lebens etwas zurückgehalten, was Sie nun geben sollten.

Häufige Gesundheitsprobleme auf der linken, weiblichen Seite zeigen, daß Sie sich über irgendeine weibliche Person ärgern, die Mutter, Schwiegermutter, Ehefrau, Tochter, Schwester oder irgendeine Nachbarin, Freundin oder Kollegin. Das kann in der Vergangenheit gewesen oder jetzt noch der Fall sein.

Da das weibliche Geschlecht auch Liebe symbolisiert, können Gesundheitsprobleme auf der linken Körperseite auftreten, wenn Sie Ihre Geisteskraft der Liebe mißbraucht oder zugelassen haben, daß Ihre Liebe von anderen mißbraucht wurde. Vielleicht war das sogar auf geheime oder unerlaubte Weise der Fall. Gleichzeitig symbolisiert die linke Körperhälfte Empfangsbereitschaft; benutzen Sie recht weise das, was Sie empfingen. Wenn Sie vielleicht manches Gute abgelehnt haben, das Ihnen angeboten wurde, oder wenn Sie meinen, daß es an Ihnen vorbeigegangen sei und Sie betrogen wurden, können Sie sofort zur Lösung Ihres Gesundheitsproblems auf der linken Körperhälfte beitragen, wenn Sie Ihren Geist gegenüber der Empfangsidee weit öffnen: *Ich empfange; ich empfange jetzt. Ich empfange und benutze weise all das Gute, was mir von Gott jetzt zukommt, und Gott hat unendlich viel Gutes für mich, jetzt!* Wenn Sie durch intensives geistiges Studium ein großes Wissen von der Wahrheit angesammelt, es aber nicht dazu benutzt haben, es in Ihren Lebensproblemen anzuwenden oder dazu, anderen zu helfen, kann seine Stagnation sich als Gesundheitsproblem auf Ihrer linken Körperhälfte bemerkbar machen. Wahrheit verlangt, zum Ausdruck gebracht zu werden: Sie *müssen* die Wahrheit, die Sie kennen, benutzen!

Eine Hausfrau berichtete, wie sie ihre eigenen Gesundheitsprobleme auf dieses »Rechts-links«-Heilungsgeheimnis der Jahrhunderte zurückführen konnte:

»Mein Vater hatte immer einen starken Willen und war sehr kritisch. Er rügte mich schwer und war oft über Kleinigkeiten außer sich. Die Folge meines geheimen Unwillens gegen ihn war, daß ich mir als Kind dauernd weh tat, und zwar immer auf der rechten Körperseite. Ich schnitt mir als Kind beinahe einen meiner rechten Finger ab, und obgleich er wieder anheilte, wurden doch die Lymphknoten unter meinem rechten Arm so empfindlich, daß sie mich bis heute belästigen, sobald ich mich aufrege. Immer wieder verbrannte ich mich, mal am rechten Knie, mal an der rechten Seite des Leibes, mal am rechten Fuß. Mein Blinddarm, der ja auch in der rechten Körperhälfte liegt, mußte nach einer chronischen Entzündung entfernt werden. Meine rechte Hand wurde bei zwei verschiedenen Anlässen schwer zerschnitten: einmal, als mein Bruder kam, um bei mir zu leben; das war zu einer Zeit, wo ich glaubte, es mir nicht leisten zu können, ihm zu helfen.

Wenn ich nun auf Gesundheitsprobleme der linken, weiblichen Körperhälfte zu sprechen komme, so fällt mir ein, daß meine Mutter einmal, als ich noch ein Kind war, sehr böse auf mich wurde. Tagelang wollte sie nicht mit mir sprechen.

In dieser Zeit fiel mir eine Fensterscheibe auf den linken Fuß und schnitt mir beinahe meinen großen Zeh ab. Er heilte erst richtig, als meine Mutter und ich uns wieder versöhnt hatten.«

Zur Lösung immer wiederkehrender Gesundheitsprobleme auf der linken Körperseite sollten Sie bejahen: *Die vergebende Kraft der göttlichen Liebe befreit mich in diesem Augenblick von allem Groll der Gegenwart und Vergangenheit. Ich bin nun ein gesunder und glücklicher Mensch.*

Versuchen Sie nicht, alle drei in diesem Kapitel angeführten Heilungsgeheimnisse auf einmal zu verarbeiten. Fangen Sie lieber ganz langsam an, sich mit diesen jahrhundertealten Heilungswahrheiten vertraut zu machen. Erst später, wenn Sie sich diese ganz zu eigen gemacht haben, werden Sie die geistigen und gefühlsmäßigen Ursachen der Leiden in den einzelnen Körperteilen (von einem metaphysischen Standpunkt aus) erkennen. Weder die Krankheit als solche noch die mentalen und geistigen Heilungsmethoden, die zu ihrer Beseitigung führen, werden für Sie länger ein Mysterium sein.

Zusammenfassung

Die Heilungsgeheimnisse der Jahrhunderte, die für Sie offenbart sind, bestehen aus folgenden Tatsachen:

1) Sie haben zwölf dynamische Geisteskräfte, die in zwölf wichtigen Nervenzentren direkt in Ihrem Körper liegen und von den alten Sehern als »kosmische Zentren« bezeichnet wurden.
2) Wenn diese zwölf Geisteskräfte aktiviert werden, senden sie ungeheure Energien in den Geist und in den Körper der Menschen. Daraus entsteht die Heilung.
3) Diese zwölf Geisteskräfte werden in Tätigkeit gesetzt und damit ihre Energie und Kraft befreit, sobald der Mensch seine Aufmerksamkeit auf sie richtet und sie bewußt durch Bejahungen »ins Leben ruft«.
4) Diese zwölf Geisteskräfte sind: Glaube, Stärke, Urteilskraft (gefühlsmäßige Beurteilung), Liebe, Macht, Vorstellung, Verstehen, Wille, Ordnung, Begeisterung und Wagemut, Ausscheidung und Leben.
5) Sechs dieser Geisteskräfte liegen in der Zone des bewußten Denkens im Schädel: Wille, Verstehen, Glaube, Vorstellung, Begeisterung und Macht.
6) Sechs dieser Geisteskräfte liegen in der Zone des unterbewußten Denkens in der Brust und im Unterleib: Stärke, Liebe, Urteilskraft (gefühlsmäßige Beurteilung), Ordnung, Ausscheidung und Leben.
7) Die Überintelligenz des Körpers arbeitet vom Scheitel des

Kopfes aus und läßt, wenn sie durch Gebet, Bejahung und geistiges Studium in Tätigkeit versetzt wird, die allerstärkste Form der Energie im Weltall in alle zwölf Geisteskräfte fließen.

8) Der Verstandesmensch lebt mit dem Kopf. Der liebende Mensch lebt mit dem Herzen. Der sinnlich betonte Mensch findet seinen Ausdruck im Leib.

9) Die rechte Körperhälfte wird als männlich betrachtet. Wiederholt auftretende Gesundheitsstörungen auf dieser Seite zeigen eine nachtragende Haltung gegenüber männlichen Personen an; in gewisser Weise besteht die Notwendigkeit, freigebiger zu sein.

10) Die linke Körperhälfte ist weiblich. Häufig auftretende Gesundheitsprobleme zeigen hier eine nachtragende Haltung gegenüber weiblichen Personen an; es besteht die Notwendigkeit zu größerer Bereitschaft im Annehmen, sowohl innerer als auch äußerer Gaben.

2. Kapitel

Ihre Heilkraft des Glaubens

Der Erzbischof von Canterbury sagte einmal: »Es ist ein großer Irrtum anzunehmen, daß Gott nur auf das Gebiet der Religion beschränkt sei.«

Die gleiche Wahrheit läßt sich auch auf den Glauben anwenden. Die allgemeine Überzeugung, daß Glaube nur mit den religiösen Erfahrungen zu tun habe, ist nämlich falsch. Glaube ist eine Geisteskraft, die Sie immer und zu allen Zeiten benutzen. Er beeinflußt Ihre Gesundheit, Ihren Wohlstand und Ihr Glück, und das nicht nur am Sonntag, sondern an allen sieben Tagen der Woche.

Irgend etwas, woran Sie glauben, kann eine Entscheidung in Ihrem Leben herbeiführen. Große Ergebnisse können erzielt werden, auch wenn Sie nur einen kleinen Glauben haben.

William James beschrieb die Glaubenskraft in ihrer Wirkung auf die Gesundheit mit den Worten: »Glaube ist das dem Menschen eigene Energiezentrum.«

Eine Quelle der Glaubenskraft

Eines der Heilungsgeheimnisse der Jahrhunderte besteht darin, daß der Glaube an erster Stelle der zwölf dynamischen Geisteskräfte steht, die der Mensch besitzt. Die Menschen des Altertums glaubten, daß Glaube als Geisteskraft in der Pineal-Drüse liegt, knapp über den Ohren und nahe den Augen im Gehirnzentrum.

Die mysteriöse Pineal-Drüse – »das dritte Auge«.

Nur wenig ist über die mysteriöse Pineal-Drüse bekannt, die »das dritte Auge« genannt wurde oder auch »das Auge der Götter«. Bis vor wenigen Jahrzehnten wurde ihr nur ganz geringe Aufmerksamkeit geschenkt. Experten der Medizin glauben, daß diese Drüse die menschliche Wahrnehmungskraft für Licht regelt, daß sie einen entscheidenden Einfluß auf die geschlechtliche Bestimmung des Menschen habe und daß sie ferner mit dem Gehirnwachstum zusammenhängt. (Siehe Figur 2.1.)

Ihre Geisteskraft des Glaubens liegt bei der Pineal-Drüse gerade oberhalb der Ohren und neben den Augen im Gehirnzentrum.

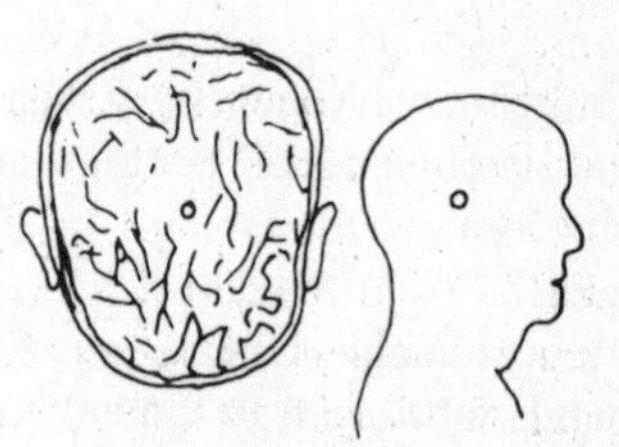

Figur 2.1 Die Lage der Pineal-Drüse (Geisteskraft des Glaubens).

Bei den Kindern bis zu sieben und neun Jahren findet man eine äußerst empfindliche Stelle am Scheitel des Kopfes, wo der Schädelknochen noch nicht vollständig zusammengewachsen ist. Vor Erreichung dieses Alters zeigen Kinder oft größere Empfindlichkeit und Wachheit. Sie machen sogar hellseherische Erfahrungen, von denen man glaubt, daß sie mit dem »dritten Auge« oder der Pineal-Drüse zusammenhängen.

Gemäß der esoterischen Philosophie und deren Heilungsgeheimnisse der Jahrhunderte hat diese kegelförmige Drüse im Gehirnzentrum des Menschen ganz besondere Funktionen: Wenn sie erregt wird, steht diese Drüse senkrecht und erlaubt in dieser Stellung den Gehirnessenzen, sich der höheren Intelligenz im Menschen anzugleichen. Dieser Vorgang wiederum setzt ungeheure Kraft, Energie und Weisheit frei, die im allgemeinen vom Menschen nicht erreicht werden. Es kommt dabei sehr schnell zu erstaunlichen Resultaten. Bei diesem Prozeß hat der Mensch tatsächlich die Glaubensstärke freigesetzt, die Berge versetzt. Ohne Rücksicht auf ihre physischen Funktionen ist die Pineal-Drüse Symbol für die höhere Intelligenz, die in des Menschen Geist, Körper und allen Belangen zur Wirkung kommt, sobald er seine Geisteskraft des Glaubens in Tätigkeit setzt, die eben im Bereich der Pineal-Drüse liegt.

Charles Fillmore hat diese unglaubliche Kraft beschrieben, die durch die Geisteskraft des Glaubens erzeugt wird: »So wie der elektrische Strom gewisse Metalle in einem elektrolytischen Bad niederschlägt, so treibt der Glaube die Elektronen des menschlichen Gehirns zur Aktivität an. Während sie in der Folge mit dem geistigen Äther arbeiten, beschleunigen diese Elektronen die natürliche Wirkung und erzeugen in kürzester Zeit das, wozu sonst Monate des Säens und Erntens benötigt würden.«

Warum ist Glaube nun so stark?

Deswegen, weil Sie mit Ihrer Glaubensintensivierung eine geistige Energie in Tätigkeit setzen, die tausendmal kraftvoller als Elektrizität ist. Ihre Geisteskraft des Glaubens erzeugt daraus eine Energie, die die Energie des Universums berührt und Umstände und Ereignisse entstehen läßt, die Ihr Glaubensziel erreichbar machen!

Tatsächlich erzeugt ein intensivierter Glaube eine Schwingung, die mit einer phantastischen anziehenden Kraft begabt ist. Diese Anziehungskraft des Glaubens hat keine andere Geisteskraft.

Wie kann man Glauben freisetzen?

Wie setzt man nun diese elektrische Energie frei, die in der Geisteskraft des Glaubens an der Pineal-Drüse eingeschlossen ruht? Indem man Worte des Glaubens spricht! Im Körper schlummert eine Heilkraft, die durch Worte des Glaubens erweckt werden kann. Sobald ein Wort gesprochen ist, wird eine chemische Veränderung im Körper ausgelöst, da der Lebensstrom im Menschen dem gesprochenen Wort untertan ist. Auf diese Weise haben Ihre Worte des Glaubens lebengebende Kraft.

Glaube ist die einzige Garantie für einen augenblicklichen Heilungserfolg. Derjenige, der zum Meister seines Glaubens wird, wird Meister seiner Gesundheit, da Glauben eben eine Kraft ist, die Leben schaffende Ergebnisse hervorbringt. Jesus betonte die Kraft des durch das gesprochene Wort bezeugten Glaubens (Markus 11, Vers 22–24): »Habt Glauben an Gott! Wahrlich, ich sage euch, wer zu diesem Berg spräche: Hebe dich und wirf dich ins Meer! und zweifelte nicht in seinem Herzen, sondern glaubte, daß es geschehen würde, was er sagt, so wird's geschehen. Darum sage ich euch: Alles, was ihr bittet in eurem Gebet, glaubet nur, daß ihr's empfanget, so wird's euch werden.«

Glaube bewirkt, daß die im Geiste bewegten Ideen sich mitteilen. An Gott glauben heißt, eine wagemutige Überzeugung von der Güte Gottes zu haben, die in Gesundheit und Leben am Werke ist. Sobald Glaube in Ihnen zu wirken beginnt, werden Sie unter Umständen sehr unruhig und unzufrieden mit Ihrer Welt. Das ist ein Anzeichen dafür, daß Glaube in Ihren Geist einzieht und versucht, größere Schätze in Ihr Leben zu bringen. Das ist die rechte Zeit, um Worte wie diese zu sprechen: »Ich habe den festen Glauben, daß ich jetzt auf eine fortschreitende Aufwärtsentwicklung in meinem Leben eingestimmt bin. Über mir steht das Zeichen des Erfolgs.«

In der Autobiographie von Mark Twain ist das Leben am Mississippi vor hundert Jahren beschrieben. Ärzte waren selten vorhanden, und wenn sich einer fand, behandelte er die ganze Familie für nur 25 Dollar im Jahr. Seine Rechnung schloß auch die Medikamente mit ein, die meistens aus Rizinusöl bestanden, das »tassenweise« verschrieben wurde. Weil es auch keine Zahnärzte gab, machte der Hausarzt kurzen Prozeß und riß mit einer Zange die Zähne aus.

Auch über Glaubensheilungen äußerte sich Mark Twain: »Wir hatten damals eine Frau als Glaubensheilerin. Ihre Spezialität waren ›Zahnschmerzen‹ ... Sie legte ihre Hand auf den Kiefer des Patienten und sagte: ›Glaube‹, und schon war er geheilt.« Wenn diese Glaubensheilerin ihren Patienten den Befehl gab: »Glaube!«, vollbrachte sie wirklich eine wissenschaftliche Leistung. Sie rührte im Patienten die Geisteskraft des Glaubens an, die im Gehirnzentrum elektrische Energien aktivierte. Dieser Vorgang beschleunigte die Arbeit der menschlichen Natur und förderte Heilungsergebnisse, die sonst viel länger gedauert hätten oder überhaupt nie eingetreten wären.

Ein großer Wissenschaftler bestätigte kürzlich die phantastische Glaubenskraft und sagte: »Eine Haupteigenschaft muß der Mensch entwickeln und ausüben, um zu den höheren Kräften in sich zu gelangen und seine Träume wahr werden zu lassen.« Diese Haupteigenschaft ist einfach das Vermögen zu glauben, statt zu zweifeln. Der Wissenschaftler erklärte weiter dazu, daß, sobald der Mensch das fertiggebracht habe, er einen Bewußtseinszustand erreiche, in dem alle Dinge für ihn möglich sind.

Glaube heilt die Arthritis eines Geschäftsmannes

Ein Geschäftsmann wurde von seinem Arzt wegen schwerer Arthritis und Neuritis als unheilbar krank bezeichnet. Er sagte ihm, daß es auf der ganzen Welt niemanden gäbe, der ihn heilen könnte. Der Mann war nicht fähig, seiner Arbeit nachzugehen und für seine Frau und sieben Kinder zu sorgen. Man empfahl ihm, spazierenzugehen und es sich so bequem wie möglich zu machen, um seine Schmerzen zu lindern. Dieser Mann aber fühlte intuitiv, daß ihm durch Erweckung des rechten Glaubens geholfen werden könne. Er suchte deshalb seinen Geistlichen auf, um mit ihm zu beten. Zusammen dachten sie über das Versprechen der Bibel nach: Das Gebet des Glaubens wird dem Kranken helfen, und der Herr wird ihn aufrichten (Jakobus 5, Vers 15).

Er folgte der Anweisung des Arztes und ging eines Tages im Park spazieren. Da bemerkte er auf der Erde in der Nähe einer Bank ein Stück Papier. Glaube ist intuitiv; als der Mann ganz ohne Grund das Papier aufhob, fand er den Schlüssel zu seiner Heilung in den darauf geschriebenen Glaubensworten. Begeistert wiederholte und rekapitulierte er täglich, ja sogar stündlich immer wieder diese Worte:

Gott ist meine Hilfe in jeder Not,
Gott stillt all' meinen Hunger,
Gott wandert neben mir und führt mich
in jedem einzelnen Augenblick des Tages.

Ich bin nun weise, ich bin nun wahr,
geduldig, freundlich und voll Liebe.
Alles bin ich, kann ich tun und kann ich sein,
durch Christus, die Wahrheit, die in mir ist.

Gott ist meine Gesundheit, ich kann nicht krank sein.
Gott ist meine Stärke, unfehlbar, schnell.
Gott ist mein Alles, ich kenne keine Furcht,
weil Gott und Liebe und Wahrheit hier sind.

Als er 14 Tage lang diese Glaubensworte rekapituliert und immer wieder bejaht hatte, fühlte sich der Mann besser. Der Schmerz war geringer geworden, er konnte viel leichter gehen. Danach ging es ihm von Tag zu Tag so viel besser, daß er innerhalb von drei Monaten den Garten umgraben konnte und immer unternehmender wurde, weit über seine kühnsten Träume hinaus. Schrittweise lösten sich seine steifen arthritischen Finger und die schmerzhafte Neuritis des ganzen Körpers. 30 Jahre später erfreute sich der Mann mit 77 Jahren noch immer einer guten Gesundheit.

Glaube ist Überzeugung

Paracelsus, der deutsche Arzt des 16. Jahrhunderts, sagte: »Glaube heilt jede Krankheit.«

Warum sind Worte des Glaubens so mächtig? Weil Glaube

das ist, wovon man absolut überzeugt ist! Glaube ist eine tiefe innere Durchdrungenheit, ein Zustand der Gewißheit, des überreichlich Versorgtseins. Wenn Sie ein tiefes Empfinden haben, setzen Sie eine enorme Energiemenge frei!

Was Sie denken, glauben Sie. Wovon Sie in Ihrem Denken absolut überzeugt sind, daran glauben Sie auch. Aus dieser Sicherheit heraus senden Sie eine »Super-Atom-Energie« in Ihren Organismus, die je nach der Beschaffenheit Ihres Glaubens für oder gegen Sie arbeitet. Glaube ist eine Energiequelle im Menschen, die von seinem Glaubensdenken angezapft wird.

Dr. Phineas P. Quimby wird von vielen Menschen als der Begründer der mentalen und geistigen Heilung in Amerika bezeichnet. Bei der Heilung vieler Nachbarn aus Neu-England entwickelte Dr. Quimby im vorigen Jahrhundert eine einfache Methode, um die Heilkraft des Glaubens in seinen Patienten zu wecken. Wenn ihn kranke Leute wegen einer »Geistheilung« besuchten, setzte sich Dr. Quimby ruhig zu ihnen und unterhielt sich mit ihnen über ihren Glauben. Dabei lenkte er sie schrittweise von ihren tief eingewurzelten negativen Überzeugungen ab, indem er ihnen den Ursprung des Leidens erklärte, der eben in ihren eigenen falschen Gedanken zu suchen sei. Wenn diese Gedanken korrigiert wurden, waren die Patienten geheilt.

In den »Quimby-Manuskripten« erklärt er, was Krankheit ist: »Ein Unglaube ist es, was ich Krankheit nenne. Es ist ein falsches Denken. Krankheit lebt nur in dem Menschen, der daran glaubt. Krankheit ist ein mentaler Zustand, eine Erfindung des Menschen. Krankheit existiert nur im Glauben. Korrigieren Sie Ihr Denken, und Sie werden frei von Krankheit sein.«

In seiner Erklärung, warum und wie man von Krankheit frei sein kann, schreibt er:

»Der Geist ist die Ursache von Krankheit. Er hat aber auch die Kraft, sie zu überwinden. Der Geist handelt nicht aus sich selbst heraus, sondern er wird durch Gedanken von innen und Meinungen von außen gehandhabt.

Was wir auch immer in eine Sache hineinlegen, das können

wir aus ihr herausholen. Der Geist besteht aus Ideen, die im Geist behalten werden. Wenn man sich auf ein einziges Prinzip konzentriert, wird diese Konzentration den Geist auf magische Weise verändern und ihm dazu verhelfen, sich vertrauensvoll über viele seiner früheren Vorstellungen und Ängste zu erheben.«

Immer wieder betont er die Kraft, die man durch Glauben auf seinen Körper ausüben kann und schreibt:

»Ich entdeckte, daß Gedanken und Glauben zweierlei ist. Wenn ich tatsächlich an eine Sache glaubte, erfolgte die entsprechende Wirkung, ob ich nun daran dachte oder nicht.«*

Glaube heilt

Der größte Heiler, der jemals auf Erden wandelte, würde mit Dr. Quimby übereingestimmt haben. Jesus lenkte immer wieder die Aufmerksamkeit seiner Anhänger auf die Macht, die in der Idee des Glaubens liegt:

»Alle Dinge sind möglich dem, der da glaubt.« (Markus 9, Vers 23)

»Da Er heimkam, traten die Blinden zu ihm. Und Jesus sprach zu ihnen: Glaubt ihr, daß ich euch solches antun kann? Da sprachen sie zu ihm: Ja, Herr. Da rührte er ihre Augen an und sprach: Euch geschehe nach eurem Glauben. Und ihre Augen wurden geöffnet.« (Matthäus 9, Vers 28–30)

»O du Kleingläubiger, warum zweifelst du?« (Matthäus 14, Vers 31)

»Sei nicht ungläubig, sondern gläubig.« (Johannes 20, Vers 27)

»Die Zeichen aber, die da folgen werden denen, die da glauben, sind die: In meinem Namen werden sie Teufel austreiben, mit neuen Zungen reden, Schlangen vertreiben; und so sie etwas Tödliches trinken, wird's ihnen nicht schaden; auf die

* Phineas P. Quimby, »The Quimby Manuscripts«, herausgegeben von Horatio Dresser; the Julian Press New York.

Kranken werden sie die Hände legen, so wird's besser mit ihnen werden.« (Markus 16, Vers 17/18)

Als die Jünger Jesus fragten, warum sie verschiedene Fälle nicht heilen konnten, war seine klare Antwort:

»Um eures Unglaubens willen.« (Matthäus 17, Vers 20) Als sie ihn ein andermal baten, ihnen das Geheimnis seiner Kraft zu verraten, sagte er: »Das ist Gottes Werk, daß ihr an den glaubet, den er gesandt hat.« (Johannes 6, Vers 29)

Hat das Wort »Glaube« nun wirklich die Heilkraft so wie Jesus behauptete? Tatsächlich, es hat!

Zu einer 50jährigen Frau hatte der Arzt gesagt, sie sei unheilbar krank. Sie hatte eine innere Krankheit, die sich anscheinend dermaßen über ihren ganzen Körper ausgedehnt hatte, daß eine Operation ihrer weiteren Ausbreitung keinen Einhalt mehr bieten konnte. So suchte sie denn Trost bei einem geistlichen Berater. Der bedeutete ihr, sie solle über den Begriff »Glauben« meditieren und ihn in ihren Gedanken festhalten. Andauernd wiederholte sie: »Ja, Herr, ich glaube, Du kannst und wirst mich heilen.« In Augenblicken des Zweifels sprach sie aus der Bibel (Markus 9, Vers 24) die Worte des Vaters vom epileptischen Jungen: »Ich glaube, hilf meinem Unglauben!« Innerhalb von zwei Wochen bemerkte sie, daß sich eine tiefe Geistheilung anbahnte. Das Erwachen ihrer inneren Glaubenskraft gab ihr den Mut, an der Idee »Glauben« festzuhalten, bis eine schrittweise Heilung ihrem Körper vollständige Gesundheit zuführte. Das ist der Beweis dafür, daß Sie das, woran Sie glauben, auch erhalten, und daß das Erhaltene Sie erhält.

Glaube wirkt in beiden Richtungen

Das Element des Glaubens oder der Überzeugung wirkt gleich stark in beiden Richtungen. Kranke Leute haben Glauben – sogar sehr viel – aber an den falschen Anschein. Ihr Interesse bestimmt ihren Glauben. Was Ihre Aufmerksamkeit erregt, das bestimmt Ihren Glauben. Worauf Sie Ihre Aufmerksamkeit lenken, daran glauben Sie. Wovon Sie zutiefst überzeugt sind, dem schenken Sie Ihr Vertrauen, ebenso allem, was Sie erwarten und worauf Sie sich vorbereiten.

Ein Mann sagte oftmals: »In unserer Familie sterben alle mit 65 Jahren. So ist das in meiner Familie! Mein Vater starb in dem Alter und meine Mutter auch. Meine Tanten, Onkel und einige Vettern, alle starben in dem Alter; und ich werde es auch!« Dieser Mann war davon fest überzeugt. In seinem Geiste stand diese Überzeugung fest, und er lenkte seine ganze Aufmerksamkeit darauf. Er erwartete es tatsächlich.

In seinen Erwartungen ging er sogar noch weiter: »Ich werde an meinem Herzleiden und wegen zu hohem Blutdruck an einem Schlaganfall sterben, das war bei jedem in unserer Familie so. Inzwischen bin ich 61 und der erste Herz- und Schlaganfall stehen bevor. Danach wird ›die Natur ihren Lauf nehmen‹, und das Ganze ist nur eine Sache der Zeit.«

Pünktlich mit 61 Jahren hatte er seinen ersten Herzanfall und einen leichten Schlag. Darauf ließ er sich pensionieren und hatte in den nächsten Jahren weitere leichte Schlaganfälle und Herzbeschwerden. Pünktlich mit 65 Jahren starb er an Herzschwäche und einem weiteren Schlaganfall trotz der allerbesten ärztlichen Betreuung.

Als der Mann zehn Jahre früher seine Feststellung machte, war er bei voller Gesundheit. Aber er glaubte, daß dies sein Schicksal sei.

Glaube sieht und hört

Das Bemerkenswerte an Ihren Worten des Glaubens ist, daß sie immer aufbauen oder niederreißen, je nachdem, ob Sie an Gesundheit oder an Krankheit glauben. Wenn Worte des Glaubens zu großen Tumoren gesprochen wurden, sind diese krankhaften Geschwülste bekanntlich hinweggeschmolzen. Wenn Worte des Glaubens zu gelähmten Organen gesprochen wurden, wurden sie wieder zum Leben erweckt. Und doch hat dieselbe Glaubenskraft, zerstörerisch angewandt, die gleiche Macht, die Gesundheit eines Menschen zu ruinieren.

Eine Frau besuchte immer wieder Heilungsvorträge und schrieb ihren Namen in die Gebetsliste der Kirche, um Heilungsgebete zu erhalten. Doch blieb sie nach wie vor krank und konnte nicht verstehen, warum.

Eine Nachforschung ergab, daß sie immer wieder über Krankheit sprach, sich alle Gesundheitsprobleme beschreiben ließ, deren sich ihre Nachbarn »erfreuten«, und überhaupt ihre ganze Aufmerksamkeit auf Krankheitsgeschichten lenkte. Durch ihren Glauben und ihr Interesse an schlechter Gesundheit blieb sie dabei, dies zu demonstrieren. Ihr Glaube war eine unüberwindliche Kraft, allerdings für Kranksein anstatt für Wohlbefinden. Alle Gebete der Welt können Sie nicht heilen, wenn Sie immer wieder Ihre Aufmerksamkeit den Krankheiten zuwenden und sie als »notwendig für Sie« annehmen. Ihre Aufmerksamkeit hat wahrmachende Kraft; deshalb seien Sie vorsichtig, wohin Sie Ihre Aufmerkamkeit lenken. Ihre Aufmerksamkeit ist Ihr Glaube.

Die Tatsache, daß Ihre Geisteskraft des Glaubens an der Pineal-Drüse zwischen den Ohren und Augen liegt, hat eine ganz besondere Bedeutung: Sie zeigt, daß das, was Sie mit Ihren Ohren hören und mit Ihren Augen sehen, Ihren Glauben erfüllt und sich in Ihrem Leben verwirklichen wird. Die Tatsache, daß die Pineal-Drüse lichtempfindlich ist, ist für das Gesagte symbolisch. Ihr Glaube wird von mentaler und geistiger Erleuchtung berührt. Wenn Sie versuchen, nur das Höchste und Beste zu sehen und zu hören und auf die Weise Ihren Glauben entsprechend einer Situation, Person oder Krankheit zum Ausdruck bringen, ist es gut zu gebieten: »Es werde Licht.« Das ist dann auch die Zeit, die Super-Intelligenz des Christus-Geistes anzurufen, die am Scheitel des Kopfes liegt: »Ich glaube fest, daß ich vom Christus-Geist erhoben und erhalten werde. Nichts kann meinen Seelenfrieden stören.«

Menschen, die ihre Vorstellungskraft dazu mißbrauchen, sich alle möglichen Unglücksfälle auszumalen, kommen mit der Geisteskraft der Vorstellung, die zwischen den Augen liegt, in Konflikt. Mißbrauch der Glaubenskraft, die in einer Höhe mit den Augen liegt, kann Schwierigkeiten mit der geistigen

Einsicht sowie der physischen Sehkraft zur Folge haben. Glaube ist die aufnehmende und sehende Geisteskraft; und wenn wir uns dauend Unglücksfälle ausmalen, anstatt an Gottes Güte zu glauben, beeinflußt unsere Schwarzseherei natürlich unsere Augen. Die Augen eines Menschen, der immer nur das Schlechte sieht anstatt das Gute, verlieren ihre Sehschärfe. Auch bei denen der Glaube unstet, teils gut, teils negativ ist, kommt es zu unterschiedlichen unklaren Ergebnissen.

Das Gehör eines Menschen wird ebenfalls oft durch den Mißbrauch der Geisteskraft des Glaubens falsch beeinflußt: Paulus schreibt das in seinem Brief an die Römer: »So kommt der Glaube aus der Predigt...« (Römer 10, Vers 17): Simon Petrus, der Jünger, dessen Name die metaphysische Bedeutung »Glaube« hat, während Simon »Hören« heißt.

Kinder, die durch die Scheidung ihrer Eltern in einer angespannten, haßerfüllten Atmosphäre leben müssen, leiden oft an Augen- und Ohrenstörungen. Bevor diese Situation eintrat, waren sie völlig gesund.

In einer anderen unglücklichen Familie ließ man die Kinder beim Essen negative Radio- und Fernsehsendungen anhören, was ihren Augen und Ohren schwere gesundheitliche Schäden eintrug. In einer weiteren Familie ärgerten sich die Eltern mit ihren Kindern beim Essen herum; sie kritisierten ihre Tischmanieren und schickten sie häufig heulend und hungrig hinaus. Auch diese Kinder bekamen schwere Augen- und Ohrenleiden, die sich legten, als sie heranwuchsen und sich der unharmonischen Atmosphäre des Elternhauses entziehen konnten.

Glaube bringt eine Frau ins Leben zurück

Das Glaubenszentrum an der Pineal-Drüse scheint dem menschlichen Gemüt zu einem Geistglauben zu verhelfen, durch den wirklich alle Dinge möglich sind! Allein die Bejahung der Aktivität dieser übergroßen Glaubenskraft wird ihre Wirkung auf Ihren Geist, Körper und Ihre Angelegenheiten so beleben, daß in kürzester Zeit beachtliche Ergebnisse erzielt werden. Wenn weiterhin jemand Glauben hat für einen anderen, der ihn braucht, kann er ihm zu Heil und Gesundheit verhelfen. Ein Beweis dafür ist folgendes Erlebnis einer Hausfrau:

»Meine Familie und ich erhielten die Nachricht, daß eine meiner Tanten nur noch 24 Stunden zu leben habe. Es ginge ihr schon seit Jahren gesundheitlich sehr schlecht, so daß niemand von dieser Nachricht überrascht war. Aus geldlichen Gründen konnte ich nicht gleich zu ihr eilen. So setzte ich mich hin und redete den ganzen Tag mit meiner Tante, so als ob ich bei ihr wäre, obwohl sie 250 Meilen entfernt war. Ich nannte sie beim Namen und wiederholte immer wieder: ›Glaube und du wirst geheilt.‹ Ich fühlte, daß sie Angst hatte vor dem Sterben; deshalb sprach ich sie an und erklärte ihr, da sei nichts zu fürchten, das Leben ginge weiter: Sterben sei wie ein Überwechseln von einem Raum zum anderen; sie könnte frei hinübergehen, wenn sie wollte. Aber wenn sie lieber bei uns bliebe, könnte sie das auch, sie brauchte nur Glauben zu haben. Ich wiederholte immerzu: ›Ich glaube an Gottes Leben in dir. Die Erscheinung des Todes hat keine Macht. Sie existiert nicht. Es gibt nichts als Leben, Leben, Leben.‹

Während der nächsten 36 Stunden lag meine Tante im Koma. Als ich schließlich im Krankenhaus eintraf und ihren Raum betrat, öffnete sie die Augen, nannte meinen Namen und sagte: ›Ich wußte, daß du kommen und mir helfen würdest. Ich glaube! Ich fürchte mich nicht.‹ Dann sank sie in ihre Bewußtlosigkeit zurück.

Innerhalb der nächsten drei Tage wechselte sie ständig zwischen bewußtem und bewußtlosem Zustand. Zwischendurch sprach sie über ihre Familie. Es gab wohl Schwierigkeiten mit ihren Kindern, die sie sehr bedrückten. Ich versicherte ihr, daß es da nichts zu fürchten gäbe; sie sollte an die Güte Gottes glauben und alles würde sich lösen. Obgleich sie noch lebte, hatten die Ärzte alle Hoffnung auf ihre Genesung aufgegeben.

Am Mittag des dritten Tages schien sie zu sterben. Weder Herzschlag noch Blutdruck und Atem waren zu spüren. Ärzte und Schwestern waren dauernd damit beschäftigt, ihr belebende Mittel in die Adern zu spritzen. Währenddessen stand ich abseits und ließ meine Augen auf ihrem Gesicht und der Stirn ruhen; es waren ihre einzigen freien Körperteile. Ich erinnerte mich, daß das Glaubenszentrum des Menschen im Kopf zwischen den Augen und Ohren liegt. Ich wußte, daß sie mich mit ihrem inneren Ohr des Glaubens hören würde, wenn ich Worte des Glaubens zu ihr spräche. Schweigend wiederholte ich unaufhörlich: ›Habe Glauben, Tantchen. Dein Leben ist Gottes Leben. Ich glaube und du glaubst, und da ist nichts zu fürchten.‹

Schließlich reagierte sie auf die Behandlung und kehrte ins Leben zurück. Als sie später kräftiger war, aber immer noch zwischen Bewußtsein und Bewußtlosigkeit hin und her pendelte, bestand sie darauf zu sprechen. Mit schwacher Stimme bat sie mich, ihrem Mann zu sagen, er solle keine Angst haben, daß sie auf die andere Seite ginge. Sie wäre drüben gewesen und hätte ihren Vater, Bruder, ihre Schwägerin und ihren Hausarzt gesehen (alle waren schon gestorben). Sie sagte, sie wären glücklich und arbeiteten; um sie schiene ein schönes Licht. Dann beschrieb sie die Schönheit der höheren Daseinsebene mit ihren lebensstarken Blumen, Gräsern und Gärten. Sie sagte, daß sie dort hätte gehen und laufen können. (Sie konnte nämlich seit vier Jahren nicht mehr gehen.)

Meine Tante sagte dann, daß alles auf der anderen Seite friedvoll und schön gewesen sei; und doch habe sie sich entschieden, hier bei ihrer Familie zu bleiben, weil sie sie nötig hatte, obgleich ihre vielen Freunde und Verwandten auf der anderen Seite glücklich zu sein schienen.

Als sie später zu vollem Bewußtsein kam, erholte sie sich schnell. Sie erinnerte sich aber nicht daran, was sie gesagt hatte. Sie wurde gesund, half mehreren Familienmitgliedern durch schwere Krankheiten hindurch und zog ihre Kinder groß. Ihre Gesundheit besserte sich nach der beinahe tödlichen Krankheit merklich, und sie hatte mehr Seelenfrieden als je zuvor.«

Diese Erfahrung überzeugte mich, daß Worte des Glaubens die Tore des Todes aufschließen können.

Leben hört nimmer auf. Der Mensch verliert nur seinen

Lebenshalt, wenn er den Glauben verliert. Wiedererweckter Glaube erweckt neues Leben. Diese Menschen beweisen es.

Worte des Glaubens heilen den Unheilbaren

Glauben Sie an die Geisteskraft, die die in den Atomen Ihres Körpers gelagerte Energie zu durchdringen und freizusetzen vermag!

Eine junge Frau erfuhr von ihrem Arzt, daß sie eine unheilbare Krankheit habe. Die Behandlung sollte von einer Reihe von Tests abhängig gemacht werden, wahrscheinlich bliebe eine Operation jedoch der einzige Ausweg.

Erschrocken von dieser Diagnose eilte die junge Frau zu ihrem geistigen Berater, der mit ihr sogleich über die Heilkraft des Glaubens sprach. Zusammen bejahten sie: »Ich glaube unerschütterlich an die ideale Lösung jeglicher Situation in meinem Leben, denn Gott hat absolute Macht darüber.« Weiterhin bejahten sie, daß nichts als nur Gottes Güte im Körper dieser Frau gegenwärtig und aktiv sei; daß nur Gutes in ihrem Körper zu sehen sei; daß nur Gutes gefunden werden könnte; daß nur Gutes aus dieser Erfahrung entstehen könne.

Einige Tage später erbrachten die Röntgenaufnahmen klare Bilder. Was vorher zu sehen war, existierte nicht mehr, kein Fremdkörper mehr, so war auch eine Operation überflüssig.

Manchmal kann eine derart überzeugende Heilung sofort erreicht werden. Ein andermal sind stunden-, tage- oder sogar wochenlange Anstrengungen nötig, bevor die Heilkraft des Glaubens genügend belebt und in Bewegung gesetzt wird. Bei solchen Gelegenheiten sollte man bejahen: »Ich habe den Glauben, daß ich gesund werde. Ich habe den Glauben, daß alle Dinge zusammen jetzt zu meinem Guten in Geist, Körper und all meinen Belangen wirken.«

Jesus betonte in seinen Gleichnissen und Lehren besonders die *Ausdauer* des Glaubens; daß Heilung zu denen kommt, die nicht aufgeben. Glaube wirkt durch Geduld und durch mitfühlende Liebe.

»Auch der Glaube, wenn er nicht Werke hat, ist er tot an ihm selber.« (Jakobus 2, Vers 17) Und ein Glaube, an dem nicht beharrlich festgehalten wird, ist auch tot.

Wenn irgend etwas »Fremdes« im Körper ist, so ist das ein Zeichen dafür, daß auch etwas »Fremdes« im Geist ist, das aufgelöst werden muß. Ein »Gewächs« im Körper ist ein Zeichen dafür, daß ein Wachsen an geistigem Verständnis für jemanden nötig ist, sozusagen ein Wachsen und eine stärkere Entwicklung der Geisteskraft des Glaubens.

Ein inneres Gewächs geheilt

Zwei Frauen erfuhren von ihrem Arzt, daß sie ein inneres Gewächs hätten. Eine von ihnen ging daraufhin direkt zum Rechtsanwalt, um ihr Testament zu machen. Sie sagte: »Ich bin furchtbar krank. Ich weiß, ich werde sterben.« Sie bereitete sich auf den Tod vor, der dann auch »gehorsam« eintrat.

Die andere Frau sagte: »Ich weiß, ich bin Gottes Kind, und er liebt mich. Gottes Leben in mir ist unbegrenzt. Was der Arzt ein Gewächs nennt, ist für mich ein Fingerzeig, im Glauben zu wachsen. Was mir auch immer passiert, es kann nur zu meinem Guten sein. Ich habe den Glauben, daß Gott bei dieser Erfahrung die Regie für mein geistiges Wachstum führt.«

Sie betete für ihre Gesundheit und blieb bei der Meinung, was für ein wundervolles Kind Gottes sie sei. Sie glaubte daran, daß seine Heilkraft in ihr ausgiebig am Werk sei. Bei der Kontrolluntersuchung einen Monat später war das Gewächs bereits viel kleiner. Schließlich verschwand es ganz und gar. Inzwischen hatte sich ihre Glaubenskraft unvorstellbar vergrößert, und sie wurde zu einem großen Segen auch in anderen Phasen ihres Lebens.

Heilung ist zuerst ein »Wachsen« im Bewußtsein. Heilung erscheint als ein Herauswachsen aus alten begrenzten Glaubensformen zu einem ausgedehnten Glauben an die Güte Gottes. Die Glaubenskraft des Geistes wird in derselben Weise entwickelt wie die Muskeln des Körpers. Dauernde Bejahung konzentriert die geistigen Energien und reißt alle Schranken nieder. Bejahung setzt die aufgestauten Energien in Geist und Körper frei und ermöglicht vollständige Gesundheit.

Wie Sie Ihren Glauben entwickeln können

Jesus hatte zur universalen Geisteskraft des Glaubens eine Verbindung hergestellt, und so folgte seinen gesprochenen Glaubensworten eine Heilung nach der anderen. Und er wollte, daß wir auch tun sollten, was er tat.

Glaube ist das Ergebnis vieler Bejahungen. Napoleon Hill studierte die Erfolgsgeheimnisse von 500 leitenden Millionären seines Landes. Ihre geheimen Techniken für die Entwicklung des Glaubens veröffentlichte er in seinem Buch »Denken Sie es, und Sie werden reich werden«. (Napoleon Hill: »Think and grow rich«, New York Hawthorn Publishing Corp.)

Glaube ist ein Gemütszustand, der durch Bejahung induziert oder geschaffen werden kann. Wiederholung von Befehlen an das Unterbewußtsein ist die einzige Methode für die willige Entwicklung des Glaubens.

Aber, so sagte der berühmte schottische Philosoph Thomas Carlyle: »Überzeugung ist unnütz, wenn sie nicht in die Tat umgesetzt wird.« Oder wie Ralph Waldo Emerson es ausdrückt: »Das Naturgesetz besteht: Tun Sie die Sache, so haben Sie die Kraft dazu; aber diejenigen, die die Sache nicht tun, haben auch nicht die Kraft dazu.«

Die Griechen glaubten, daß Gesundheit eine Entität sei, die kommt, sobald man sie ruft. Geradeso wie Jesus seine zwölf Jünger rief, können Sie damit beginnen, Ihre zwölf Geisteskräfte zu entwickeln, indem Sie sie sanft aufrufen und ihnen Aufmerksamkeit schenken.

Ihre Gemütskräfte sind wie die Menschen. Sie können gelobt, gesegnet und zu großer Aktivität veranlaßt werden, aber sie widersetzen sich jeder Gewalt. Tun Sie es also vorsichtig. Sanft und liebevoll sollten Sie damit beginnen, ihnen Ihre Aufmerksamkeit und Anerkennung zu zollen, und sie werden darauf reagieren, jedoch zu der ihnen eigenen Zeit und Weise. Sie wollen nicht gezwungen, gedrängt oder durch Vorschriften genötigt werden.

Ihre Geisteskraft des Glaubens, die in der Pineal-Drüse zwischen Augen und Ohren liegt, ist eine von den innersten Geisteskräften. Daß sie in der Stirngegend, innerhalb des Sitzes Ihres bewußten Empfindens gelegen ist, kann ein Zeichen dafür sein, daß Sie bewußt und freimütig damit beginnen können, den wunderwirkenden Glauben durch Ihre Glaubensworte zu entwickeln.

Wenn Sie Ihre Geisteskraft des Glaubens entwickeln, sollten Sie zuerst Ihre Aufmerksamkeit auf den höchsten Punkt des Kopfes richten und die Superintelligenz des Christus-Geistes rufen. Bejahen Sie: *Ich bin der Christus-Geist, ich bin, ich bin, ich bin dabei, die Superintelligenz des Christus-Geistes durch mich ihren Ausdruck finden zu lassen. Ich bin, ich bin, ich bin.*

Das befreit die dynamische Energie des Christus-Geistes (die wahre Idee Gottes), um sanft in das bewußte Empfinden an der Stirn hinabzufließen und weiter hinunter in die unterbewußten Regionen von Herz und Unterleib.

Lassen Sie Ihre Aufmerksamkeit vom höchsten Punkt des Kopfes bis zu den Zehenspitzen mit diesen Bejahungen schweifen. Dieses mentale Tun gibt Ihrem ganzen Körper die wohltuenden Wirkungen der verstärkten Aktivität des Christus-Geistes.

Konzentrieren sie sich dann auf den Bereich des Glaubens zwischen den Augen an der Stirn und rufen Sie die Geisteskraft des Glaubens zur Aktivität auf.

Glauben, Glauben, Glauben. Ich habe Glauben an Gott; ich habe Glauben an Menschen; ich habe Glauben an Dinge.

Ich habe Glauben an die Heilungskraft Gottes, wie sie jetzt mächtig in mir wirkt. Ich habe Glauben, daß alle Dinge jetzt zusammen für mein Gutes wirken, und ich wirke mit ihnen in der Weisheit und Kraft des Geistes. Ich habe Glauben an die perfekte Lösung jeder Situation in meinem Leben, denn Gott hat die absolute Macht darüber. Mein Glaube macht mich nun ganz und vollkommen.

Verweilen Sie bei den Bibel-Versprechungen, die Glauben zum Ausdruck bringen, wie: »Dein Glaube hat dir geholfen.« (Lukas 17, Vers 19)

Lassen Sie wiederum diese Glaubensbejahungen von Kopf bis Fuß durch Ihren Körper schweifen. Denken Sie daran, sich zu entspannen und tief zu atmen, während Sie Ihre Geisteskräfte zur Aktivität aufrufen, wobei Sie am besten auf einem schrägen Bett entspannt liegen. Während Ihrer Ruhezeiten, wenn Sie Ihre Geisteskräfte entwickeln, entspannen Sie und entfernen sich vor allem von jeglichen Äußerlichkeiten Ihres Lebens.

Wenden Sie sich in Ihr Inneres zu Ihren Geisteskräften, die Sie lieben und Ihnen helfen wollen, indem sie für Sie arbeiten. Es ist nicht schwierig oder kompliziert, sie zu entwickeln. Ihre Geisteskräfte haben geduldig darauf gewartet, erkannt und auf konstruktive Weise in Tätigkeit gesetzt zu werden. Wenn Sie das ruhig, liebend und sanft unternehmen, werden sie glücklich Folge leisten. Sie werden allmählich einen Wandel in Geist, Körper und allen Dingen, mit denen Sie sich befassen, empfinden. Dann werden Sie begreifen, was der große Apostel Paulus gemeint hat, als er sagte: »Verwandelt euch durch Erneuerung eures Geistes.« (Römer 12, Vers 2)

Wenn Sie Worte des Glaubens aussprechen und bewußt zuerst Ihre Glaubenskraft und später Ihre anderen Geisteskräfte entwickeln, könnten Sie den Wunsch verspüren, über die Weisheiten des persischen Philosophen Zoroaster zu meditieren. Seine Worte werden Ihnen Sicherheit bei einem wirkungsvollen Entwickeln von Kraft geben:

Einer mag heilen mit Heiligkeit.

Einer mag heilen mit dem Gesetz.

Einer mag heilen mit dem Messer.

Einer mag heilen mit Kräutern.

Einer mag heilen mit dem Heiligen Wort; das ist es, was am besten die Krankheit aus dem Körper des Gläubigen vertreiben wird; denn es ist das beste von allen Heilmitteln.

Zusammenfassung

1) Die erste der zwölf menschlichen Kräfte, die entwickelt werden muß, ist die Glaubenskraft. Glaube ist eine Geisteskraft, die wir positiv oder negativ immerzu gebrauchen.
2) Glaube als eine Geisteskraft liegt bei der Pineal-Drüse, dicht über den Ohren und nahe bei den Augen, in der Mitte des Gehirns.
3) Glaube ist eine lebengebende Kraft; wovon Sie in Ihrem Denken fest überzeugt sind, daran glauben Sie, entweder in positiver oder in negativer Form.
4) Durch diese feste Überzeugung setzen Sie eine Super-Atom-Energie in Geist, Körper und persönlichem Geschehen frei. Je nach der Art Ihres Glaubens arbeitet sie für oder gegen Sie.
5) Glaubensbejahungen beleben die Super-Kraft Ihres Glaubens in Geist, Körper und persönlichen Angelegenheiten, so daß es oft zu erstaunlich raschen Ergebnissen kommt.
6) Ebenso können für andere Personen gesprochene Worte deren Gutes schneller hervorbringen.
7) Der Grund dafür liegt darin, daß eindringliche Worte des Glaubens die Geistesenergien zusammenfassen und zunächst alle Hindernisse beseitigen. Dann setzen die Glaubensbejahungen die in Geist und Körper eingeschlossenen Energien frei und führen zur Gesundheit.
8) Die menschliche Seh- und Hörkraft ist oft durch den Mißbrauch seiner Geisteskraft des Glaubens beeinträchtigt.
9) Sie können mit der Entwicklung der übermächtigen Geisteskraft des Glaubens dadurch beginnen, daß Sie oft das von Ihnen Erwünschte bejahen: *Ich glaube! Und, alle Dinge sind möglich dem, der da glaubt!*

3. Kapitel

Ihre Heilkraft der Stärke

Bei einem Erdbeben in Kalifornien flohen plötzlich Krüppel, die seit Jahren nicht mehr hatten gehen können. Gleiches geschah während der Bombenangriffe in Europa zur Zeit des Zweiten Weltkrieges bei Leuten, die glaubten, sie wären vollständig gelähmt. Kürzlich litt ein Geschäftsmann an Hexenschuß. Unfähig sich zu rühren, lag er im Bett und bejahte Stärke und Heilung für sich. Plötzlich schrie seine Frau: »Feuer, Feuer!« Schnell sprang er aus dem Bett, lief zur Küche und reparierte eine brennende Sicherung. Erst nachträglich bemerkte er, wie schnell seine Gebete erhört worden waren.

Im allgemeinen glauben wir, Stärke sei eine Art Lebensnetz, die durch den ganzen Körper fließt; aber Stärke ist auch eine Geisteskraft. Diese Geisteskraft liegt in den Lenden, dicht am Kreuz zwischen Hüftknochen und Rippen, wie in Figur 3.1 gezeigt. Die genannten Leute hatten unbewußt diese Geisteskraft der Stärke angesprochen und sie angesichts der Not plötzlich so stark aktiviert, daß sie Energien auf höherer Ebene freisetzten, um der augenblicklichen Not zu begegnen. Die Geisteskraft der Stärke hat die Macht, solches zu vollbringen, da sie in der Nähe der Adrenalin-Drüsen in den Lenden liegt. Es sind die Drüsen der emotionalen Erregung, die im Fall von Lebensgefahr urplötzlich erhöhte Lebenskraft und Energie in den Körper senden.

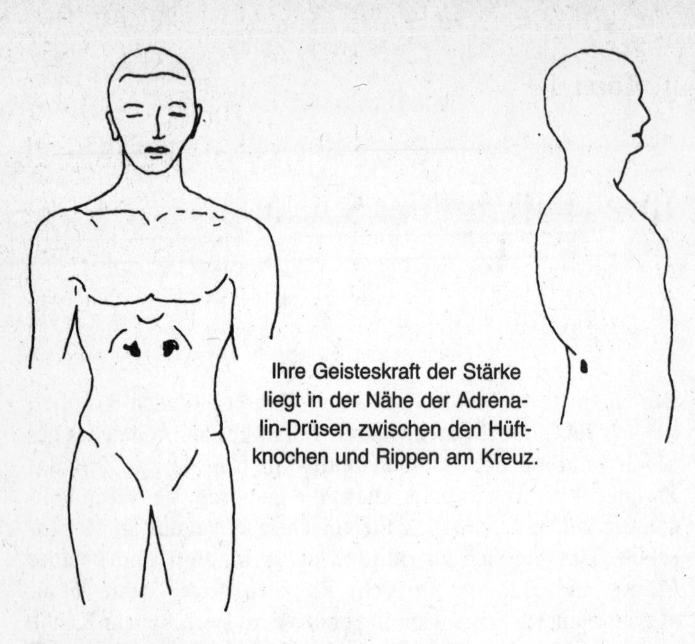

Figur 3.1 Die Lage der Geisteskraft der Stärke.

Das Zentrum der Stärke ist dreifach stark

Von alters her wird an der Wahrheit festgehalten, daß das Zentrum der Stärke im Kreuz liegt. Hiob sagte: »Seine Kraft ist in seinen Lenden.« (Hiob 40, Vers 16) Salomons Beschreibung von einer tüchtigen Frau war: »Sie gürtete ihre Lenden mit Kraft.« (Sprüche 31, Vers 17)

In Wirklichkeit ist Stärke dreifach. Auf der physischen Ebene ist sie Kraft, Energie, Vitalität und Freisein von körperlicher Schwäche. Auf der geistigen Ebene ist Stärke die Fähigkeit, Erfolg zu haben, ein Führer, ein Experte im beruflichen Bereich zu sein. Sie ist gleichzeitig ein Freisein von mentaler oder emotionaler Schwäche. Auf der seelischen Ebene ist Stärke Standfestigkeit im Glauben an das Gute und gleichzeitig ein Beharrungsvermögen im Erwarten seines Eintritts. Sie ist auch eine Fähigkeit, Versuchungen zu widerstehen oder die Weigerung, sich mit weniger als dem Allerbesten in seinem Leben zu begnügen. Wenn jemand dazu angeregt wird, meldet sich die höhere Stärke mit dem uralten Wort: »Das Höchste ist das Nächste.«

Stärke ist das Vermögen, trotz negativer Bedingungen für den Körper und persönliche Situation durchzuhalten. Stärke ist nicht physische oder geistige Gewalt. Sie ist eine durch den menschlichen Glauben an das Gute ausgelöste Energie. Wenn nämlich Stärke aktiviert wird, fließt sie in jede Sparte des menschlichen Lebens, in die physische, geistige und seelische und bewirkt bemerkenswerte Verbesserungen.

Das Wort »Stärke« heißt auch »Ausdauer«, »Widerstandskraft«. Ein altes italienisches Sprichwort sagt: »Wer Ausdauer hat, erobert.« Die alten Philosophen lehrten, daß das Mittel, Übel aus unserer Welt, von unserem Körper fernzuhalten, darin bestünde, dauernd zu erklären »Nirgends ist Stärke und Kraft als in Gott, dem Guten.«

Die Tatsache, daß Stärke weit mehr ist als nur physische Energie, die unsere Gesundheit beeinflußt, wird durch die Statistik bekräftigt, daß 50 bis 75 % der Menschen, die den Arzt aufsuchen, keine organischen Leiden haben. Ihr Mangel an physischer Stärke ist vielmehr ein Zeichen für den Mangel an mentaler, seelischer und geistiger Stärke.

Wie ein Direktor sein schweres Rückenleiden heilte

Wenn jemand einen »Tiefpunkt im Rückgrat« erleidet, so hat er meistens zuvor einen »Tiefpunkt im Denken« gehabt. Die Geisteskraft der Stärke im Kreuz steht durch das Nervensystem im Rückgrat direkt in Verbindung mit der Glaubenskraft in den Schläfen.

Sobald Sie Ihre Geisteskraft des Glaubens sowie die Fähigkeit entwickeln, mit den Ohren und Augen des Glaubens das Gute zu hören und zu sehen, brauchen Sie Stärke, Stetigkeit und Stabilität, um die höhere Einsicht in das Gute zu vervollkommnen. Gefühlsmäßig labile Menschen sollten daran arbeiten, ihre Geisteskraft der Stärke zu entwickeln, die ihnen die ersehnte Stabilität geben würde.

Viele Menschen beleben ihren Glauben. Sie erfahren die Möglichkeit einer Heilung, aber sie können sie nicht an ihrem Körper realisieren, weil ihnen die Durchhaltekraft fehlt. Sie sollten Stärke und Stetigkeit bejahen, um einen guten Verlauf ihrer Angelegenheiten zu erleben. (Die metaphysische Verbindung zwischen Glauben und Stärke ist darin gegeben, daß Petrus und Andreas Brüder waren. Petrus ist der Jünger, der Glauben bedeutet, Andreas der Jünger, der Stärke bedeutet.)

Ein Ölkaufmann aus Texas lebte mehrere Monate lang unter einem starken finanziellen Druck. Schließlich wurde er an Rükken und Nieren schwer krank. Der Schmerz war so stark, daß er nicht aufrecht stehen konnte und ins Bett gehoben werden mußte. Von einer Nierenentzündung her hatte er hohes Fieber, so daß seine Ärzte ihn ins Krankenhaus bringen wollten.

Der Ölkaufmann und seine Frau hatten jedoch die zwölf Geisteskräfte studiert. Sie wußten, daß das Rückenleiden von der finanziellen Misere stammte und waren der Überzeugung, daß eine dauerhafte Gesundung nur von ihrem größeren Bemühen um mehr Stärke kommen konnte; denn die Stärke hat ihren Sitz im Kreuz, woher auch der Schmerz kam.

Wegen der Schmerzen, der Schwäche und des Fiebers fühlte sich der Mann nicht in der Lage, für sich selbst Bejahungen auszusprechen. Liegend sagte er nur zum Schmerz: »Entspanne dich und laß los.« Seine Frau ging inzwischen in ihr Zimmer, um zu beten. Sie erinnerte sich an die Worte des Jesaja: »Hebe deine Stimme auf mit Macht, hebe auf und fürchte dich nicht . . .« (Jesaja 40, Vers 9) und bejahte für ihren Mann. »Du wirfst alle deine finanzielle Last auf den Christus in dir und bist frei. Ich taufe deine Geisteskraft der Stärke im Namen des Vaters, des Sohnes und des Heiligen Geistes. *Du bist* nun frei von aller Last physischer, geistiger und finanzieller Art.«

Nachdem sie eine Stunde lang für ihren Mann gebetet und Bejahungen gesprochen hatte, fühlte sie Frieden über sich kommen. Sie wußte, daß Friede der Vorbote der Heilung ist und daher, daß ihre Gebete erhört worden waren. Zwei Stunden später war der Mann frei von jeglichen Schmerzen und dem Fieber. Von da an wurde er von Tag zu Tag kräftiger. Sie blieben bei ihren Bejahungen, und die finanziellen Probleme regelten sich, so daß er allen Verpflichtungen nachkommen konnte; darin hatte ja die Last für seinen Geist und Körper bestanden.

Wie ein häusliches Finanzproblem gelöst wurde

Eine Hausfrau erlitt einen »Tiefpunkt im Kreuz«, weil ihr Haus renoviert werden sollte. Als sie erfuhr, daß sich finanzielle Nöte oft in Rückenschmerzen äußern, erkannte sie plötzlich die Ursache ihres Leidens. Ihr Mann hatte ihr die ganze Renovierungsangelegenheit übertragen, und sie hatte sich übertriebene Gedanken wegen der damit zusammenhängenden Kosten und Umstände gemacht. Als sie nun »Stärke« bejahte, wurde nicht nur ihr Rückenleiden geheilt, sondern auch alle ihre finanziellen Angelegenheiten regelten sich. Ihr Mann fand, daß sein Geschäft gut genug ging, um eine Summe für die Renovierungskosten abzuziehen; so ergab sich keinerlei finanzielle Belastung.

Stärke und Substanz sind miteinander verwandt

Stärke und Substanz sind miteinander verwandt. Finanzielle Schwierigkeiten können das Kraftzentrum des Körpers leerpumpen. Sie können finanziellen Anforderungen mit Erfolg begegnen und sie daran hindern, Sie gefühlsmäßig auszusaugen, wenn Sie Ihre Kraft bewußt benutzen, ihnen siegreich entgegenzutreten. Dann setzen Sie sich hin und sagen Dank und segnen alles, was Sie haben. Auf diese Weise verbinden Sie sich mit der Geisteskraft der Stärke. Sobald diese angesprochen ist, wird ein Überfluß an Stärke in Ihnen aufwallen und als Ideen und Möglichkeiten in Ihre Angelegenheiten hineinströmen, die eine bessere Versorgung bewirken. Dann werden Sie erfahren, was Hanna in ihrem Dankgesang meinte, als sie sprach: »Die Schwachen sind umgürtet mit Stärke.« (Samuelis 2, Vers 4)

Belastungen im Gefühlsbereich verursachen Rückenschmerzen

Ihre Geisteskraft der Stärke liegt im Unterleib und damit nahe dem Zentrum Ihres Unterbewußtseins oder Ihres Gefühls, das vom unteren Teil des Leibes her arbeitet. Wenn jemand an Rückenschmerzen leidet, braucht der Grund dafür nicht in seiner augenblicklichen, bewußten Gedankenwelt zu liegen. Er kann auch in einem unterbewußten Gefühl des Belastetseins – in bezug auf einen selbst oder jemand anderen – verwurzelt sein, das sich in den tieferen Empfindungen über einen längeren Zeitraum hin aufgestaut hat. Edgar Cayce schrieb, daß (nach alten Weisheiten über die Drüsen) die Adrenalin-Drüsen die Speicher für das Gefühlskarma des Körpers seien. Das könnte ebenfalls manche Gesundheitsprobleme in diesem Körperteil erklären.

Die Adrenalin-Drüsen, in denen die Geisteskraft der Stärke liegt, befinden sich zu beiden Seiten des Darmes neben und hinter den Nieren. Paarweise angeordnet und so groß wie das Ende eines Fingers, sind die Adrenalin-Drüsen auch unter dem Namen »Kampfdrüsen« bekannt, da sie sehr schnell auf Wut, Ärger und Furcht reagieren. In Notfällen wird ihre Sekretion angeregt.

Da sie »Kampfdrüsen« sind, wird gerade dieser Körperteil bei länger anhaltenden Disharmonien im Leben eines Menschen besonders betroffen. Häufig zeigen sich im Kreuz Krebsleiden gerade bei den Menschen, die lange Zeit insgeheim in Unfrieden lebten. Unterdrückter Ärger wirkt sich besonders auf diesen Körperteil nachteilig aus.

Ein erfolgreicher Geschäftsmann hatte jahrelang im geheimen unter der Eifersucht seines habgierigen Weibes gelitten. In den Augen ihrer Freunde waren sie ein glückliches, kirchentreues Paar. Aber hinter verschlossenen Türen war ihr Leben dauernd von Streit erfüllt.

Viele Jahre trug der Mann diese Seelenlast. Dann erkrankte er an Wirbelsäulenkrebs, der sich über den ganzen Unterleib ausbreitete. Die Frau bat bei verschiedenen Geistheilern und kirchlichen Vereinigungen um Gebetshilfe für ihren Mann, aber es war zu spät. Die Jahre des seelischen Kampfes zwischen ihnen hatten so auf den Körper des Mannes eingewirkt, daß er nicht länger die physische und psychische Kraft hatte, ihre Eifersucht zu bekämpfen. Schließlich wurde er von seiner lebenslangen Last durch den Tod befreit. Wohl waren die Gebete seiner Frau nicht erhört, seine jedoch fanden ihre Antwort durch die Erlösung, die der Tod ihm gab.

Die Adrenalin-Drüsen, in denen das Stärkezentrum liegt, sind eng mit dem Nervus-Sympathicus verbunden. Wie wichtig sie sind, geht daraus hervor, daß man sterben muß, wenn sie entfernt werden. Die Adrenalin-Drüsen reagieren stark auf gesundheitswidrige Geistes- und Seelenzustände. Es sind sehr »temperamentvolle« Drüsen, die sehr empfindlich auf Eifersucht, Haß, Furcht, Erfolgs- und Machtkämpfe sowie beruflichen Ärger ansprechen. Jede starke Aufregung läßt sie besondere Mengen von Adrenalin-Sekret produzieren. Auf diese Weise können sie dauernde Aufregungszustände so entleeren, daß der Mensch sterben muß (wie im obigen Fall der Geschäftsmann). Die Adrenalin-Drüsen sind die Kämpfer für den Körper. Wenn sehr empfindliche Menschen ihre Adrenalin-Drüsen überfordern, tritt eine Kraftlosigkeit ein, die zu Erschöpfung oder sogar zum Tode führen kann.

Die Wirkung von Adrenalin-Injektionen auf den Körper ist so groß, daß diese dazu benutzt werden, sterbende Patienten ins Leben zurückzurufen.

Ein dramatischer Fall: Adrenalin-Anregung rettet ein Menschenleben

Eine Krankenschwester versorgte einen Patienten, der im Diabetis-Koma gelegen hatte. Bis zum Eintreffen des Arztes versuchte sie ihn bei Bewußtsein zu halten und gab ihm eine Orangensaftmischung zu trinken. Aber er konnte nicht schlukken. Die Schwester war sich im klaren darüber, daß der Patient diese Nahrung als Minimum brauchte, um am Leben zu bleibben. Plötzlich hatte sie das Empfinden, dem Patienten einen Klaps versetzen zu müssen und tat es auch. Der erstaunte Patient schluckte schleunigst den Saft und verlor dann das Bewußtsein. Später erwachte er und setzte sich sogar auf, als der Arzt eintrat. Erstaunt fragte der Arzt die Schwester, was sie unternommen hätte, um den Patienten zu retten, und sie erzählte es ihm. Er antwortete: »Das war das Allerbeste, was Sie tun konnten. Wenn der Mensch erschrickt oder ärgerlich wird, gibt der Körper Adrenalin ab. Durch das leichte Schlagen haben Sie den Patienten ärgerlich gemacht. Seine Adrenalin-Drüsen wurden angeregt und gaben ihm die Kraft zum Schlukken des Saftes, dessen Nährwert ihm das Leben rettete!«

Bei gefühlsmäßig gesunden Menschen sind die Adrenalin-Drüsen gut imstande, Notfällen zu begegnen und Extra-Energie und Kraft in den Körper zu leiten, je nach Nachfrage. Ein Mensch, der seine Geisteskraft der Stärke recht anwendet, bewahrt seine vitale Stärkesubstanz und verschwendet sie nicht in negativen Emotionen.

Wie Stärke entwickelt wird

Manchmal haben Sie keinen direkten Schmerz im Rücken. Aber wenn Sie von eigenen oder anderer Leute Probleme belastet werden, ermüden Sie und haben ein unangenehmes Gefühl im Rücken. Sie fühlen sich schwach, nutzlos, entmutigt und unfähig, die Dinge zu überblicken. Das ist der Augenblick zu bejahen: *Ich bin stark im Herrn und in der Macht seiner*

Stärke. Mein Joch ist sanft, und meine Last ist leicht. Ich sehe die Welt als starker, freier und furchtloser Mensch.

Wie die Frau des Ölkaufmannes können Sie buchstäblich die Geisteskraft der Stärke mit Worten der Stärke taufen. Das regt die geistige und physische Stärke an, um der Not des Augenblicks zu begegnen und Ausdauer zu haben bei der Bewältigung einer Aufgabe.

Denken Sie daran: Die schwerste Last, die einer trägt, ist die Last seiner eigenen negativen Gedanken und Worte. Diese schweren Brocken wie Mißtrauen, Zweifel, Furcht, Undank, Selbstbedauern, verletzte Gefühle, Ungeduld, Neid, Eifersucht, Selbstverdammung, Rache, Ungerechtigkeit und Bitterkeit sind in den unliebsamen, belastenden Gedanken eingeschlossen.

Wenn jemand nicht weiß, wie er diese negativen Regungen meistern soll, kann das der Grund für ein ernstes Leiden im Stärkezentrum am Kreuz sein. Sobald man sich mit der Geisteskraft der Stärke beschäftigt, treten ausgesprochene Veränderungen an Geist und Körper ein. Wirkliche Stärke kommt aus der Meditation über Stärke. Jedes Wort hat eine Eigenschaft, die zu einer dem Menschengeist angeborenen Idee in sympathischer Beziehung steht. Wenn das Wort gesprochen wird, strahlt es eine Energie aus, die die Körperzellen ausdehnt oder zusammenzieht. In diesem Wort ist das Vermögen, noch mehr Stärke entstehen zu lassen.

Stärke wird durch dauernde Bemühungen entwickelt und nicht durch stoßweise oder sprunghafte Anstrengung, die ihrerseits auch nur Stöße und Energiesprünge erzeugen würde.

Wenn Sie dauernd »Stärke« bejahen, rufen diese Worte die tiefergelegenen Schichten der Stärke in den Körperzellen und besonders im Stärkezentrum am Kreuz auf. Wiederholte Bejahungen der Stärke wirken wie ein belebendes Stimulans, das Stärke in den Gehirnzentren der zwölf Geisteskräfte freisetzt. Gerade in diesen zwölf wichtigen Gehirnzentren ist die Energie für diese bestimmte Geisteskraft gespeichert. Ihre Bejahungen erwecken und befreien sie; und mit der Befreiung der Energie wird Ihr Körper erneuert.

Ich kannte einmal eine Dame, die 20 Jahre jünger aussah, als sie wirklich war. Sie hatte eine lange Arbeitszeit in einer verantwortlichen Stellung, doch sie war niemals krank. Sie verfügte über eine ungeheure Energie und meisterte alle geistigen und körperlichen Anforderungen, die einen Durchschnittsmenschen umgeworfen hätten. Ihr Geheimnis? Wenn sie abends schlafen ging, entspannte sie ihren Körper und »taufte« ihre zwölf Geisteskräfte, wobei sie den Nachdruck auf »Stärke« legte.

Wenn Sie Ihre zwölf Geisteskräfte aktivieren und ihre Energie über den ganzen Körper wirken lassen, werden auch chronische Leiden vergehen. Zunächst werden die an der Oberfläche liegenden geistigen und gefühlsmäßigen Ursachen der Krankheit verschwinden. Später werden Sie keine Furcht mehr haben und auch nicht mehr über Krankheiten sprechen. Alsdann werden infolge Ihrer nachdrücklichen Bejahungen die tiefer sitzenden geistigen und gefühlsmäßigen Ursachen durchdrungen werden und zur Oberfläche Ihrer Gefühle steigen, um schließlich ganz und gar aus Geist und Körper zu weichen.

Rücken und Rückgrat spiegeln den Willen wider

Das Rückgrat ist von Nervenzentren erfüllt, die sich nach allen Körperteilen verästeln. Wenn Sie Stärke bejahen, setzen Sie Stärke frei, die dann frei entlang den Nervenbahnen fließt und jede Zelle durchdringen kann. Wenn Stärke das Rückenmark hinauf und hinunter fließt und die verschiedenen Körperteile durchdringt, fühlen Sie sich erhoben, belebt und erneuert. Wenn Ihre Geisteskraft der Stärke im Kreuz aktiviert ist, wird manchmal Ihr Rückenmark sehr empfindlich, bis es sich an den vergrößerten Energiestrom gewöhnt. In solchem Falle ist die Bejahung gut: »Normale Erneuerung, Einstellung und normaler Wiederaufbau erfolgen jetzt in Geist, Körper und allen Angelegenheiten, mit denen ich mich befasse.«

Das Rückgrat kann gerade gerichtet, Lähmungen können behoben, Muskeln erneuert und Nerven belebt werden allein durch die Bejahung: *Neue Stärke fließt jetzt frei in jeden Körperteil hinein. Ich bin erneuert im Geist, in der Seele und im Körper!*

Obgleich die Geisteskraft der Stärke im Kreuz liegt, wird doch ihr Mißbrauch oder Mangel in verschiedenen Körperteilen wahrgenommen. Zum Beispiel sind die Schultern ein Symbol für Verantwortlichkeit. Wenn Verantwortung zur Last wird, wenn sie mit Ärger getragen und unwillig auf sich genommen wird, vielleicht noch von Selbstbedauern begleitet ist, kommt es zu Gesundheitsstörungen in den Schultern.

Falsch verstandene Verantwortlichkeit kann zum Zusammenbruch führen

Solange jemand die Geisteskraft der Stärke normal entwickelt, bedeutet Verantwortung keine Last; im Gegenteil, sie weitet die Seele, wenn sie richtig auf sich genommen und ihr mit Liebe begegnet wird. Benutzen Sie die folgende Bejahung: *Ich ärgere mich nicht mehr über meine Verantwortung; im Gegenteil, sie erweitert mein Gutes in jeder Phase meiner Welt. Mein Joch ist sanft, und meine Last ist leicht.*

Wenn wir uns nicht zukommende Lasten tragen, führt das meistens zu Empfindlichkeiten an den Schultern. Ein Geschäftsmann hatte lange Jahre das Amt einer städtischen Organisation mit großer finanzieller Verantwortung verwaltet. Oft sagte er: »Ohne meine finanzielle Hilfe könnte sich diese Organisation nicht halten!« Entsprechend entwickelte sich nach einiger Zeit zwischen seinen Schultern ein nagender Schmerz, dem weder durch medizinische noch chiropraktische Hilfe beizukommen war. Auf dem Wege über metaphysische Studien erfuhr er, daß die Schultern die Stelle für Verantwortung im Körper ist; und dieser Mann erkannte, daß er eine falsche Vorstellung von Verantwortung bezüglich dieser Organisation und seiner finanziellen Verpflichtungen angenommen hatte. Er gab sein Amt auf und zog sich auch geistig von dieser Organisation zurück. Von da an konnte er sich besser entspannen, reiste viel und freute sich seines Lebens. Mit der Aufgabe der falschen Verantwortung klang der Schmerz zwischen den Schultern ab, um schließlich ganz zu verschwinden.

Eine verzweifelte, geschiedene Frau gebrauchte alle möglichen Kuren, um abzunehmen. Sie verlor auch ständig an Gewicht, nur nicht an den Schultern, die eher zu einem Sportler zu gehören schienen. Auch hatte sie dort physische Schmerzen. Diese Frau lag ständig im Kampf mit ihrer Familie; sie nahm finanzielle Verantwortungen auf sich, die sie gar nicht tragen wollte. Andauernd mischte sie sich in die Angelegenheiten anderer Leute. Ihre falsche Vorstellung von Verantwortung spiegelte sich als krankhafte Störung zwischen ihren Schultern wider. Eine Witwe war mit ihrer alten Mutter und zwei erwachsenen Söhnen schwer belastet, weil diese sie geistig und finanziell völlig aussaugten. Obgleich sie noch jung war, litt sie bereits an Arthritis in Rücken und Schultern. Zu einer Zeit, als sie schon eine Schuldenlast von Tausenden von Dollar hatte, nahm sie das Studium praktischen Christentums auf. Dadurch entwickelte sie eine innere Stärke, die sie nie zuvor gekannt hatte. Oft bejahte sie mit den Worten Samuels: »Gott stärkt mich mit Kraft und weist mir einen Weg ohne Tadel.« (2. Samuelis 22, Vers 33)

Als sie im Geiste ihre Lasten ablegte, trat eine große Besserung ein. Ihre alte Mutter ging friedvoll in die andere Welt, ihre erwachsenen Söhne bekamen Arbeit, sie selbst fand einen neuen Wirkungskreis, den sie sich schon lange gewünscht hatte. Wegen der besseren Bezahlung konnte sie siegreich beginnen, ihre Schulden abzutragen. Als sie sich von der falschen Verantwortung befreite, schwand die Arthritis schrittweise aus Rücken und Schultern, und sie wurde wieder ganz gesund.

Während die Schultern symbolisch für Verantwortung stehen, bedeuten die Hüften individuelle Unabhängigkeit, freien Willen und Selbständigkeit. Die Schultern bilden einen Teil des Brustkorbes, in dessen Innern Herz und Lungen liegen. Sie stehen so in einer Weise mit der geistigen Natur des Lebens in Verbindung und bilden ein Gegengewicht zu den Hüften.

Die Hüftknochen helfen, das Becken zu formen, das die Geschlechtsorgane birgt, die wiederum eng mit der Bildung von persönlichem Leben verbunden sind. Die Hüftknochen enthalten aber auch die Schalen, in die die Köpfe der Oberschenkelhälse passen. Dieses Gelenk ermöglicht es dem Menschen zu sitzen und zu gehen. Wenn ein Mensch sich in egoistischer Weise zu sehr an andere hängt, verkümmern seine eigenen Fähigkeiten, und er wird an Kreuz und Hüften krank.

Das Rückgrat und das Kreuz sind Sinnbilder des Willens. Wir sprechen oft von Menschen, die über Willenskraft und Mut verfügen, als von »Leuten mit Rückgrat«. Andererseits haben Menschen mit beherrschendem Willen oft Schwierigkeiten mit dem Rückgrat und dem Kreuz. Als Jakob mit dem Engel rang, wurde seine Hüfte verrenkt, weil er seinen eigenen Weg gehen wollte. Um das zu vermeiden, bejahe: *Ich bin innerlich und äußerlich ein Turm der Stärke, denn ich werde von göttlicher Stärke getragen. Nicht mein Wille, sondern Dein Wille geschehe.*

Freuen Sie sich, daß Sie selbständig sind. Freuen Sie sich, auf Ihren eigenen Füßen stehen zu können. Freuen Sie sich, daß keine falschen Bedingungen Macht über Sie haben.

Gutes ist ein anderer Name für Stärke

»Gott ist meine Stärke und meine Kraft, und er macht meinen Weg vollkommen.« (2. Samuelis 22, Vers 23)

Gutes bejahen heißt, die stärkste Energie, die der menschliche Geist nur haben kann, entfesseln. Emma Curtius Hopkins erklärte, daß das »Gute« ein anderer Name für »Stärke« sei. (E. G. Hopkins: »Scientific Christian Mental Practice« [Wissenschaftlich christliche Mentalpraxis].)

»Ein anderer Name für das Gute, das wir suchen, ist ›Stärke‹. Alle Dinge blicken auf Stärke. Sie lieben Stärke. Das Kleinkind lacht bei jedem Stärkeempfinden in seinem kleinen Körper. Das Insekt läuft und dreht sich mit sprachlosem Entzücken bei jedem Zucken neuer Stärke. Was es Gutes sucht, ist unbegrenzte Stärke. Es sucht wie Sie freie, ungebundene Stärke.

Wenn Sie Ihr Gutes als unbegrenzte Stärke ansprechen, werden Sie sich sofort frei und stark fühlen. Wenn Sie auf eine schwächliche Frau schauen und denken, daß das Gute, das sie sucht, unbegrenzte Stärke ist, wird sie ihren Geist zusammen mit dem Ihren leuchten lassen. Sie hat das im Unbewußten gefühlt. Sie wird Stärke bewußt erleben. Alles, zu dem Sie von der allmächtigen Wahrheit sprechen, daß seine Stärke Gott ist und Gott seine Stärke, wird wachsen und stark sein. Und Sie selbst werden um so stärker sein, je mehr Sie der unwiderstehlichen Idee, welche die ganze Schöpfung fühlt, Ausdruck verleihen.«

Als metaphysische Heilerin erklärte Frau Hopkins in ihrem Buch die verschiedenen Phasen von Stärke:

»Die erste Geistesstärke ist die Stärke der Ausdauer ... Ein guter Mensch kann sehr schwächlich aussehen, aber er wird weiter und weiter leben, wo andere, kräftiger aussehende versagen würden, weil *Güte* die Substanz im Menschen ist, die Ausdauer besitzt ...«

»Die zweite Geistesstärke ist die Stärke der Furchtlosigkeit. Sie kommt zu Ihnen, wenn immer Sie glauben, alles ist gut, das gut zu sein scheint, und jeder ist gut, der gut zu sein scheint. Lassen Sie Ihre bewußten Gedanken und Worte ›gemäß dem Guten (Gott)‹ sein. Das wird Ihnen einen jungen und furchtlosen Gesichtsausdruck geben und Sie kraftvoll erhalten. Sie werden finden, daß jemand, der davon überzeugt ist, daß das, was gut scheint, auch gut ist, jung aussieht ... Jugend wird dadurch erhalten, daß man sich weigert, an Schlechtes in Menschen oder Dingen zu glauben.«

Eine andere metaphysische Heilerin erklärte ihre einfache Methode, alle Arten von Gemütsbelastungen, körperlichen Leiden und geschäftlichen Nöten zu beseitigen, wie folgt:

»An die 25 Jahre sind es her, daß ich die Wahrheit zu studieren begann und mich als Heilerin entwickelte; und nur ein mächtiger Gedanke blieb mir am Ende einer sechsmonatigen Studienzeit. Dieser Gedanke lautete: ›Nur DAS GUTE ist wirklich!‹ Ich habe es für mich selbst und andere erprobt, indem ich fast ununterbrochen 25 Jahre lang nur bei diesem einen Gedanken blieb. Ich war Zeuge Hunderter von Heilungen, sowohl in materiellen Nöten als auch in menschlichen

Beziehungen, wobei ich mich immer an den einen mächtigen Gedanken hielt: *Nur das Gute ist wirklich!*«

Wundern Sie sich darüber, daß der Gedanke an das Gute solche Kraft hat? Er hat sie deswegen, weil der Gedanke des Guten Stärke in den geistigen, mentalen und physischen Bereichen unseres Lebens freisetzt. Der Gedanke des Guten löst jeden Glauben an Lasten auf, die sich auf Rücken, Nieren, Rippen oder unsere Schultern gesenkt zu haben scheinen. Dieser Gedanke des Guten löst Mißtrauen, Zweifel, Furcht, Undankbarkeit, Selbstbedauern, Groll, Traurigkeit, verletzte Gefühle, Ungeduld, Haß, Verdammung, Rache und Bitterkeit. Alle Arten von negativen Gedanken, die in Gemüt, Körper und allen Angelegenheiten des Menschen Belastungen bringen, können mit dieser einfachen Feststellung weggewaschen werden: »Nur das Gute ist wirklich!« Ein Heiler hat es bewiesen. Sie können es auch.

Ein okkultes Geheimnis, Gutes für sich selbst freizusetzen

Hier ist ein okkultes Geheimnis, das in der Stille bekannt war und seit Jahrhunderten benutzt wurde: *Das Wort GUT ist ein Synonym für Gott.* Wenn Sie das Wort »gut« aussprechen, setzen Sie göttliche Kraft frei. Das Wort »gut« ist schöpferisch. Gutes ist so schnell erschaffen, wie gute Gedanken und Worte ausgesandt werden. Wenn Sie das Wort »gut« aussprechen, entwickeln Sie bereits großes Gutes, bewegen Sie großes Gutes und setzen großes Gutes frei, damit es in Erfüllung geht.

Das Wort »gut« ist selbst-vergrößernd. Wenn Sie Worte des Guten aussprechen, schaffen Sie nicht nur Gutes, sondern das Gute selbst schafft immerfort weiter Gutes. Es vervielfältigt sich selbst. Dadurch, daß Sie also Worte des Guten sprechen, schaffen Sie zuerst die Stärke in Geist, Körper und Ihrem persönlichen Anliegen und vergrößern sie zusätzlich. »Gutes« ist ein anderer Name für Stärke – geistig, mental und physisch. Sie rufen die Geisteskraft der Stärke in sich auf, sobald sie alles für gut erklären. Die verworrensten Situationen, schwierige

Menschen, finanzielle Probleme sowie auch Leiden, Schmerzen und Lasten, die im Kreuz auftreten, sollten Sie folgendermaßen ansprechen: *Ich erkläre dich für GUT.* Wenn Sie Stärke reflektieren, indem Sie negative Situationen und Diagnosen für gut erklären, geschehen erstaunliche Dinge! Zuerst fühlen Sie sich selber besser, weil Sie Ihre Geisteskräfte zur Möglichkeit des Guten aufgerufen und ermuntert haben. Ihr Geist und Körper beginnen dann unbewußt zu erwarten, daß etwas Gutes geschehen wird.

Wenn Sie fortfahren, geistige und mentale Stärke zu entwikkeln, dadurch daß Sie negative Situationen für gut erklären, beginnen Sie, sich furchtloser zu fühlen; denn Sie haben angefangen, die Last negativer Worte, Gedanken und Gefühle, mit denen Sie im Unterbewußten kämpften und die sich in Ihrem Kreuz festgesetzt hatten, abzuladen.

Wenn Sie auf Ihren Entscheidungen und Erwartungen des Guten bestehen, öffnen Sie mental und physisch den Weg für erstaunliche Veränderungen, die in Ihrem Körper und in Ihren Angelegenheiten Platz greifen werden. Vertrauensvoll können Sie gute Dinge erwarten, die geschehen, wenn Sie an Ihrem Standpunkt festhalten und alles für gut erklären. Da »Gut« ein anderer Name für Stärke ist, setzen Sie allmächtige Stärke in jeglicher Phase Ihrer Welt frei. In meinem Buch »Das Wohlstandsgeheimnis der Jahrhunderte« (Catherine Ponder, The Prosperity Secret of the Ages, Englewood Cliffs N. J.) werden Sie eine ganze Reihe Geschichten von Leuten finden, die geheilt worden sind, die Wohlstand erwarben und die befreit wurden, um in glücklichere Umstände zu gelangen. Dies geschah nur durch den steten Gebrauch der Bejahung über das Gute; siehe besonders Kapitel IV. Dieses Prinzip des Guten als eine Form der Stärke kann in jeder Situation angewandt werden.

Wenn es Ihr Körper ist, der einen Segen nötig hat, nennen Sie ihn nicht alt, schwach, krank oder müde, sondern sagen Sie: *Ich erkläre jedes Atom und jede Zelle meines Körpers für gut und mit Leben erfüllt.* Wenn es Ihr Sparbuch, Ihr Bankkonto oder eine sonstige finanzielle Angelegenheit ist, die Ihnen

Sorge macht, sprechen Sie von ihnen nicht als leer, mangelleidend oder erschöpft. Bejahen Sie einfach: *Ich erkläre Dich für gut, gefüllt bis zum Überfließen und mit unzähligen Ideen und unermeßlicher Versorgung ausgestattet.* Wenn Sie ein Verwandter, Nachbar oder Geschäftspartner belastet, sprechen Sie nicht über ihn als neugierig, erbärmlich, grausam, unvorsichtig oder egoistisch, sondern sagen Sie: *Ich erkläre Sie für gut, geschaffen als Ebenbild Gottes, erfüllt von göttlicher Liebe und Weisheit.*

Wenn Sie Ihre Arbeit belastet, nennen Sie sie nicht langweilig, uninteressant oder ermüdend. Sagen Sie: *Ich erkläre Dich für gut, wichtig, wohlbezahlt, von Vorteil für Gott und die Menschen.*

Wenn Sie Ihre Familie belastet, urteilen Sie nicht mehr: Sie machen nicht mit, sie zollen mir keine Anerkennung, sie sind abweisend und anspruchsvoll. Statt dessen urteilen Sie: *Ich erkläre meine Familie und meine ganze Verwandtschaft für gut.*

Wenn negative Gedanken Ihres Geistes Sie verunsichern, etwa Depressionen, Entmutigungen, ein belastendes irritierendes Gefühl, das Sie loszuwerden versuchen, erklären Sie: *Ich nenne Dich gut, erleuchtet, inspiriert, erhoben von göttlicher Weisheit.*

Wenn Sie einen neuen Tag beginnen, rufen Sie geistige, mentale und physische Stärke durch die Worte auf: *Ich erkläre diesen Tag und all seine Tätigkeiten für gut.* Am Ende des Tages sammeln Sie seine Segnungen und erklären: *Es war ein guter Tag. Ja, er war sehr gut.*

Sie erleichtern sich diese Erklärungen für die verschiedenen Aspekte Ihres Lebens, wenn Sie sich darüber klarwerden, daß Sie in einem freundlichen, entgegenkommenden Universum leben, das bereit ist, seine wahre Natur des Guten in Ihrem Leben zu demonstrieren.

Seien Sie beständig, stark und gleichbleibend gegenüber dem Gedanken des Guten in Ihrer Welt. Sie werden dadurch Stärke in Geist und Körper herbeiführen. Tatsächlich ist Ihre Gesundheit empfänglich für Ihre Erklärungen des Guten, und sie gehorcht ihnen. Sie lösen tiefgreifende Energien in Ihrer Geisteskraft der Stärke aus. Sie haben ihren Sitz im Kreuz und fließen von dort in den gesamten Körper. Sie können gezielt das Stärkezentrum im Kreuz dadurch anregen, daß Sie sich entspannen und seine Aktivität aufrufen. *Stärke, Stärke, Stärke, ich bin innerlich und äußerlich ein Turm der Stärke. Ich lasse alle Last von meinen Schultern fallen. Ich lasse alle Ängstlichkeit aus meinem Gemüt verschwinden. Ich lasse alle Furcht von meinem Herzen gleiten. Ich lasse alle äußeren Angelegenheiten los. Ich löse alle Fesseln. Göttliche Stärke vollbringt weisen und wahren Ausgleich in jeder Phase meines Lebens. Ich entspanne mich, ich freue mich, ich lasse es geschehen.*

Zusammenfassung

1) Stärke ist nicht nur ein äußerst wichtiges Fluidum, das durch den Körper strömt, sondern auch eine Geisteskraft.
2) Die Geisteskraft der Stärke liegt bei den Lenden im Kreuz, zwischen Hüftknochen und Rippen nahe den Adrenalin-Drüsen.
3) Das Wort Stärke bedeutet *Ausdauer, Durchstehvermögen*. Stärke ist dreifach. Auf der physischen Ebene ist Stärke Kraft, Energie und Freiheit von Schwäche im Körper. Auf der geistigen Ebene ist Stärke die Fähigkeit, etwas zu vollbringen, zu leiten oder ein Fachmann auf seinem Gebiet zu sein. Auf der seelischen Ebene ist Stärke ein Festhalten am Glauben an das Gute. Seelische Stärke beharrt darauf, das Gute zu erwarten; sie hat die Fähigkeit, einer Versuchung zu widerstehen und weigert sich, sich mit weniger als dem Besten im Leben zufriedenzugeben.
4) Die Philosophen des Altertums glaubten, daß zur Vertreibung des Bösen aus unserer Welt andauernd die folgende Feststellung nötig ist: *Nur in Gott dem Guten gibt es Stärke und Kraft.*
5) Da Ihre Geisteskraft der Stärke im unteren Leib liegt, d. h. im Körperteil des Unterbewußten, wird sie schnell von Ihren Gefühlsregungen beeinflußt.

6) Unterbewußte Lasten und Unversöhnlichkeiten sowie tiefsitzende gefühlsmäßige Probleme spiegeln sich oft als Störungen im Rücken als dem Stärkezentrum wider. Finanzielle Belastungen äußern sich oft in Rückenschmerzen.
7) Die Geisteskraft der Stärke liegt nahe bei den Adrenalin-Drüsen an den Nieren. Diese Drüsen sind unter dem Namen Kampf- oder Fehde-Drüsen bekannt und reflektieren unharmonische Empfindungen in diesem Körperteil.
8) Es treten sehr entschiedene Veränderungen in Geist und Körper ein, sobald man auf der Geisteskraft der Stärke besteht. In dem Wort »Stärke« ist Kraft, die fähig ist, die Stärke in Geist und Körper zu mehren.
9) Wenn Sie dauernd »Stärke« bejahen, rufen Ihre Worte die tiefer gelegenen Stärke-Depots auf, die sich in den Körperzellen, besonders denen des Kreuzes, befinden.
10) Fortgesetzte Stärke-Bejahungen wirken wie ein belebendes Stimulans, das Stärke zu den im Gehirn gelegenen Zentralen der zwölf Geisteskräfte befördert.
11) Das Wort »gut« ist ein anderer Name für Stärke. Bejahungen, die »gut« sagen, setzen Stärkeströme zu den geistigen, seelischen und physischen Phasen unseres Lebens in Bewegung. Stärke wird durch fortgesetzte Bemühungen entwikkelt, nicht aber durch stoßweise Anstrengungen. Wenn Sie standhaft, stark und beständig in Ihrem Denken an das Gute in Ihrer Welt sind, dann errichten Sie Stärke in Geist und Körper.

4. Kapitel

Ihre Heilkraft der Beurteilung

Eine Frau litt an Magenbeschwerden und sagte oft voller Selbstmitleid: »Die Ärzte können mir einfach nicht helfen. Meine Nahrung wird nicht richtig verdaut. Ich muß beinahe verhungern, um zu überleben.«

Wie ein Ernährungsspezialist machte sie es sich zur Regel, die »richtigen« Nahrungsmittel zu sich zu nehmen und konnte gar nicht verstehen, warum sie Probleme mit ihrer Gesundheit hatte. Sie wollte auch nicht glauben, daß ihre Gesundheitsprobleme mit ihrem ungesunden Empfinden zusammenhingen und nicht von irgendeiner Gesundheits-Diät herrührten.

Ihr liebster Zeitvertreib bestand darin, mit ihrem Mann zu streiten. Das bereitete ihr ein gewisses »neurotisches Vergnügen«, das sie nicht lassen wollte. Sie zog es vor, weiterhin andere zu verdammen, zu kritisieren und ihrem Mann zu befehlen – was bedeutete, daß sie ihr Magenleiden behielt –, anstatt ihn gefühlsmäßig freizugeben, um dadurch auch von ihrem eigenen Gesundheitsproblem loszukommen. Sie war sich selbst der ärgste Feind und »freute« sich schmerzvoll jede Minute daran! Ein altes Sprichwort sagt: »Du kannst deine Gedanken nicht auf deines Nachbarn Fehlern ruhen lassen, ohne dir selbst zu schaden.« Diese Frau bewies es.

Menschen, die ihre Lieben kritisieren, sollten daran erinnert werden, was das alte spanische Sprichwort sagt: »Wer nicht über die Fehler seiner Lieben lacht, liebt überhaupt nicht.«

Der Magen ist das Zentrum der Beurteilung

Ihre Geisteskraft der Beurteilung liegt in der Magengrube, in der Mitte des Körpers, im Bereich des Solarplexus (siehe Figur 4.1). Falscher Gebrauch der Urteilskraft bedingt alle möglichen Magenbeschwerden und damit zusammenhängend Krankheiten des ganzen Unterleibes.

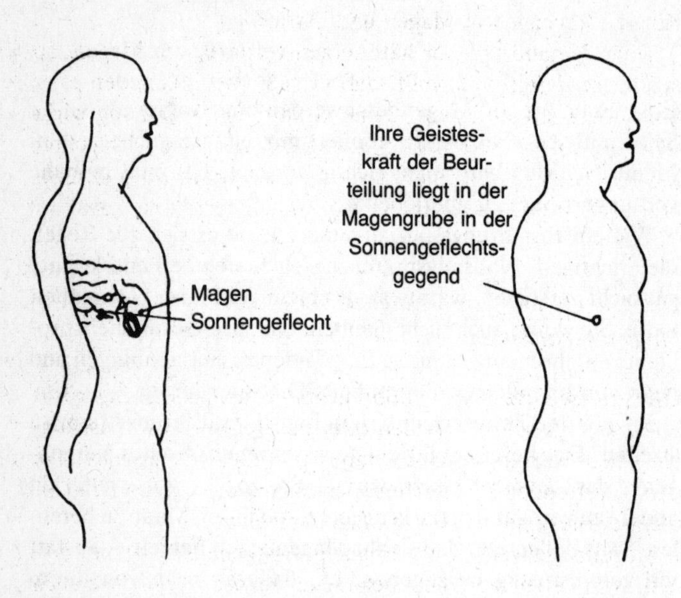

Figur 4.1 Die Lage der Geisteskraft der Beurteilung.

Leute, die behaupten, sie vertrügen manche Nahrung nicht, gleichen oft der oben genannten Frau: Sie benutzen ihr Urteilsvermögen nicht richtig, denn sie haben dauernd an anderen Menschen etwas auszusetzen oder finden Charakterfehler an ihnen. Was stört, ist nicht die Nahrung, sondern ihr eigenes unangenehmes Benehmen. Leute mit Magenbeschwerden sind meistens »schweigende« Beschwerdeführer, denen Sie lieber aus dem Wege gehen sollten, selbst bei dichtestem Verkehr.

Die Worte verdammen (englisch condemn) und verdammt (englisch damn) haben im Englischen dieselbe Wurzel wie das Wort Schaden (damage). Starke negative Verurteilung schadet der Gesundheit dessen, der sie hegt und ausspricht. Da nun der Magen das Urteilszentrum im Körper ist, verspürt ein Mensch, der andere heftig tadelt, als Ergebnis seiner Schärfe im eigenen Körper Störungen in Magen und Darm.

Wenn jemand sagt, er hätte einen verdorbenen Magen, so erzählt er damit unbewußt, daß er sich über jemanden oder über etwas aufgeregt hat. Seine verdorbene Stimmung wirkt sich nun auf die Urteilskraft im Magen aus. Ein »schlechter Magen« ist ein Hinweis auf schlechten Gebrauch der Urteilskraft, die in der Magengrube sitzt und entsprechend reagiert.

Der Glaube an Ungerechtigkeit verursacht Magenbeschwerden

Oft wird die Urteilskraft mißbraucht, wenn man sich ungerecht behandelt, falsch verstanden oder beurteilt fühlt. Menschen, die einen Märtyrerkomplex haben und meinen, sie hätten in den betreffenden Umständen oder von anderen Menschen Unrecht erlitten, haben häufig Magenbeschwerden.

Magenbeschwerden haben auch ängstliche Leute, die meinen, vom Leben ungerecht behandelt worden zu sein, die auch glauben, daß sie von Menschen mit mehr Ellbogenkraft um ihre ehrlichen Verdienste gebracht würden. Manche unglücklichen und anscheinend unvorhersehbaren Erfahrungen im Leben sind oft das Ergebnis verschwiegener Ungerechtigkeitsempfindungen (siehe das Kapitel über Ungerechtigkeit in meinem Buch »The Prosperity Secret of the Ages«: »Das Wohlstandsgeheimnis aller Zeiten«). Eine Frau schrieb kürzlich: »Ich kann nicht verstehen, warum ich nicht von einem seit Jahren vorhandenen Magen-Darm-Leiden geheilt werden konnte. Ich war so schwer leidend, daß ich das Bett hüten mußte.«

Dann schrieb sie erklärend: »Meine Familie und meine Freunde raten mir, die Ärzte zu verklagen, weil sie mich nicht von der furchtbaren Magenkrankheit geheilt haben. Ich habe Hunderte von Dollar für sie ausgegeben. Soll ich nun meine Ärzte verklagen, weil sie mich nicht geheilt haben?«

Wie töricht von ihr. Natürlich nicht!

Der einzige Mensch, den es zu verklagen gäbe, wäre sie selbst mit ihrer kritisierenden Einstellung. Diese Frau hatte das erste Heilungsgesetz noch nicht gelernt. »Was er bei sich denkt, so ist er.« (Engl. Bibelübersetzung Sprüche 23, Vers 1) Als Gesundheitsspruch gedeutet hieße er: Wie er in seinem Geist denkt, so ist sein Körper – besonders der Magen. Diese Frau hatte ein Ungerechtigkeitsgefühl über Jahre hin »gepflegt« und am Leben gehalten. Im selben Maße, wie sie ihre Urteilskraft (in der Magengrube) mißbrauchte, hatte diese natürlich reagiert und genau in dem Körperteil Beschwerden ausgelöst.

Ihr wurde schnell klargemacht, daß die Ärzte ihren Körper einfach nicht heilen konnten, bevor sie nicht ihr anklägerisches Denken aufgab. Deshalb wurden ihr folgende Bejahungen zum täglichen Gebrauch empfohlen: *Ich benutze meine Urteilskraft richtig. Das göttliche Gesetz der Gerechtigkeit arbeitet jetzt in vollkommener Weise durch mich für alle Menschen und durch alle Menschen für mich. Ich urteile nicht über andere Leute, seien sie schuldig oder unschuldig. Der Christus in mir ist Richter über alles, und ich befreie mich für neues Leben, neue Gesundheit und Stärke sowie neuen Geistesfrieden. Alle Dinge wirken auf gerechte Weise für mein Gutes, und ich arbeite mit ihnen im Geist der Liebe und Gerechtigkeit.*

Diese Frau mußte lernen, daß »Dinge nicht von ungefähr geschehen«, sondern daß »sie mit Recht geschehen«.

Meistens herrscht die Tendenz, mit dem Urteil einer gewissen Vorsicht oder Ängstlichkeit, einer Beschwerde oder heftigen Kritik Ausdruck zu verleihen. Auf jeden Fall bleibt eine Rückwirkung auf den betreffenden Kritiker nicht aus. Dafür gab Jesus eine Heilbehandlung, als er sagte: »Ich verdamme dich auch nicht; gehe hin und sündige hinfort nicht mehr.«

(Johannes 8, Vers 11) Und »Wer unter euch ohne Sünde ist, der werfe den ersten Stein auf sie.« (Johannes 8, Vers 7)

Wir können Ordnung, Gerechtigkeit und Wohlstand in unsere eigenen Angelegenheiten bringen, wenn wir direkt das göttliche Gesetz anrufen. Statt für unsere Rechte zu kämpfen, können wir sie auf geistige Weise durch die Erklärung erhalten: *Ich verlange nichts für mich selbst; das für mich Bestimmte kommt zu mir durch göttliches Gesetz.*

Wir müssen aber auch akzeptieren, daß das Prinzip der Gerechtigkeit nach beiden Richtungen wirkt. Wir sollten nicht nur Gerechtigkeit für uns selber wünschen, sondern sie auch anderen zugestehen. Vergebung und Gnade sind in dem Konzept der göttlichen Gerechtigkeit mit eingeschlossen. Wenn wir selbst nach Vergebung und Gnade verlangen, müssen wir sie zuerst anderen gegenüber üben (siehe das Kapitel »The Surprise Law of Healing«: »Das Überraschungsgesetz der Heilung« in »The Dynamic Laws of Healing«: »Die dynamischen Heilungsgesetze«).

Große Intelligenz in der Magengegend

Für die meisten ist es eine überraschende Erfahrung, daß die Magengrube der Sitz der Urteilskraft ist, die gleichzeitig die Unterscheidungsgabe, Weisheit und alle Arten des Wissens einschließt. Wir denken im allgemeinen, daß ein gutes Urteil eine Geisteskraft sei, die vom Gehirn aus funktioniert.

Dabei ist es doch ziemlich logisch, daß das Urteilsvermögen im Magen liegt, weil es die Funktion des Magens ist, zu beurteilen, zu verdauen.

Der Magen wirkt als Leibwache des Körpers und prüft alles, was ihm übergeben wird. Er verzeichnet unsere allerfeinsten und geheimsten Gefühle. Das Verhalten von Leuten, die zuviel Verantwortung übernehmen und sich über Dinge aufregen, die sie nichts angehen, beeinflußt den gesamten Verdauungsprozeß, von der Speiseröhre durch den Magen, die Leber, die Bauchspeicheldrüse, die Nieren bis hin zu den Gedärmen.

Das wichtigste aller Zentren, die zum sympathischen System gehören, ist das des Solarplexus, in dem der Magen liegt. Diese Tatsache veranschaulicht, wie stark unsere Empfindungen den Magen beeinflussen. Das Solarplexus-Nervenzentrum wirkt wie ein Spiegel. Des Menschen tiefste Empfindungen werden in ihm widergespiegelt. Alle stärkeren Gedankenimpulse werden auf den Solarplexus geworfen und gelangen von dort durch die Nervenbahnen in alle Körperteile.

Jede gefühlsmäßige Schwankung wird in der Solarplexus-Gegend bemerkt. Furcht und Aufregung verursachen Brechreiz und außerordentliche emotionale Aktivität in diesem Bereich. Ein zusammenziehendes, krank machendes Gefühl entwickelt sich in der Magengrube, sobald wir uns oder andere verurteilen oder das Gefühl haben, ungerecht behandelt worden zu sein. Durch gefühlsmäßige Disharmonien in der Solarplexus-Gegend werden mitunter seelische Phänomene hervorgerufen. Das ist eine Erklärung dafür, daß gefühlsmäßig aus dem Gleis geratene Leute oft seelische Wahnvorstellungen haben.

Ärzte wissen seit langem, daß der Solarplexus große Intelligenz birgt. Deswegen haben sie ihn das »große Körpergehirn« genannt. In ihm befindet sich eine graue Masse, die der des Gehirns ähnlich ist.

Die große Intelligenz des Solarplexus-Nervenzentrums reagiert augenblicklich auf jede Freude und auf jede Sorge – beides wird in der Magengrube registriert. Wenn man einen plötzlichen Schock erleidet, so trifft er in die Magengrube. Haß, Leidenschaft, Furcht und ähnliche Gefühle stoßen alle an dieser Stelle zusammen und beeinflussen die Arbeit der mit ihr in Verbindung stehenden wichtigen Organe.

Durch dieses große Nervenzentrum ist Ihr Magen eng mit dem Herzen verbunden sowie auch mit den Geisteskräften im Kopf. Kein Organ Ihres Körpers wird schneller durch Ihre Stimmungen beeinflußt als Ihr Magen. Das erklärt, warum stumpfe, muffige Leute so oft Magenbeschwerden haben.

Jeder Bissen Nahrung, den Sie zu sich nehmen, muß im Magen chemisch behandelt werden, bevor er in die einzelnen

Körperteile gelangen kann. Tatsächlich erwartet der Körper vom Magen ein weises Urteil in der Verteilung der geeigneten Stoffe zum Bau der Knochen, Muskeln, Nerven und übrigen Teile des Organismus.

Wenn wir unseren Körper und seine vielen Funktionen studieren, sehen wir, wieviel von der Fähigkeit unserer intelligenten Urteilskraft abhängt, die in unserem Magen arbeitet. Man kann dann wirklich leicht einsehen, wie übel ein Mißbrauch unserer Urteilskraft der Gesundheit mitspielen kann. Das erklärt auch, warum kritische Leute krank und kranke Leute kritisch werden.

Der Magen als Sitz des Gedächtnisses

Die Kraft, durch die Sie gerechtfertigt oder verdammt werden, liegt in Ihnen! Sie können sicher sein, daß alle Ungerechtigkeit, der Sie begegneten, aus einer Saat entsprang, die Sie säten. Alles, was an Gutem oder Krankem zu Ihnen kam, wurde zunächst durch Ihre eigenen guten oder kranken Gedanken und Taten in Bewegung gesetzt. Um von unrechten Gedanken und ihren Folgen loszukommen, sollten Sie bejahen: *Ich vergebe jetzt allem, was anscheinend Ungerechtigkeit hervorbringt. Ich vergebe mir selbst, daß ich Unrecht als erster in Bewegung gesetzt habe. Göttliche Gerechtigkeit gestaltet meine Gegenwart und Zukunft jetzt in vollkommener Weise. Jetzt wird Gottes Güte in mir und um mich freigesetzt. Ich erfülle jetzt meine vollkommene Bestimmung.*

Die Tatsache, daß unsere Urteilskraft in der Magengrube beim Solarplexus liegt, gibt uns einen weiteren Hinweis auf viele Gebrechen. Der Unterleibsbereich ist der Sitz des Unterbewußtseins. Sie kennen sehr nette Leute, die Magenbeschwerden haben; und sofort protestieren Sie: »Aber diese verdammen und kritisieren niemanden. Sie sind auch nicht von Neid, Mißgunst oder Boshaftigkeit erfüllt.«

Oft ist es eben nicht der dem Menschen im Augenblick bewußte Gedanke, der Magenbeschwerden bringt. Es können auch negative Erinnerungen an bittere, harte, ungerechte Erfahrungen sein, die im unterbewußten Gedächtnis im Magen liegen und dort nun gesundheitliche Störungen verursachen. Der Magen ist mit Gedächtniszellen gefüllt, die unterbewußt im stillen weiterarbeiten – noch lange, nachdem Sie die Erfahrungen bereits vergessen haben.

Ein Berufstätiger hatte Leberbeschwerden und litt an akuter Verstopfung. Seinen Freunden und Kunden gegenüber erschien er als umgänglicher, ansprechbarer, gefälliger Mann. Aber er stand mitten in einer Scheidungsaffäre, die schon viele Jahre zwischen ihm und seiner Frau schwebte. Seine nahen Verwandten wußten es, wie sehr er seine Frau haßte und nur mit den bittersten Worten von ihr sprach.

Seine Magen- und Leberbeschwerden hatten zur gleichen Zeit wie seine Eheschwierigkeiten angefangen. Dieser Mann hatte über Jahre hin im geheimen Gefühle des Hasses, der Furcht, des Unrechts und der Bitterkeit gegenüber seiner Frau aufgestaut. Als der Streit vor Gericht seinen Höhepunkt erreichte, kochten auch seine alten Empfindungen aus den Gedächtniszellen des Magens auf. Verstopfung und später sogar Magengeschwüre waren die Folge.

Verstopfung und Trunksucht geheilt

Niedertracht ist ein bitterer Geisteszustand, der sich als Boshaftigkeit, Wunsch, es den anderen heimzuzahlen und sie zu verletzen, äußert. Diese Gemütsroheiten bewirken eine besondere Versäuerung des Blutes in einzelnen Organen. Als Folge entstehen Geschwüre, Krebs und alle möglichen Arten krankhaften Zerfalls. Magen und Herz werden besonders von Niedertracht und Mißgunst betroffen. Sie brauchen nicht neidisch auf andere zu sein oder andere zu verurteilen; denn Sie können ganz sicher sein, daß der betreffende Mensch, der Unrecht tat, von seinen gesundheitlichen Störungen gerichtet werden wird, die ihm seine eigenen Gedanken und Taten an Geist und Körper verursachen.

Um gesund an Leib und Seele zu sein, muß man sich von Verurteilungen und nachtragenden Gedanken freimachen. Haß und Nichtvergebenkönnen bringen Härte und Verfestigung in die Magenzellen und beeinflussen unsere Gesundheit an dieser Stelle besonders stark.

Eine Hausfrau hatte zwölf Jahre lang an chronischer Verstopfung gelitten und überall nach Abhilfe gesucht. Medizin, die früher geholfen hatte, konnte sie nicht mehr verdauen. Voll Verzweiflung ersuchte diese Frau schließlich einen geistlichen Berater um Beistand.

Ihre Verstopfung nahm den Anfang, als ihr Mann vor zwölf Jahren zu trinken begonnen hatte. Mit dem Wachsen der Trunksucht hatten auch ihre Verstopfungsbeschwerden zugenommen. Und je mehr er trank, desto grausamer wurde er, und um so mehr wurde er von Frau und Kindern gefürchtet. Ihre Furcht ging schließlich in Haß über.

Der Berater schlug vor, die Hausfrau solle ihrem Ehemann vergeben, damit ihre Magenbeschwerden nachließen. Sie sollte täglich bejahen: *Ich vergebe dir voll und ganz. Ich gebe dich frei und lasse dich gehen. Ich lasse es geschehen und überlasse Gott die Auswirkung.*

Die Hausfrau glaubte, es leichter durchführen zu können, wenn sie von ihrem Mann für einige Wochen getrennt wäre. So erklärte sie ihm mutig, sie würde mit ihren Kindern ihre Mutter besuchen. Normalerweise hätte er das nicht gestattet; aber ihre Bejahung der Vergebung und des Freilassens schienen zu helfen, und er widersprach nicht. Während ihrer Abwesenheit bejahte sie täglich Vergebung und Freilassung und fügte hinzu: »Ich verurteile dich auch nicht. Sei du geheilt.«

Bei der Rückkehr sagte ihr Mann: »Etwas überkam mich, als Du weg warst, etwas, das ich nicht erklären kann. Aber ich weiß, ich werde niemals mehr trinken. Wenn ich über mein vergangenes Trinken nachdenke, ekelt es mich an. Ich fühle, Gott und Du, Ihr habt mir vergeben.« Damit waren nicht nur die Trunksucht, sondern auch ihre Verstopfung behoben.

Verstopfung zeigt sich, wenn man etwas in seine Gedanken aufnimmt, ohne es zu wollen und ohne es zu überprüfen. Verstopfung, Magengeschwüre, sogar Magenkrebs sind das Ergebnis von negativen Gedanken, Worten und Empfindungen, die nicht zum Körper passen. Das Urteilszentrum in der Magengrube reagiert auf solche unerwünschten Erfahrungen mit dem Versuch, sie abzuwerfen. Die Folge davon ist Verstopfung.

Eine Hausfrau litt an so schwerer Verstopfung, daß sie es kaum ertragen konnte. Als geistige Ursache erkannte man ihre große Furcht, daß ihr Mann seine Stellung verlieren könnte. Weil außerdem komplizierte persönliche Dinge mitspielten, hatte sie eine große Angst erfaßt, daß ihr Mann ungerecht behandelt würde. Der Berater gab dem Ehepaar folgende Bejahung zum täglichen Gebrauch: Gott ordnet jetzt alles in dieser Situation. Der Platz, den Gott für uns bereitet hat, tritt schnell in Erscheinung. Zunächst verließen sie Furcht und Sorge, und innerhalb weniger Wochen hatte sich die verfahrene Situation geklärt. Zwei ungerechterweise entlassene Angestellte wurden gebeten, in die Firma zurückzukehren. Der Ehemann dieser Frau erhielt sowohl eine Gehaltserhöhung als auch eine bessere Stellung. Dann reagierte ihr Magen auf das Erlöstsein von Furcht und Sorge vor ungerechter Behandlung, und auch die Verstopfung verging. Angst vor schlechten Nachrichten, geheime Befürchtungen und Sorgen, unliebsame Gedanken und Worte sowie allgemeine Disharmonie im menschlichen Leben verursachen Verstopfung. Die Bejahung, daß alle Dinge zu einem guten Ende zusammenwirken, läßt den Magen wieder in normaler Weise arbeiten.

Wenn all die Zeit und all das Geld, das für Diätmaßnahmen ausgegeben wird, dafür verwandt würde, unsere Gedanken zu ordnen und unsere Empfindungen zu reinigen, würden Magenbeschwerden ganz verschwinden.

Angeborene Nervenschwäche geheilt

Ein Geschäftsmann hatte von Geburt an schwache Nerven. Alles nagte an seinem Gemüt; und so litt er an chronischer Verstopfung und Magenstörungen. Ein geistiger Berater empfahl ihm, sich täglich zu entspannen, um sich von seinen Geschäfts- und Familienangelegenheiten zu lösen und alles, auch seinen Besitz, dem Schöpfer zu überlassen: *Vater, das ist alles Dein. Du kümmerst Dich darum. Ich entspanne mich, lasse los und weiß, daß Du die Verantwortung trägst.*

Durch das tägliche Üben von Entspannen und Loslassen verminderten sich die Magenbeschwerden des Mannes. Schließlich berichtete er, er könne wieder alles essen, was er wollte und sei nicht länger in Sorge, da er erfahren habe, daß alle Dinge zusammen sich zum Guten und nicht zum Schlechten auswirkten.

Für Ihren Magen sollten Sie oft bejahen: *Ich bin in Einklang mit dem, was ich esse; und was ich esse, steht in Einklang mit mir. Ich bin jetzt in Frieden mit allen Menschen und allen Situationen. Ich widerspreche niemandem und arbeite nicht gegen jemanden oder gegen irgendeine Sache. Mein Magen ist stark, weise und energiegeladen. Ich denke und spreche von ihm immer so, daß er fähig ist, seine Aufgabe vollkommen zu erfüllen. Ich reize ihn nicht durch Überladung. Ich werde beim Essen und Trinken von göttlicher Weisheit geführt und folge ihr. Ich bin nicht mehr ängstlich in bezug auf Essen und Trinken. Nach dem Essen entspanne ich mich. In Ruhe entlasse ich alle Sorgen und gebe meinem Magen die Gelegenheit, seine Aufgabe in vollkommener Weise zu erfüllen.*

Geistige Ursache für Zuckerkrankheit

Die Bauchspeicheldrüse liegt im Bereich des Solarplexus (siehe Figur 4.2).

Sie hat mit der Bereitstellung von Energie für physische und geistige Zwecke zu tun. Ihre Sekrete sind sowohl für die Verdauung als auch für die Verarbeitung des Zuckers, der von den Zellen, Muskeln und Nerven für deren Aufbau gebraucht wird, wichtig.

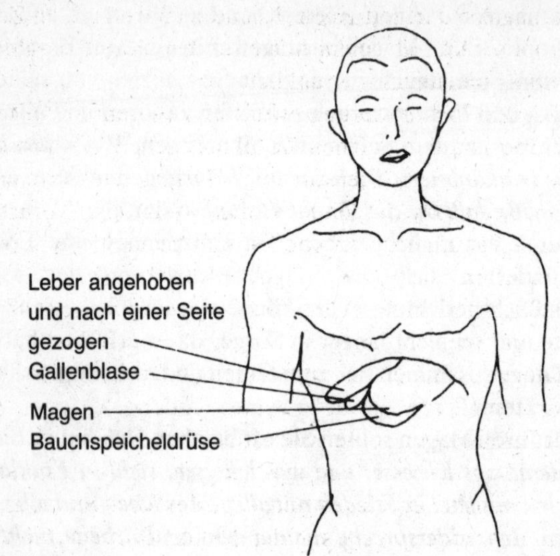

Figur 4.2 Die Lage der Bauchspeicheldrüse in der Sonnengeflechtsgegend.

Zuckerkrankheit entsteht, wenn die Bauchspeicheldrüse nicht richtig arbeitet. Der Körper kann keinen Zucker mehr verarbeiten und scheidet ihn dann im Urin aus. Dauernder Ärger und Aufregungen verursachen Zuckerkrankheit; desgleichen strenge Selbstverurteilung oder Verurteilung anderer. Der Geist muß von den die Bauchspeicheldrüse (unter dem Magen) beeinflussenden Verurteilungen gereinigt werden, bevor eine dauernde Heilung möglich ist.

Ein Rechtsanwalt erfuhr auf eine eigenartige Weise, daß er an einem unheilbaren Fall von Zuckerkrankheit litt: Um eine Lebensversicherung abzuschließen, mußte er sich einer genauen Untersuchung unterziehen. Der untersuchende Arzt erklärte ihm, daß er nur noch sechs Monate zu leben hätte.

Innerhalb der nächsten drei Monate verlor er 60 Pfund an Gewicht aus lauter Angst vor dem über ihm schwebenden Todesurteil. Eines Tages reiste er mit der Bahn in eine entfernte Stadt, um sich dort mit einem Klienten zu treffen. Im Zug fing er ein Gespräch mit einem Mitreisenden an und erzählte ihm von seiner unheilbaren Krankheit.

Zu seiner Verwunderung erfuhr er von dem Mitreisenden, daß dieser von der gleichen Krankheit geheilt worden sei. Er gab ihm anregende Literatur über Heilung zu lesen, und der Rechtsanwalt fand folgende Worte: »Wirf alle Verurteilung Deiner selbst und anderer von Dir und bejahe täglich: *Nur das Gute ist wahr.*«

Täglich sprach der Rechtsanwalt nun die Bejahung: *Ich verurteile nie mehr weder mich noch andere; auch nicht meine Gesundheit.* Von da an fühlte er sich besser an Geist und Körper. Wenig später war er seiner Heilung so sicher, daß er keine Heilmittel mehr zu sich nahm.

Drei Monate später – zu der Zeit, als er eigentlich sterben sollte – besuchte er wieder den Arzt der Versicherungsgesellschaft. Er wurde für vollständig gesund erklärt. Zehn Jahre später, als der Mann diese Geschichte berichtete, hatte er keine Gesundheitsprobleme mehr.

Nieren, Leber und Milz werden durch falsche Urteile negativ beeinflußt

Fehlurteile schlagen sich durchweg im Magen und in den Verdauungsorganen nieder. Wenn sich die Nieren infolge übertriebener Kritik entzünden, ist auch die Leber aus Mitgefühl erregt. Die Leber ist eine große Drüse im rechten oberen Teil des Unterleibs. Sie sammelt das Blut von den Unterleibsorganen und erzeugt Gallenflüssigkeit. Sie bereitet auch den Zucker auf und speichert ihn für die Bedürfnisse des Körpers. Die wichtigste Funktion der Leber liegt in der Reinigung der Körperflüssigkeiten.

Die Leber wird durch die urteilenden und kritischen Gedanken des Menschen beeinflußt; und eine ihrer Funktionen ist es, derartige Gedanken als unfruchtbar auszuscheiden. Anhaltende Schuldgefühle können gefährliche Leberkrankheiten induzieren. Ganz sicher kommen unheilbare Leberleiden von Erinnerungen an unentschuldbare und nicht wiedergutzumachende Mißgriffe sowie von gnadenloser Selbstverurteilung.

Ihr allgemeines Verhalten gegenüber dem Leben wird auch in der Leber registriert. Ein dauerndes Empfinden von Ungerechtigkeit, ein Gefühl von Bitterkeit, ein Glaube, daß die Dinge verkehrt sind und man selbst keine Möglichkeiten zur Änderung sieht, können sich in einem krankhaften Zustand der Leber auswirken. Wenn Sie sich und anderen vergeben und Ihren Geist von falschen Urteilen, Bitterkeit, Ungerechtigkeit, Intoleranz und Rachegedanken befreien, tun Sie Ihrem Magen, Ihrer Leber und allen andern Organen etwas Gutes. Deshalb sollten Sie oft erklären: *Alle Bitterkeit und jeglicher Glauben an Ungerechtigkeit verlassen jetzt meinen Geist und Körper. Göttliche Gerechtigkeit, göttlicher Ausgleich finden jetzt statt!*

Psychische Belastungen verlangsamen die Leberfunktion

Wenn Sie dauernd in Selbstverurteilung und mit Bedauern an die Vergangenheit denken, kann das sogar zum Tode führen. Nachtragende Gedanken und falsches Mitleid spiegeln sich ebenfalls noch nachträglich in der Leber wider. Toleranz mit sich selbst, Mitgefühl mit anderen, weniger Kritik und mehr Harmonie mit anderen bringen Wärme und verstärkte Blutzufuhr zur Leber und folglich auch bessere Gesundheit in anderen Teilen des Körpers. Zu diesem Zweck sollten Sie bejahen: *Ich werde nicht falsch beurteilt, und ich beurteile auch andere nicht falsch. Ich kritisiere oder verdamme niemanden. Ich hege keine bitteren, rachsüchtigen Gedanken gegen andere. Ich glaube nicht, daß ich ungerecht behandelt worden bin, noch daß ich das in Zukunft werde. Ich übergebe alle Beurteilung dem göttlichen Gesetz der Gerechtigkeit. Ich bin in Frieden mit Gott und den Menschen.*

Von der Wichtigkeit, die Milz zu heilen

Die Milz ist ein großes drüsenartiges Organ am Ende des Magens. Die Alten fühlten, daß sich in der Milz Ärger, Aufregung und Melancholie festsetzen können. Die Milz ist ein Energieverteiler, und irgendeine mentale Erregung beeinflußt sie im schlechten Sinne. Rheumatismus, Arthritis, Neuralgien, Entzündungen, Geschwüre, Blutungen und Verlagerungen von Organen sind oft die Folge von Ärger und Aufregung. Diese Energien werden von der Milz freigesetzt und zu anderen Körperteilen geleitet. Um die Milz zu heilen, bejahen Sie: *Ich klage niemanden wegen eines Übels an, auch nicht mich selbst; ich vergebe und mir wird vergeben, und ich bin geheilt.*

Während Geschwüre und Krebs bei Frauen im allgemeinen an der Brust oder in den Geschlechtsorganen auftreten, erscheinen sie bei Männern mehr im Magen, Mund oder in der Speiseröhre. Ärger schwächt besonders die Geisteskraft der Beurteilung im Magen. Harte oder extreme Konflikte erregen die Zellen aufs äußerste, zerbrechen die Zellstruktur und zerfressen das Fleisch.

Eine unheilbare Krankheit kann auf permanente Selbstverurteilung oder Verurteilung anderer zurückgeführt werden. Krebs entsteht durch alle möglichen Arten von falschem Denken, z. B. Haß, Rache, Neid, dem Wunsch, den Ruf anderer zu untergraben, Feindschaft, Mißgunst, tiefes Beleidigtsein, Klatsch, Ärger, lebhaftes Opponieren, welches sich oft durch ein kritisches, zynisches Gebaren zu erkennen gibt.

Daß Magen (das Urteilszentrum) und Herz (das Liebeszentrum) beide im zentralen Teil des Körpers liegen, ist ein Anzeichen dafür, daß Liebe und Urteil zusammenwirken müssen, um sich gegenseitig die Waage zu halten. Wenn sie es tun, kann die Neigung, Fehler zu suchen, überwunden werden, und beide, Magen und Herz, antworten mit verbesserter Gesundheit. Die nahe physische Verbindung von Magen und Herz ist metaphysisch durch die Tatsache symbolisiert, daß die Jünger Jakobus und Johannes Brüder waren. Jakobus symbolisiert Urteil, Johannes Liebe. Der tägliche Gebrauch der folgenden Sätze wird unsere Gesundheit im Magen- sowie im Darm-Bereich verbessern:

Alle Gedanken von Verurteilung, Rache, Bestrafung und Übel sind jetzt aus meinem Geist und Körper ausgeschaltet. Statt dessen halte ich fest an der Liebe, Gnade und Güte Gottes, die im Geist, Körper und in meinen Angelegenheiten und Beziehungen zu der ganzen Menschheit wirken.

Ich lasse alle Menschen glücklich sein. Ich lasse alle Menschen erfolgreich sein. Ich lasse alle Menschen frei sein. Und wenn ich das tue, sind mein eigenes Glück, mein eigener Erfolg und meine Freiheit gesichert.

Ich verurteile weder mich noch verurteilen mich andere. Stolz, Groll und Neid haben keine Macht über mich. Ich klage weder mich selbst noch andere wegen irgendeiner Schuld an. Kein Gedanke an Egoismus kann mich überwältigen. Alle Güte Gottes ist nun mein, sie zu nutzen und mich ihrer zu erfreuen. Mein Geist, Körper, meine Angelegenheiten und meine Verwandten sind nun voll Freude und Freiheit. Ich freue mich jetzt an meiner geistigen und physischen Vollkommenheit. All das Gute, das mein Herz wünscht, kommt jetzt zu mir.

Der Magen ist das Zentrum der physischen und geistigen Substanz

Geradeso wie der Magen das physische Substanzzentrum des Körpers ist, weil er unsere Nahrung empfängt, sie verdaut und sie als Aufbaustoff in alle Teile des Körpers entsendet, so ist er auch das mentale Substanzzentrum im Körper. Das Substanzzentrum des Körpers wird von der Gedankensubstanz beeinflußt, die im Geist herrscht. Viele Geschäftsleute, die unter finanziellen Problemen leiden, haben auch Magenstörungen.

Mangel an genügend Erfolg im Leben, der wiederum finanzielle Probleme schafft, erzeugt auch Reaktionen im Substanzzentrum des Magens und verursacht vielfache Gesundheitsprobleme.

Auch die Gewohnheit, Personen schlechtzumachen, die sich

unverdienten Erfolges zu erfreuen scheinen, verursacht eine negative Reaktion im eigenen Substanzzentrum des Magens und folglich in den eigenen finanziellen Angelegenheiten. Eine Geschichte in meinem Buch »The Dynamic Laws of Prosperity« (Die dynamischen Gesetze des Reichtums«, Verlag DAS BESONDERE) handelt davon, wie ein Mann seine eigene Gesundheit ruinierte, indem er anderer Leute Erfolg verdammte. Er erhielt seine Gesundheit erst wieder zurück, als er eine richtige geistige Einstellung einnahm.

Während zuviel Körpergewicht oft daher rührt, daß man zu viele Reichtümer ansammeln möchte oder auch unangenehme Erinnerungen hegt, die vergessen sein sollten, so tragen Sorgen, Furcht, widerwärtige und zerstörende Gedanken und Worte den Körper ab bis zu extremer Schlankheit. Zuviel Streben und Ehrgeiz brennen die Körperenergie schneller ab, als sie erzeugt werden kann, während drastische Sparsamkeit Geist und Körper der benötigten Substanz berauben. Das führt zu einem nervösen, verkrampften, düsteren, mißtrauischen, unzufriedenen Aussehen, das Geist und Körper unterminiert und besonders das Substanzzentrum im Magen angreift.

Wenn Sie Ihre Aufmerksamkeit dem Substanzzentrum im Magen zuwenden und oft über Göttliche Substanz meditieren, reinigen Sie sich von den negativen Erregungen, die dort lagern. Sie setzen ebenso neue Energie, Leben und Substanz frei und senden sie in den Magen, die Leber, das Herz, in die gesamte Darmgegend und schließlich in den ganzen Körper. Die Folge sind neue Energie, bessere Gesundheit und mehr Seelenfrieden.

Wie man Heilungen im Magen bewirken kann

Da das Substanzzentrum physisch am Nervenzentrum hinter dem Magen liegt, schlagen sich Liebe und Haß des Geistes auf diesem drüsenartigen Gedankenempfänger nieder und werden dort kristallisiert. Liebe und Haß bauen Zellen von Freude und Schmerz im Magen. Wenn der Geist von emotionalen Strömen kranker Gedanken und Worte gepeitscht worden ist, sind die Zellen des gesamten Organismus zerbrochen; Erschöpfung und Depression sind die Folge. Nervöser Zusammenbruch, der bereits den Magen und seinen Verdauungsprozeß beeinflußt, ist das erste Ergebnis erschöpfter Nervenkraft.

Ein ruhevoller Geisteszustand ist ein heilender Geisteszustand. Stetige Friedensbejahungen werden die gesamte Körperstruktur harmonisieren und den Weg für gesunde Bedingungen freimachen: *Ich bin in Frieden, weil ich göttlicher Gerechtigkeit zutraue, alle meine Angelegenheiten jetzt zu ordnen. Ich habe Glauben an göttliche Gerechtigkeit, und ich vertraue ihr, jede Situation meines Lebens zurechtzurücken.*

Viele Menschen zweifeln daran, daß in allen Dingen ein unendliches Gesetz der Gerechtigkeit am Werke ist. Lasse sie jetzt Mut fassen und wissen, daß dieses Gesetz in ihren Angelegenheiten bisher nicht gewirkt hat, weil Sie es nicht zur Wirksamkeit »aufgerufen« haben. Wenn wir unsere inneren Kräfte zur Tätigkeit aufrufen, beginnt das universale Gesetz sein großes Werk in uns. Alle die Gesetze groß und klein vereinigen sich, um für uns zu arbeiten.

Eine Dame wurde von Magenkrebs geheilt, als sie bejahte: »Von dieser Stunde an werde ich Zweifel, Kritiksucht und Zänkerei beiseite lassen.«

Das Gesetz der Gerechtigkeit kann durch definitive Bejahung verwirklicht werden, und die Resultate sind es wert, es zu tun. Wenn jemand sein Urteil gebraucht im Umgang mit anderen, wird er mehr Liebe üben, sich von aller Art von Kritiksucht zurückhalten und sein Auge geradeaus auf das Gute gerichtet halten. Der Geist denkt klarer. Der Ausdruck von Liebe und Zuneigung wird spontaner. Ein freundlicheres Wesen wird in Erscheinung treten und eine vollständige Erneuerung des ganzen Menschen wird vor sich gehen. In Ihren stillen Meditationszeiten entspannen Sie sich und heften Ihre Aufmerksamkeit behutsam auf die Magengrube und bejahen: *Göttliche Gerechtigkeit ist jetzt in mir aufgerichtet.* Dann verbleiben Sie bei dem Heilungsgedanken *»Göttliche Substanz«. Ich bin zufrieden mit Göttlicher Substanz. Gottes Substanz vertreibt alle Müdigkeit* *aus meinem Körper, erneuert die Schleimhäute und füllt die Energie auf. Göttliche Substanz macht meinen Geist stabil und fördert meine Angelegenheiten. Jede Sehnsucht meiner Seele und jede Not meines Lebens werden jetzt gestillt. Ich bin zufrieden mit der Göttlichen Substanz.*

Sobald Sie das Urteils-Substanzzentrum in der Magengegend erwecken, werden Sie finden, daß verschiedene Dinge geschehen. Ihr Geschmack für Nahrungsmittel kann sich ändern, wird feiner. Sie haben vielleicht einen fremden Geschmack in Ihrem Mund, wenn alte Bitterkeiten vom Urteilszentrum gelöst werden, und dann werden Sie einen heftigen Durst verspüren. Ihre Solarplexus-Gegend scheint vergrößert zu sein; darauf schrumpft sie wieder und ist entspannter. Das alles ist ein Anzeichen dafür, daß eine Expansion Ihrer Geisteskraft der Beurteilung vor sich geht. In jedem Falle sollten Sie Ihre mentale Arbeit fortsetzen und die Heilungsergebnisse in Ruhe abwarten.

Zusammenfassung

1) Die Geisteskraft der Beurteilung, die Unterscheidungsgabe, Weisheit und alle Geistesformen des »Wissens« einschließt, liegt in der Magengrube in der Gegend des Solarplexus und in der Nähe der Bauchspeicheldrüse.
2) Die Magenfunktion besteht physisch im Beurteilen und Verdauen der Nahrung, die dem Magen angeboten wird. Gleicherweise besteht die Arbeit der Geisteskraft des Urteils, die in der Magengrube liegt, im geistigen und gefühlsmäßigen Beurteilen und Verdauen. So wirken sich alle negativen Gefühlsregungen speziell als Magenbeschwerden und im allgemeinen als gesundheitliche Störungen im ganzen Unterleib aus.
3) Der Magen ist der Sitz des Gedächtnisses. Er liegt im Körperteil des Unbewußten, in dem großen Körpergehirn des Solarplexus und ist mit Gedächtniszellen gefüllt, die in der Stille weiter verarbeiten, was Sie lange vergessen haben.

4) Verstopfung, Leberstörungen, Zuckerkrankheit, Milz- und Nierenbeschwerden sind metaphysisch das Resultat Ihres falschen Gebrauchs der Urteilskraft im Magen.
5) Der Magen ist auch das geistige Substanzzentrum im Körper. Selbstverurteilung oder die Verurteilung anderer spiegeln sich sowohl in finanziellen Angelegenheiten als auch physisch im Unterleib wider.
6) Wenn Sie Ihre Aufmerksamkeit auf das Substanzzentrum im Magen richten und über »Göttliche Substanz« meditieren, reinigen Sie sich von dort aufgestauten negativen Gefühlen. Gleichzeitig setzen Sie neue Energie frei, die die Funktionen von Magen, Leber, Herz sowie des ganzen Unterleibs und des übrigen Körpers belebt. Neue Lebenskraft, bessere Gesundheit und Gottesfrieden folgen.
7) Bejahungen von »Göttlicher Gerechtigkeit« helfen, die Gesundheit in diesem Körperteil wiederherzustellen.

5. Kapitel

Ihre Heilkraft der Liebe

Liebe ist als der Arzt des Weltalls bezeichnet worden, als die Medizin, die alle Krankheiten heilt. Liebe ist fähig, alle Leiden zu heilen, denn sie ist mehr als ein Gefühl oder eine Geisteseigenschaft. Liebe ist auch eine Geisteskraft.

Diese Geisteskraft der Liebe liegt in der Herzgegend, die wiederum das Zentrum der Liebe im Körper ist. Immer, wenn jemand das Gesetz der Liebe durch den Ausdruck von Haß, Furcht, Nachtragen und anderen ungesunden Gefühlen verletzt, wird das Herz in Mitleidenschaft gezogen, oftmals auch Lungen, Brustkorb und der ganze Brustbereich. Wenn jemand ein Herzleiden, Brust- oder Lungenkrebs hat, kann er seinen Geist und Körper von diesen unliebsamen Erscheinungen befreien, wenn er seine Geisteskraft der Liebe frei entfaltet.

Wie Liebe Herzschmerzen heilt

Eine Frau hatte mehr als ein Jahr lang dauernd Schmerzen an ihrem Herzen. Als sie von der Geisteskraft der Liebe, die im Herzen liegt, hörte, sagte sie jeden Tag zu ihrem Herzen: »Mein Herz wird von göttlicher Liebe regiert. Es ist jetzt von jeglichem Mißverständnis, von Bitterkeit, Zweifel, Depressionen, unharmonischen und krankhaften Zuständen gereinigt. Es ist frei und unbelastet. Mein Herz ist frei von allem Leiden und aller Furcht.« Sie erzählte ihrem Herzen, daß es genauso vollkommen wie in ihren jungen Jahren sei, und verweilte in

Gedanken bei den Versprechungen der Bibel: »Euer Herz erschrecke nicht und fürchte sich nicht« (Johannes 14, Vers 27). »Behüte dein Herz mit allem Fleiß; denn daraus geht das Leben« (Sprüche 4, Vers 23).

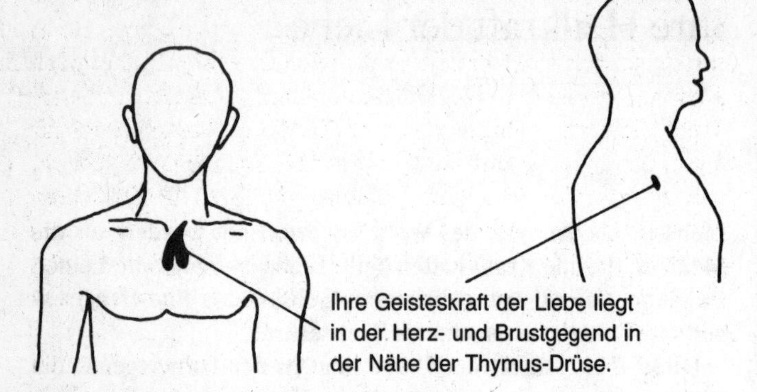

Figur 5.1 Die Lage der Geisteskraft der Liebe.

Ihre Herzbeschwerden verringerten sich, sowie sie ihre Geisteskraft der Liebe vergrößerte. Diese wiederum zog die Erfüllung ihrer Herzenswünsche an. Ein alter Herzschmerz verwandelte sich in eine herzinnig gefühlte Segnung für Geist, Körper und persönliche Angelegenheiten.

Wenn jemand die Liebe erkennt, kann er den schweren Herzfehler eines anderen heilen helfen

Irgend jemand, der die Geisteskraft der Liebe in ihrer Größe erkennt und verwirklicht, ist imstande, eines anderen Heilkraft anzuregen. Das zeigt folgender Bericht:

Ein Patient wurde mit einem ernsten Herzanfall in das Krankenhaus eingeliefert, in dem ich arbeitete. Sein Arzt hatte nur wenig Hoffnung für seine Genesung. Ich blieb bei ihm, während eine private Krankenschwester geholt werden sollte. Plötzlich stockte der Atem, der Blutdruck sank und der Puls setzte aus. Während der Arzt auf dem Wege zum Krankenzimmer war, rief ich den Namen des Patienten und bejahte laut immer wieder: »Dein Herz steht in direkter Verbindung zu Gott, göttliche Liebe heilt Dich noch in diesem Augenblick.«

Ich blieb bei dieser Bejahung, während ich die Instrumente für die Notbehandlung herrichtete. Als der Arzt eine Herzspritze gab, fing der Patient an zu reagieren, obgleich er nach allen medizinischen Regeln keine Genesungschance hatte. Trotzdem ging es ihm weiter besser, und er war später sogar fähig, nach Hause zurückzukehren. Der Arzt äußerte jedoch, daß er niemals mehr würde arbeiten können. Dieser Mann antwortete dem Arzt, er glaube fest daran, daß er von seinem langwierigen Herzleiden durch etwas geheilt worden sei, was die Krankenschwester zu ihm gesagt habe, als er beinahe schon »hinübergegangen« war.

Ich gab ihm die Bejahung, die ich für seine Genesung benutzt hatte, und er fuhr fort zu sagen: »Mein Herz ist direkt bei Gott, göttliche Liebe heilt mich in diesem Augenblick.«

Innerhalb von drei Monaten konnte er seine Stellung wieder übernehmen, und er fühlte sich besser denn je zuvor. Seine Familienprobleme, die ihm so zugesetzt und seine früheren Herzstörungen verursacht hatten, wurden schnell gelöst.

Zum ersten Male seit Jahren erfreute er sich nicht nur einer guten Gesundheit, sondern auch eines glücklichen Familienlebens. Er war wirklich ein anderer Mensch geworden. Als ich ihn das letzte Mal, vier Jahre später, sah, hatte er keine Anfälle mehr gehabt, obgleich er sehr hart arbeitete. Er hatte genau die Stellung inne, von der ihm gesagt worden war, daß er sie niemals mehr würde ausfüllen können. In seiner Freizeit arbeitete er zudem noch in seinem Garten.

Wie kann man Liebe entwickeln?

Man schätzt, daß siebzig Prozent aller Krankheiten von unterdrückten Erregungen verursacht werden. Bedauern, Sorge, Schuldgefühle bauen die Körperzellen ab. Gedanken des Hasses erzeugen ein tödliches Gift im Körper. Es kann töten, wenn es nicht durch Liebe neutralisiert wird. Jede Krankheit rührt von einer Verletzung des Gesetzes der Liebe her. Nachtragende Gedanken sowie Ärger wirken wie ein Bumerang und erzeugen ihrerseits Krankheit und Sorge.

Liebe erweckt. Psychologen haben herausgefunden, daß Leute, die Liebe auszudrücken wissen, gesünder sind. Sie neigen weniger dazu, krank zu sein, und erholen sich viel schneller. Sie altern langsamer und haben eine lebhaftere Farbe, klarere Haut, eine bessere Haltung und bessere Zirkulation als depressive, zynische oder bittere Menschentypen.

Gedanken der Liebe verursachen eine glückliche chemische Veränderung, die im Körper Platz greift. Gedanken der Liebe bringen Leben hervor, erneuern die Gesundheit und kehren sogar Todesgedanken in Lebensgedanken um. Geradeso wie das Herz den Lebensfluß im Körper ausgleicht, so harmonisiert Liebe die Gedanken des Gemüts und bringt Frieden in Geist und Körper. Sie verbinden Ihre Seelenkräfte mit dem, worauf Sie Ihre Liebe konzentrieren.

Sie sollten daraus eine Gewohnheit machen, täglich über die Gemütskraft der Liebe zu meditieren. Sie können sie zum Leben in Ihnen erwecken, indem Sie Ihre Aufmerksamkeit auf das Liebeszentrum am Herzen lenken und bejahen: *Göttliche Liebe erscheine jetzt in mir!* Wenn Sie mit Ihrer Aufmerksamkeit aufs Herz gerichtet über Liebe nachdenken, wird eine erfrischende Belebung eintreten. Mentale Konzentration auf Liebe wird einen positiven Liebesstrom erzeugen, der hervorgeht, um entgegengerichtete Gedanken des Hasses abzubrechen und aufzulösen. Der Haßgedanke wird nicht nur im Denkenden selbst, sondern auch im Denken der Menschen aufgelöst, mit denen er in Kontakt kommt oder die er betrifft.

Eine Arztfrau fand allmählich Harmonie mit einem Menschen, der sehr schwierig zu behandeln war, indem sie für ihn bejahte: »Ich liebe Dich und Du liebst mich.« Gegensätze zwischen ihnen verschwanden. Die Formel einer Hausfrau für das Auskommen mit schwierigen Menschen war, mental zu ihnen zu sagen: »Ich liebe Dich, ich segne Dich, ich habe

Glauben an Dich.« Eine Frau, welche von der heilenden Kraft der Liebe wußte, geriet in Gefahr, als sie von einem Halbstarken bedroht wurde. Sie schaute ihm gerade in die Augen und sagte: »Gott liebt Dich.« Er löste seinen Griff von ihr und verschwand. Eine andere Frau sah, wie ein Mann ein Pferd schlug, das nicht fähig war, eine Fuhre einen Hügel hinaufzuziehen. Sie sagte in Gedanken zu dem Mann: »Die Liebe Gottes füllt Dein Herz und Du bist zart und freundlich.« Er nahm daraufhin dem Pferd das Geschirr ab, und das dankbare Tier lief direkt zu dem Haus, wo jene Frau wohnte und drückte seine Nase gegen das Fenster, hinter dem sie stand.

Eigenwilligkeit erzeugt Herzbeschwerden

Der Liebesstrom ist nicht ein Erfolg des Willens. Er ist einfach das Freisetzen einer natürlichen, ausgleichenden, harmonisierenden Kraft, die vorher aufgestaut und unbenutzt war.

Die meisten Menschen denken, wenn sie jemanden lieben, daß sie damit ein Recht haben, das Leben dieses Menschen zu beherrschen und zu bestimmen. Wenn Leute versuchen, andere zu manipulieren und zu beherrschen und es »Liebe« nennen, haben sie oft Herzbeschwerden.

Das kommt daher, daß ein beherrschender und besitzergreifender Wille das Herz beeinflußt, und dies kann es nicht vertragen, so belastet zu werden. Der Wille ist die Rettungsleine des Menschen. Die Geisteskraft des Willens sollte durch rechtes Verstehen operieren (s. Kapitel 9). Aber im allgemeinen versucht der Wille seinen eigenen Weg ohne die Hilfe des Verstehens zu gehen. In dem Versuch, anderen seinen Willen aufzuzwingen, wird das Herz in Mitleidenschaft gezogen.

Wir sehen oft die schädigenden Wirkungen des Beherrschens beim Eltern-Kind-Verhältnis. Früher meinte man, daß eine Frau, die sich niemals über ihre Kinder beklagte, keine gute Mutter sei. Psychologen stellen nun fest, daß Furcht und Herrschsucht der Mütter der Anlaß für viele Krankheiten und Unglücksfälle im Leben der Kinder ist.

Wenn Eltern für ihre Kinder fürchten und ängstlich um sie sind, wird die Ängstlichkeit auf das Kind übertragen. Als Folge entsteht ein Gefühl der Begrenzung, Unterdrückung und Disharmonie, das Verhaltens- und Gesundheitsprobleme bei Kindern und Eltern schafft.

Eltern können tatsächlich ihre Kinder mit dem, was sie für Liebe halten, ersticken; sie können buchstäblich des Kindes Seele aus dem Körper treiben, so daß es stirbt.

Das passiert auch oft bei Erwachsenen, nämlich da, wo eine ganz starke »Habsucht« vorherrscht. Oft entwickelt jemand, der unterdrückt, ja geradezu »besessen« wird von einem anderen Menschen, Herzbeschwerden oder eine chronische Krankheit, oder er stirbt. Das kann der andere, der zurückgeblieben ist, nicht verstehen, denn er glaubt, all seine »Liebe« gegeben zu haben.

Viele Erwachsene haben als Ergebnis davon, daß sie in ihrer Kindheit gezwungen, versklavt, erstickt worden sind, harte unnachgiebige Stellen im Unterbewußtsein, die dem gesprochenen Wort der Wahrheit nicht leicht weichen. Eindringliche Bejahungen der göttlichen Liebe brechen diese harten Stellen in den unbewußten und kranken Gedankenverbindungen auf.

Liebe besitzt nicht, noch beherrscht sie, noch ist sie voll Eigenwillen. Liebe ist eine harmonisierende, ausgleichende, befreiende Qualität von Geist und Körper. Wahre Liebe harmonisiert, gleicht aus und befreit, anstatt zu binden.

Herzbeschwerden bei Erwachsenen und Kindern sind oft auf das Gefühl zurückzuführen, erstickt zu werden durch fordernde Liebe und die Anhänglichkeit einer anderen Person, besonders wenn sich dieses »Besitzergreifen« auf ein feinfühlendes Gemüt erstreckt. Diese fordernde Art von Liebe beengt die Freiheit einer Person und verursacht so Herz- und Lungenkrankheiten – manchmal auch in der besitzausübenden Person, aber viel öfter in der Person, die »besessen« wird!

Die besitzergreifende Art einer Frau wurde von ihrer ganzen Familie reflektiert: Ihr Mann litt unter Herzbeschwerden und chronischem Geschäftsversagen; ihre Tochter litt unter Erkältungen und Neigung zu Lungenentzündungen und anderen

Lungenstörungen. Ihr Sohn litt an Asthma – lange bekannt als »Unterdrückungskrankheit« – und, wie es vielen in gleicher Weise beherrschten Jungen geht, war er homosexuell geworden (was mehr eine psychische als eine physische Sache ist). Die biblische Ermahnung von Jesus war: »Und des Menschen Feinde werden seine eigenen Hausgenossen sein« (Matthäus 10, Vers 36). Das paßte bestimmt auf diese Familie.

Diese Frau und Mutter beschäftigte sich so intensiv damit, zu herrschen und »sich aufzuopfern« für ihre Familie, und doch war niemand gesund, glücklich oder erfolgreich; zugleich vernachlässigte sie die Entwicklung ihrer eigenen Seelenqualitäten. Sie hatte noch nicht gelernt, daß der sicherste Weg, anderen zu helfen, der ist, zuerst sein eigenes Bewußtsein zu verbessern.

Die Vorstellung von Selbstaufopferung als einem Element der Liebe ist falsch und führt nur zur Verweichlichung des Charakters der Person, für die das Opfer gebracht wird. Der »Selbstaufopferer« kann oft ernstlich die individuelle Entwicklung eines anderen stören, und außerdem verhindert er das Wachsen seiner eigenen Seele. Obige wohlmeinende, aber falsch geleitete Frau bewies es.

In seinem Buch »Das Geheimnis der sofortigen Heilung« (The Secret of the Instantaneous Healing« by Parker Publishing Comp. West Nyack N. Y.) erklärt Dr. Harry Douglas Smith, wie man familieneigene Krankheiten erkennt und heilt. Das Heim, das vor allem wohltuend für unsere Gesundheit und unser Glück sein sollte, ist oft äußerst gefährlich und zerstörend für unsere geistige und auch körperliche Gesundheit.

Liebe kann sogar Haarausfall heilen

Viele Krankheiten werden von Unliebsamkeiten aus der Vergangenheit verursacht, die im Unterbewußtsein bewahrt wurden. Ein nettes Mädchen litt an Haarausfall. Das Haar fiel in ganzen Strähnen aus und hinterließ überall kahle Stellen. Nichts schien zu helfen, auch keine Spritzen, die ihr direkt in den Kopf gegeben wurden. Die junge Frau war verzweifelt, denn ihre Hochzeit stand bevor, und sie fürchtete, bis dahin eine Glatze zu haben. Eine kurze Unterhaltung klärte die emotionalen Ursachen für den Haarausfall auf. Ihre Eltern hatten versucht, sie zum Hochschulstudium zu zwingen, um gute Erfolge auf der sozialen Stufenleiter zu erreichen. Sie hatte die Eltern enttäuscht, da sie zwei Examen nicht bestanden hatte. Spannungen und harte Verurteilung seitens der Eltern waren die Folge. Das Gefühl, Liebe und Respekt ihrer Eltern verloren zu haben, äußerte sich im Unterbewußtsein durch den Haarausfall. Als der Tochter und den Eltern dieser Sachverhalt verdeutlicht wurde und sie sich wieder ihrer gegenseitigen Liebe versicherten, fingen auch die Haare erneut zu wachsen an.

Wie man Freiheit mit Liebe erlangen kann

Das Herz ist eine Pumpe. Das Blut zirkuliert durch verschieden große Ventile. Wenn irgend etwas den Blutstrom verengt oder begrenzt, entsteht eine Herzstörung. Ein Gefühl, als wenn man in Besitz gehalten oder unterdrückt oder gezwungen würde, verursacht ein Gefühl von Begrenztheit am Herzen. Es wirkt wie ein Schraubstock und verengt die Ventilbewegung; das Ergebnis sind Herzstörungen. Im Herzzentrum muß ein Gefühl von Freiheit und Liebe vorherrschen, sonst lehnt es sich auf, um seine Freiheit zu erlangen.

Sie fragen: »Ja, wie kann man sich nur von einer besitzergreifenden, vereinnahmenden Liebe befreien, die Herzstörungen und Lungenkrankheit verursacht?« (Siehe auch »Das heilende Gesetz des Loslassens« in meinem Buch »Die dynamischen Heilungsgesetze«: »The Dynamic Laws of Healing«.)

Beim Heilen eines Opfers besitzergreifender Liebe ist es gut, zu bejahen, daß göttliche Liebe sich durch die ausdrückt, die diesem Menschen am nächsten stehen. Sind Kinder da, erhalten sie ihre mentalen Behandlungen besonders durch die Familienmitglieder, von denen sie umgeben sind: durch den Vater, die Mutter oder andere Verwandte, die vielleicht ängstlich und furchtsam wegen der Kinder sind. Sagen Sie also: »Du gibst diesem Kind jetzt volle und ganze Freiheit.« Kleine Kinder sind wie Spiegel. Sie reflektieren die Gedanken und Erregungen ihrer Umgebung, besonders von der Mutter oder demjenigen, der Mutterstelle in ihrem Leben einnimmt.

Wenn Disharmonie zwischen Vater und Mutter herrscht oder wenn sie in irgendeiner Weise in Not sind, so sind die Kleinen fähig, diese Lage durch physische Krankheiten anzuzeigen; auch durch falsches Benehmen. Bejahen Sie, daß göttliche Liebe in den Eltern und Kindern zum Ausdruck kommt. In seinem Buch »Leitfaden für Eltern bei Störungen im Gefühlsbereich ihrer Kinder« (A Parent's Guide to Emotional Needs in Children) erklärt Dr. David Goodman die psychologischen Wirkungen im Verhältnis der Eltern zu Gesundheit und Betragen ihrer Kinder.

Der Durchschnittsmensch wird nicht gewahr, daß er die mächtige Liebeskraft besitzt, die fähig ist, jeden auf ihn gerichteten Strahl des Hasses zu neutralisieren. Liebe ist eine dem Menschen angeborene Geisteskraft und in jedem von uns vorhanden. Sie mag aufgerufen und dahin entwickelt werden, Harmonie zu den Menschen zu bringen, die durch Mißverstehen, Streit und Selbstsucht getrennt waren. Gewisse Worte, regelmäßig gebraucht, wandeln und verändern Zustände des Geistes, des Körpers und aller Belange des Lebens. Das Wort »Liebe« überwindet Haß, Widerstand, Eigensinn, Ärger, Hartnäckigkeit, Eifersucht und andere selbstsüchtige Regungen, die Reibungen im geistigen und körperlichen Bereich erzeugen.

Worte bauen Zellen, und diese Zellen sind miteinander durch verwandte Gedanken verknüpft. Sobald göttliche Liebe in den menschlichen Gedankenprozeß eintritt, wird jede Zelle in die rechte Stellung gebracht, ausgeglichen, harmonisiert und auf den gesamten Organismus abgestimmt. Worte der Liebe haben eine ausgleichende Wirkung auf Geist und Körper.

Wie kann man Kritik unschädlich machen

Kürzlich entdeckte ich auf einem Flugplatz ein Plakat mit der Aufschrift: »Liebe deine Feinde; das macht sie verrückt.« Manchmal macht sie das gesund.

Wie ich in meinem Buch »Die dynamischen Gesetze des Reichtums«* (The Dynamic Laws of Prosperity) berichtete, hatte ein Geschäftsmann seine besondere Art, mit kritischen Leuten umzugehen. Er schoß ihnen in den Rücken – aber mit Liebe! Es gibt schon einen Weg, auf dem man sein eigenes gesundes Denken inmitten von kritisierenden Gedanken erhalten kann. Wenn sich jemand über Sie ärgert und Fehler an Ihnen findet, sollten Sie sich nicht verteidigen und im gleichen Tone antworten, sondern sagen: *Göttliche Liebe ist am Werk. Nichts von all dem kann mich aufregen. Das alles geht auch vorbei.* Wenn Sie diese Gedanken festhalten, werden zwei Dinge geschehen: Erstens werden Sie anfangen, sich darüber klarzuwerden, daß das Ärgerliche, Fehlersuchende keine Wirkung auf Sie hat. Zweitens werden Sie entdecken, daß die Angriffe der Kritik an Bitterkeit nachlassen, seltener werden und schließlich ganz aufhören.

Wenn Sie andere Opfer der Kritik beobachten, erklären Sie für sie: *Göttliche Liebe ist am Werk, Dich jetzt zu schützen. Nichts von all dem berührt Dich. All dies geht vorbei.* Eine Frau wurde einmal von grauem Star geheilt, als ein Freund für sie erklärte: »Ich erkläre Dich für frei von der Kritik anderer; Du denkst Deine eigenen edlen Gedanken. Ich erkläre Dich für wohl, stark und durch und durch in Frieden lebend.«

Wie soll man mit dem Heilungsprozeß der Liebe umgehen

Leute des öffentlichen Lebens sind tatsächlich durch ihnen entgegengeschleuderte Kritik getötet worden. Wenn Sie sich besser zu schützen gewußt hätten, z. B. durch Worte der Liebe

* Goldmann Verlag (11879)

an sich selbst und an ihre Kritiker, hätten sie die Verdammung unschädlich machen und ihre tödliche Wirkung vermeiden können.

Jedesmal, wenn Sie im Mittelpunkt der Kritik stehen, rufen sie göttliche Liebe um Befreiung an. Sie kann jegliche Unstimmigkeit verwandeln, Krankheit heilen und negative Situationen in harmonische verwandeln. *Liebe ist Heilungsenergie!*

Wenn Sie in Ihrem Leben Mangel an Befriedigung haben, wenn der Weg hart erscheint, so ist das ein Zeichen dafür, daß Sie die Geisteskraft der Liebe in Ihrem Innern aufrufen sollten. Sie kann wundervolle Dinge für und durch Sie vollbringen, denn sie ebnet den Pfad, ersetzt Reibung durch Harmonie, löst Spannungen auf und schickt Heilströme durch Ihren ganzen Körper. Sie werden außerdem finden, daß die Erfüllung Ihrer gefühlsmäßigen Wünsche dadurch geradezu magnetisch angezogen wird. Das gleiche werden Sie in einer besseren finanziellen Versorgung erfahren. Wenn Sie anfangen, über göttliche Liebe zu meditieren, werden Herz- und Lungenbereich belebt. Göttliche Liebe wird durch Ihren Körpertempel fließen, ihn reinigen, läutern und harmonisieren. Sie wird Ihr natürliches Gefühl mit Liebe und Frieden erfüllen.

Sie wird in all Ihren Beziehungen als Verständnis und Harmonie einfließen. Wenn Sie anfangen, von sich selbst als einem strahlenden Zentrum der göttlichen Liebe zu denken, werden Sie finden, daß Liebe Sie zu einem Magneten gemacht hat, der aus allen Richtungen Gutes heranzieht und Ihre Welt zum Guten ändert. Mit Salomon können Sie sogar singen: *Meine Wege sind liebliche Wege und all' meine Steige sind Frieden* (Sprüche 3, Vers 17).

Zu diesem Zweck richten Sie Ihre Gedanken auf die Herzgegend, entspannen sich und erklären oft: *Ich bin der vollkommene Ausdruck Göttlicher Liebe.* Machen Sie das zu Ihrer grundlegenden Bejahung, um Ihre Geisteskraft der Liebe zu entwickeln: *Liebe verändert, Liebe wandelt, Liebe erfüllt mein Herz mit Harmonie. Liebe füllt meinen Geist mit freundlichen, hilfreichen Gedanken. Liebe füllt meine Lippen mit Worten des Lobes und des Frohlockens. Liebe erfüllt mein Leben zum*

Überlaufen mit Glück und Frieden. Was auch immer der Grund für Mangel oder Probleme ist, göttliche Liebe ist die Antwort, und ich bin jetzt der vollkommene Ausdruck der göttlichen Liebe. Göttliche Liebe stillt jetzt alle meine Bedürfnisse.

Der Mensch, der gelernt hat, wie man eine Einheit mit göttlicher Liebe durch sein inneres Bewußtsein herstellt, der seine Heilsströme in seine Seele und in seinen Körper fließen läßt, ist unbeschreiblich glücklich.

Lungen, Brust und Brustkorb werden durch Mangel an Liebe anfällig

Irgendeine Störung in den Gefühlen bringt die menschliche Gesundheit aus dem Gleichgewicht und berührt vornehmlich Lungen, Brust und Brustkorbbereich. Liebeskummer wird besonders als Krankheit in diesen Gegenden reflektiert.

In seinem Buch »Psychologie, Religion und Heilung« (»Psychology, Religion and Healing«, New York-Nashville Abingdon Press) führt Dr. Leslie Weatherhead aus, daß der Verlust von Liebe der Hauptfaktor bei physischen Krankheiten ist. Wenn man jedoch beginnt, die Geisteskraft der Liebe zu entwickeln und von innen nach außen strahlen zu lassen, wird dadurch der Weg geebnet, daß sich die Liebe im Körper gefühlsmäßig und physisch manifestieren kann. Zu diesem Zweck sollten Sie bejahen: *Mein Körper hungert nicht nach meiner Liebe und Anerkennung. Ich erkenne seine Bedeutung, ehre ihn und liebe ihn als den Tempel des lebendigen Gottes!*

Mangel an Liebe, als der Grundlage aller Empfindungen, berührt nicht nur die Herztätigkeit, sondern auch die Lungen als die Erweiterung des Herzens. Tatsächlich bestimmen die Bewegungen von Herz und Lungen die Bewegungen aller übrigen Organe des Körpers. Diese Organe, die im Brustkorb liegen, sind mit allen andern Organen durch das Sympathische Nervensystem verbunden.

Die Thymus-Drüse steht in Verbindung mit der Liebesnatur des Menschen

Auch die Thymus-Drüse liegt in der Brust. Sie bedeckt den oberen Teil des Herzens und liegt hinter dem Brustbein. Als »mystische Drüse« glaubt man von ihr, daß sie für die Ernährung und das Wachstum zuständig ist und wahrscheinlich auch für die Entwicklung des Gefühlslebens in jungen Jahren. Wissenschaftler halten eine Verbindung zwischen einer gestörten Thymus-Drüse, die mangelhaft arbeitet, und einer Reihe von Krankheiten wie rheumatischer Arthritis, Leukämie und anderen Blutanomalien für möglich.

Metaphysisch steht die Thymus-Drüse, da sie so nahe am Herzen liegt, mit der Liebesnatur des Menschen in Verbindung. Ein Versagen dieser Drüse zeigt ein Versagen der Geisteskraft der Liebe an, die in dieser Gegend liegt.

Auf den alten griechischen Tempeln stand geschrieben: »Liebe, vereint mit Weisheit, ist das Geheimnis des Lebens!« Das kann gewiß das Geheimnis der Gesundheit sein. Liebe und Weisheit vereint, haben ein schnelles intuitives Erkennen zur Folge, während Liebe unabhängig von Weisheit unliebsame Ergebnisse zeitigen kann. Liebe allein kann impulsiv sein, aber vereint mit Weisheit weiß sie intuitiv den richtigen Weg, so daß unharmonische Zustände von Geist und Körper harmonisiert werden können. Zu diesem Zweck sollten Sie bejahen: *Göttliche Liebe und Weisheit sind in mir vereint.*

Warum niedrige Leidenschaften gefährlich sind

Ärger, böser Wille und heftige Depressionen beeinflussen Herz, Lungen und Atem und äußern sich mitunter als Lungenentzündung und Tuberkulose. Sobald ein Mensch sein Denken verfeinert, werden die Zellen der Lungenschleimhäute feiner und zarter, auch die Atemtätigkeit wird tiefer und gesünder. Chronische Furcht und Ängstlichkeit zeigen sich oft als Asthma.

Als Träger des Atems suchen die Lungen Liebe zu geben, sie aber gleichzeitig auch im freiesten Maße zu empfangen. Krankheiten in diesem Bereich sind ein Zeichen für den Mißbrauch oder gar Entzug von Liebe. In solch einem Falle ziehen sich die Lungen zusammen, werden eng und ihre Zellen zusammengepreßt, so, wie einer in seiner Liebe eng ist, wenn er von der Liebe glaubt, daß sie auf eine besitzergreifende Einstellung von »mein und dein« beschränkt sei.

Wenn Liebe selbstsüchtig und nicht darauf bedacht ist, zu hegen und zu pflegen, werden Krankheiten in der Brust oder im Brustbereich entstehen. Dieser Körperteil scheint auch eine Zusicherung von Schutz zu benötigen. Krankheit entsteht gerade hier, wenn sich jemand schutzlos fühlt oder auch, wenn er im Sinne des Besitzergreifens einen anderen beschützen will. Das Ergebnis sind immer Konflikte.

Eine herrschsüchtige Mutter, die ihre Kinder allein großzog, weil ihr Mann sie verlassen hatte, was sie ihm sehr übel nahm, versuchte darin einen Ausgleich zu finden, daß sie für den Verlust an Liebe nun von ihren Söhnen Besitz ergriff.

Sie war außer sich, als die Söhne heirateten, kritisierte ihre Frauen und bestand darauf, daß ihre Söhne sie ohne ihre Frauen besuchten. In ihrem Neid behauptete sie, daß ihre Frauen »nicht gut genug« für sie seien – der übliche Schrei der besitzergreifenden Mütter! Das Resultat war schließlich, daß der eine Sohn in einer Irrenanstalt landete. Der andere litt an Lungenkrankheiten, die seiner Mutter »fesselnde Liebe« widerspiegelten. Aber diese mißratene Mutter erlitt den größten Schaden von allen – durch Brustkrebs, der sich schließlich auch über die Schultern ausdehnte. Die Schulter zeigt Verantwortung an. Dort äußerte sich ihr übelwollendes Festhalten an den erwachsenen Kindern, denen sie längst hätte ihre Freiheit geben sollen.

Obgleich sie Heilung bejahte und andere mit ihr beteten, verdammte sie weiterhin ihre Schwiegertöchter und weigerte sich, diese in der letzten Phase ihrer Krankheit zu sehen. Zur Zeit ihres Todes war der eine ihrer Söhne noch immer in der Irrenanstalt. Aber es kam einem Wunder gleich, wie schnell er genas, als er erst einmal gefühlsmäßig von dem besitzergreifenden Wesen der Mutter befreit war.

Nicht so für eine Tochter, die im abnormalen Sinne an die besitzheischende Mutter gekettet war. Sie trauerte und trug so sehr Leid um den Tod ihrer Mutter, daß ihr innerhalb eines Jahres eine Brust abgenommen werden mußte. Ein Teil ihres Leides lag auch in ihrer übelnehmerischen Haltung gegenüber ihrem Ehemann, der geduldig die besitzergreifende Schwiegermutter hingenommen hatte, selbst dann noch, als sie ihn gegen seine eigene Frau ausspielte. Seine Frau wünschte, daß er und nicht ihre Mutter ihr genommen würde.

Krankheiten der Geschlechtsorgane sind ein Zeichen von Ressentiments gegenüber einem Angehörigen des anderen Geschlechts.

Eine Erfahrung der Heilung von Brustkrebs

Eine bösartige Schwellung zeigt Ärger, Überempfindlichkeit, Ungeduld, Bitterkeit oder Widerstand an.

Eine Person mit einer Schwellung sollte sich entschließen, ihre schlimmsten Feinde, nämlich ihre eigenen bösartigen Gedanken zu lieben. Sie sollte jedes Gefühl von Verletztheit aufgeben, das sich in den empfindlichen Nerven der Brust und Lungen festgesetzt hat. *Nichts verletzt im Geist. Da gibt es nichts zu fürchten, weil es keine Kraft gibt, die verletzen kann.*

Eine an Brustkrebs leidende Frau besuchte einen geistigen Ratgeber. Eine Brust war bereits entfernt worden, und an der anderen hatte man operiert. Tatsächlich hatte sie schon mehrere schlimme Krebsoperationen an anderen Körperteilen hinter sich. Wenn sie nicht augenblicklich Heilung fände, würde sie sterben müssen, weil sich die Krankheit bereits über ihren gesamten Organismus verbreitet hatte.

Der Ratgeber sagte ihr, sie müsse jeden Tag einige Zeit damit zubringen, schweigend jedem Umstand und jeder Person einschließlich ihrer eigenen zu vergeben. Wogegen sie harte Empfindungen hatte, das mußte sie in ihre vergebenden Gedanken einschließen: »Christus heilt mich jetzt von allen Empfindungen der Verletztheit, Ungerechtigkeit oder Bitterkeit. Liebe erfüllt Gemüt und Herz. Ich lege den Panzer der Gerechtigkeit an. Ich werfe jedes Gefühl von Ungerechtigkeit, Verletztheit, Nachtragen auf den Christus in mir, und er befreit mich. Während ich noch spreche, hört jede Zelle meinen Ruf und reagiert auf die göttliche Kraft der Liebe, die sich jetzt in mir erhebt.«

Die harte Stelle in ihrer Brust verschwand, nachdem die kleinen Zellen um das Gewächs dieses nicht mehr ernährten und sich schlossen. Aus Mangel an Nahrung kam der Krebs aus seinen »Halterungen«, so wie eine Nuß aus ihrer Schale fällt, und hinterließ klares, neues, reines Fleisch darunter, als sie bejahte: »Jede Pflanze, die mein himmlischer Vater nicht gepflanzt hat, soll entwurzelt werden. Es ist nichts in mir, das ein falsches Gewächs nährt.«

Durch solche Einstellung und solchen Ausdruck der Liebe hatte die Frau »den Brustpanzer des Glaubens und der Liebe« (1. Thess., Kap. 5, Vers 8), von dem Paulus schrieb, angezogen. Die Heilung der Brust war buchstäblich das Ergebnis. Später sagte der Arzt, der sie gründlich untersucht hatte: »Ich kann nicht einmal eine Spur von Krebs in Ihnen finden. Sie sind vollständig geheilt.« In ihrer Glückseligkeit setzte sie ihre Bejahung fort: »Liebe hat mich von jedem falschen Gedanken und Begehren geheilt; daher soll Liebe für immer durch mich denken.«

Viele chronische Krankheiten treten im Körper auf, weil irgendein geheimes Grollen im Gefühlsleben des Menschen vorhanden ist, welches in einem Nicht-vergeben-Können zum Ausdruck kommt.

Liebe und der Wille zur Vergebung sind die zwei großen Lösungsmittel im Menschenherzen, die Gallensteine, Krebsgeschwüre, Tumore und andere Krankheiten auflösen, die im allgemeinen als unheilbar angesehen werden. Neue Gedanken erzeugen neue Zellen. Liebende Gedanken lassen die Zellen heil werden.

Zu diesem Zweck sollten Sie bejahen: *Ich entlasse aus Geist und Körper jedes Gefühl der Verletzung. Ich lasse göttliche Liebe in mir jetzt offenbar werden.*

Wie ein vergrößertes Herz geheilt wurde

Das Herz als das große Liebeszentrum im Körper ist die Quelle der meisten gefühlsmäßigen Empfindungen. Ein Geschäftsmann hatte seine Frau angebetet. Sie erwiderte seine Liebe, bis sie durch den Tod hinweggenommen wurde. Er war vollständig verloren. Seine Liebesnatur schaltete ab, und bald stellten die Ärzte ein gefährlich vergrößertes Herz fest. Er litt an Kurzatmigkeit, Schwäche und Schmerz. Wegen seines Zustandes wurde ihm für den größten Teil des Tages Ruhe verordnet.

Weil er seine Liebe einschloß und einen Zaun herumlegte, war die Vergrößerung des physischen Herzens das natürliche Ergebnis. Eine Heilung solcher Leiden tritt oft dann ein, wenn eine Sache oder Tätigkeit gefunden wird, auf welche der Patient seine Liebesnatur lenken kann; denn damit »zieht er sich selbst heraus«.

Der Geistliche des leidenden Mannes sagte zu ihm: »Du kannst niemals von Gottes Liebe getrennt werden, die in deinem Leben durch die Liebe zu deiner Frau zum Ausdruck kam, Gottes Liebe wird weiterhin Wege finden, wie sie sich dir zum Ausdruck bringt. Denke nicht, daß Liebe dich ausgelassen hat. Statt dessen danke Gott, daß du geliebt hast und geliebt worden bist. Es ist besser, geliebt zu haben und einen Verlust zu erleiden, als überhaupt niemals geliebt zu haben. Rufe göttliche Liebe an, deiner Not zu begegnen, und sie wird es tun.«

Als er mit der Bejahung begann »Für jedermann ist in meinem Herzen nur Liebe. Ich lasse meine Liebe zu allen Menschen ausströmen. Ich unterdrücke oder horte nichts. Ich will Gott durch mich jetzt und immer freimütig lieben lassen«, wurde er innerhalb weniger Wochen von allen physischen Unannehmlichkeiten geheilt, und sein Herz erhielt wieder seine normale Größe.

Was Liebe für Sie tun kann

Entspannen Sie sich, so oft es geht, und rufen Sie dabei göttliche Liebe an. Sie können die Geisteskraft der Liebe entwickeln, wenn Sie tief atmen und dabei über Worte der Liebe meditieren. Dieser einfache Vorgang kann mangelhafte Gesundheit in der Herz-, Lungen-, Brust- und Brustkorbgegend vollständig verändern. Und Sie können sogar eine völlige Veränderung in allen Lebensbereichen feststellen ebenso wie an sich selbst. Das ist die Kraft der Liebe, und Liebe verläßt Sie niemals.

Zusammenfassung

1) Die Geisteskraft der Liebe liegt in der Herzgegend in der Nähe der Thymus-Drüse.
2) Wenn jemand Gesundheitsprobleme an der Brust, der Lunge und in der Herzgegend hat, so kann eine wohlüberlegte Entwicklung der Geisteskraft der Liebe Erleichterung bringen.
3) Gedanken der Liebe rufen eine wohltuende chemische Veränderung im Körper hervor.
4) Mentale Konzentration auf Liebe kann einen günstigen Liebesstrom erzeugen, der feindliche Haßgedanken und ihre schädlichen Wirkungen auf den Körper auflöst.
5) Gedanken der Liebe formen nicht nur denjenigen, der sie denkt, sondern auch den, an den sie gerichtet sind oder von dem sie handeln.
6) Habsucht verursacht oft Herzbeschwerden bei dem, der sie hegt, wie auch bei dem, auf den sich die Habsucht richtet.
7) Worte der Liebe haben einen harmonisierenden und ausgleichenden Einfluß auf Geist und Körper.
8) Liebeskummer äußert sich besonders in Beschwerden an Herz, Lunge, Brust und Brustkorb.
9) Eine Fehlfunktion der in der Nähe des Herzens liegenden Thymus-Drüse ist metaphysisch gesehen eine Fehlfunktion der sich dort befindlichen Geisteskraft der Liebe.

10) Viele chronische Krankheiten würden verschwinden, wenn der Patient Liebe und Vergebung walten ließe. Neue Gedanken bauen neue Zellen. Liebende Gedanken erzeugen heilkräftige Zellen.
11) Entspannen Sie sich, holen Sie tief Atem, lenken Sie Ihre Aufmerksamkeit auf die Herzgegend und meditieren Sie über Worte der Liebe. Wenn diese Übung regelmäßig ausgeführt wird, kann Ihre Gesundheit an Herz, Lunge, Brust und Brustkorb vollständig wiederhergestellt werden. Und Sie werden entdecken, daß sich jeder Aspekt Ihrer Umgebung völlig verändert.

6. Kapitel

Ihre Heilungsfähigkeit der Kraft

Ein orientalisches Märchen erzählt von den alten Göttern, die zu entscheiden versuchten, wo sie die Kraft des Weltalls verstecken sollten, so daß sie der Mensch nicht finden und zerstörerisch verwenden könne. Ein Gott sagte: »Laßt sie uns auf der Spitze des höchsten Berges verstecken.« Aber sie entschieden, daß der Mensch schließlich den höchsten Berg ersteigen und die große Kraft finden würde. Ein anderer Gott sagte: »Laßt uns diese Kraft auf dem Grunde des Meeres verstecken.« Wiederum entschieden sie, daß der Mensch schließlich auch die Tiefen der See erforschen würde.

Ein dritter Gott schlug vor: »Laßt uns die große Kraft des Weltalls in der Mitte der Erde verstecken.« Aber sie mutmaßten, daß der Mensch eines Tages auch diese Region erobern würde.

Schließlich sagte der weiseste Gott: »Ich weiß, was zu tun ist. Laßt uns die große Kraft des Universums im Menschen selbst verstecken. Er wird niemals daran denken, dort danach zu suchen.«

Nach diesem alten Märchen versteckten sie tatsächlich die Kraft des Universums im Menschen selbst, und sie ist immer noch dort. Wenige Menschen sind sich jemals darüber klargeworden, daß die große Kraft des Universums, die Kraft zu töten oder zu heilen, in ihnen selbst liegt.

Diese große Kraft des Universums liegt nicht nur im Menschen, sondern hat auch eine bestimmte Lage im Hals in einem Gehirnzentrum an der Zungenwurzel. Durch dieses Gehirnzentrum regelt die Geistesfähigkeit der Kraft die Stimmbänder, Zunge und Mandeln und all die Organe, die Worte formen. Das Kraftzentrum im Hals liegt in der Nähe der Schilddrüse,

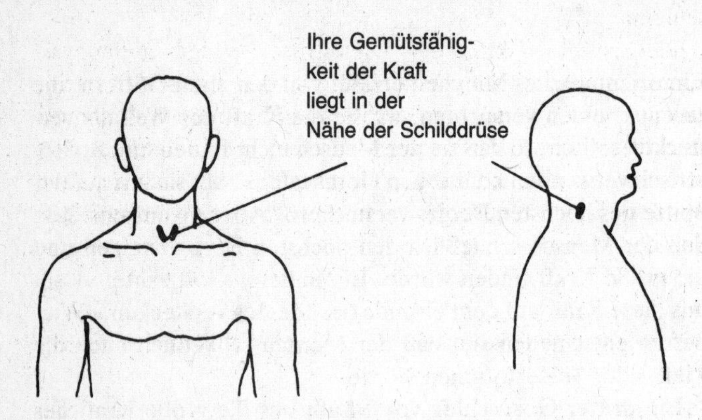

Figur 6.1 Die Lage der Gemütsfähigkeit der Kraft.

gerade unter dem Adamsapfel auf dem Grund des Halses neben der Luftröhre (vgl. Figur 6.1). Die Kraft der Schilddrüse regelt den Energieumlauf im Körper. Tatsächlich regelt die Geistesfähigkeit der Kraft in der Schilddrüse alle schwingende Energie im Körper. Wenn Sie das erst einmal wissen, ist es leicht, die Kraft zu erfahren, die Ihre Worte besitzen, um Gesundheit oder Krankheit zu erzeugen. Es ist ebenfalls leicht festzustellen, wie Ihre Worte auf das Kraftzentrum im Hals reagieren.

Worte der Verdammung können einen rauhen oder wehen Hals verursachen. Irritierende Worte erzeugen oft einen nervösen Husten. Eigenwilligkeit führt zur Verwirrung, und Verwirrung verursacht Erkältungen und andere Hals- und Brusterkrankungen.

Ihre Geistesfähigkeit der Kraft arbeitet durch eine große Gruppe von Nerven im Hals, die die Larynx (Kehlkopf) oder die Stimmbänder regeln. Sie können diese Kraft in sich »einspannen« und damit anfangen, sie konstruktiv zu dirigieren. Sie müssen dabei die rechten Worte wählen oder ihre Zunge im Zaum halten. Die Zunge ist übrigens nahe verwandt mit der Seelennatur.

Die Schöpfungskraft der Schilddrüse als dem metaphysischen Zentrum der Geistesfähigkeit der Kraft zeigt sich darin, daß sie in alten Zeiten als Geschlechtsdrüse betrachtet und oft als dritter Eierstock bezeichnet wurde. Sogar in heutiger Zeit ist es oft ein Zeichen dafür, daß eine Frau es durch negative Worte selbst verschuldet hat, wenn sie Schwierigkeiten mit den Eierstöcken hat.

Die ungeheure Wirkung von Worten an Körper und Geist

Seit jeher ist die Kraft des gesprochenen Wortes gelehrt und betont worden. Negative Worte beeinflussen den ganzen Körper, ja sind sogar fähig, Störungen in der Halsgegend zu verursachen, wo sie ursprünglich herstammen. Andererseits erzeugen glückliche, lebenerfüllte Worte Gesundheit im ganzen Körper, besonders aber in der Halsgegend.

Der Körper ernährt sich von den Worten des Menschen. Wenn diese Worte lebensspendend sind, so sind sie gesundheitsfördernd. Immer, wenn Sie sprechen, veranlassen Sie die Atome Ihres Körpers zu vibrieren und ihren Platz zu wechseln. Sie veranlassen nicht nur die Atome Ihres eigenen Körpers, ihren Platz zu wechseln, sondern wie Sie im Geist Ihre eigenen Schwingungen anregen und dämpfen, so wirken Sie auch auf die Körper anderer Leute ein, mit denen Sie in Kontakt kommen. Ebenso tun diese es mit Ihnen.

Das erklärt, warum Sie sich oft ermüdet, niedergeschlagen

und physisch abgearbeitet fühlen, nachdem Sie in Gesellschaft von negativ eingestimmten Menschen, die auch nur Negatives in Worten von sich geben, gewesen sind. Umgekehrt fühlen Sie sich emporgehoben, begeistert und inspiriert, ja sogar neu belebt, wenn Sie in Gesellschaft fröhlicher, glücklicher, positiver Menschen gewesen sind.

Jedes Wort wirkt in seiner Art: erst im Geist, dann im Körper und später in allen Angelegenheiten, mit denen Sie sich befassen. Die üblichen Unterhaltungen unter den meisten Menschen erzeugen wegen der benutzten »falschen Worte« schlechte statt gute Gesundheit.

Wenn Worte gesprochen werden, die Krankheit als Wirklichkeit beschreiben, setzen diese Worte unbewußt zerstörende Kräfte im Körper in Bewegung, welche den stärksten Organismus zersplittern, wenn ihnen nicht mit konstruktiven Worten begegnet wird.

Zum Beispiel erwirkt Sprechen über Nervosität und Schwäche gerade diese Zustände im eigenen Körper. Andererseits hilft das Aussenden von Worten der Kraft und das Bejahen von Leben, Kraft in dem betreffenden Körperteil zu erzeugen, von dem man spricht.

Ein Beispiel dafür ist eine Mutter, die ihrem Kind erklärte, es sähe krank und müde aus, und die dadurch genau diese Zustände im Geist und Körper des Kindes hervorrief. Wenn die Mutter statt dessen Worte der Gesundheit, des Lebens und der Stärke zu dem Kind gesprochen hätte, wären seine körperlichen Funktionen in normalen Bahnen verlaufen.

Warum Sie Ihre Stimme streng beherrschen sollten

Sie sollten Ihre Stimme sehr sorgsam kontrollieren. Sie hat eine weit größere Wirkung auf Ihre Gesundheit und Ihr Nervensystem, als Sie jemals angenommen haben, und beeinflußt die Nerven und die Gesundheit anderer, die um Sie sind.

Studenten der Geisteswissenschaften haben beobachtet, daß Worte von Liebe, Glauben und Harmonie, die aus dem Herzen gesprochen werden, die Stimme bereichern, die Stimmbänder zum Klingen bringen, besänftigen, ja sogar Halsweh heilen, die Mandeln reinigen und sie, wenn sie geschwollen und krank sind, gesund machen.

Sie können von seiner Stimme her eine Menge über den Gemütszustand eines Menschen sagen. Eine unharmonische Stimme zeigt einen unharmonischen Gemütszustand an. Meiden Sie solche Leute soweit als möglich, denn sie haben Ihnen und Ihrer Gesundheit, Ihrem Reichtum oder Glück nichts zu geben, und in ihrem gegenwärtigen Gemütszustand bauen sie unweigerlich ihre eigene Gesundheit ab.

Es ist leicht zu glauben, daß eine Stimme, die sich im Disput erhebt und rauh und ärgerlich klingt, den Hals und die Nasengänge irritiert. Eine Hausfrau regte sich sehr über ihren Mann auf. Während eines Streites schleuderte sie laute Worte der Kritik gegen ihn. In zwei Minuten hatte sie eine Krankheitsdisposition geschaffen, die sich innerhalb von zwei Stunden zu einer schlimmen Erkältung entwickelte, die zu heilen sie zwei Wochen brauchte. Viele von uns erzeugen Krankheitserscheinungen in der Halsgegend und im ganzen Körper auf so einfache und törichte Weise, wie eben geschildert.

Jesaia sagt (Jes. 10, Vers 1): »Weh den Schriftgelehrten, die unrechte Gesetze machen und die unrechtes Urteil schreiben.«

Das zu vermeiden, sollten Sie ständig erklären: *Ich spreche keine Worte des Übels. Ich denke nicht an das Wiederholen unliebsamer Worte. Ich vergebe denen, die schlecht reden, denn sie wissen nicht, was sie tun. Ich spreche nur gut, denn ich kenne die Kraft meiner Worte, daß sie schaffen, was ich auch bestimme.*

Ein Beispiel für die Kraft unserer Stimme und Worte, die sich gegenseitig beeinflussen, ist die Heilung eines siebenjährigen Jungen durch seine Großmutter. Der Junge litt an einer Entzündung des Kiefermuskels. Das war vor vielen Jahren, als es noch keine wirksamen Medikamente gab und eine »weise Frau« oft Pflegerin und Arztersatz zugleich war.

Als sie gefragt wurde, wie sie ihren Enkel geheilt hatte,

erklärte sie: »Ich betete die Nacht hindurch und arbeitete an seinem Zustand. Er konnte schon seit Tagen nicht mehr hören, und die Ärzte fürchteten, er würde taub bleiben. Er war in einem sehr kritischen Zustand. Ich betete, daß die Stimme des guten Hirten durch mich sprechen und daß Bobby diese Stimme hören möge und mit seinem Wohlbefinden antworte.«

Der kleine, sieben Jahre alte Junge beschrieb seine Heilung so: »Großmutters Stimme war wie der Klang von fließendem Wasser. Zuerst bremste er das Brennen in meinem Kopf; dann linderte er die Ohrenschmerzen. Später hörte ich sie meinen Namen rufen, und ich antwortete ihr.«

Sie können in Ihre Stimme ein hohes Maß an Frieden und Harmonie legen, das auf jeden heilend wirkt, der sie hört. Es wird sich für Sie und Ihre Umwelt als Segen auswirken.

Sie können beginnen, von Aufbrausen, falscher Eile, Scheltworten und scharfen Tönen abzulassen. Wenn Sie diese negativen Angewohnheiten fahrenlassen, sind Sie auf dem besten Weg, die Disharmonie auszuräumen, die sich in der Halsgegend als geschwollene Mandeln, unangenehmer Stirnhöhlenschmerz, Halsentzündung und Nasenreizung zeigt.

Die Kraft der Worte, mit der man tödlich verletzen, aber auch heilen kann, ist so wichtig, daß ich darüber schon in meinen früheren Büchern geschrieben habe. Ich schlage vor, daß Sie die Kapitel über die Gewalt der Worte studieren (siehe u. a. »The Dynamic Laws of Prosperity«: »Die dynamischen Gesetze des Reichtums«*, Kapitel 6).

Einige Heilungen aus der Kraft der Worte

Unter den vielen Geschichten dieser Bücher, die zeigen, wie Worte töten oder heilen können, ist die einer Krankenschwester, die ihren Sohn zur Gesundheit »zurücksprach«, als dieser bereits an der Schwelle des Todes stand. Der Junge war so krank, daß er bereits in einen Raum mit zwei anderen Patienten

* Goldmann Verlag (11879)

gelegt wurde, von denen man annahm, daß sie beide nicht überleben würden. In dieser Atmosphäre wurde er trotz der besten Behandlung immer schwächer.

Seine Mutter nahm die Hilfe aller Menschen in Anspruch, die mit Ihrem Sohn zu tun hatten – Krankenschwester, Ärzte, Pfleger – und forderte sie auf, täglich ermutigende Worte über seine Genesung zu ihm zu sprechen. Nicht nur er, sondern auch die beiden anderen Patienten in seinem Raum genasen.

Später sagte einer von diesen Patienten: »Deine Mutter hat nicht nur dich ins Leben zurückgerufen, ihre Worte gaben auch mir neues Leben und neue Hoffnung. Wären die täglichen Ermutigungsworte deiner Mutter nicht gewesen, wären wir beide heute mit Sicherheit tot.«

Der große alte Metaphysiker Salomon schrieb: »Ein fröhliches Herz bringet Gesundheit. Aber ein gebrochener Geist trocknet die Knochen aus.« (Sprüche 17, Vers 22) Vor einigen Monaten berichtete eine Lehrerin aus den Neu-England-Staaten, wie sie von einem Prediger geheilt worden sei durch bloßes Sprechen mit ihm; dieser gebrauchte die Heilkraft der Worte.

Diese an Arthritis leidende Lehrerin machte in Florida Ferien. Dort besuchte sie den Prediger und bat ihn, für ihre Gesundheit zu beten. Als sie der beruhigenden Stimme des Predigers zuhörte, wie er ihr erklärte, daß Gottes Wille für sie Gesundheit sei, daß Schmerz und Krankheit unnötig seien, entspannte sie sich so sehr, daß sie in ihrem Stuhl einschlief. Nach einem kurzen Schlaf erwachte sie erfrischt, und die Schmerzen waren weg. Das war vor zehn Jahren; der arthritische Zustand verschwand und kam nie wieder. Dr. G. LeRoy Dale, dem eines meiner Bücher gewidmet ist, ist ein großer Anhänger der Heilkraft durch Worte, und ich wurde in seine berühmten »exercise classes« (Übungsklassen) eingeführt und lernte dort die Kraft der gesprochenen Bejahungen vor vielen Jahren kennen.

Freunde von mir besuchten ein fünf Tage dauerndes Seminar in Unity Village. Bei ihrer Rückkehr fragte ich sie, was sie am meisten beeindruckt hätte. Es war folgendes Ereignis:

Eines Tages, während sie durch den wunderschönen Rosengarten schlenderten, beobachteten sie einen Mann, der plötzlich in einem epileptischen Anfall zu Boden fiel. Dr. Dale kam schnell hinzu und erklärte mit lauter Stimme: »Im Namen Jesu Christi, du bist geheilt! Stehe auf und wandle!« Still erhob sich der Mann, der Anfall legte sich, und er ging fort.

Kraft wird entfaltet, wenn man Worte von Leben, Gesundheit und Vitalität nur spricht. Der Körper kann erneuert, ja sogar transformiert werden durch das gesprochene Wort. Aufgrund der Schwingungskraft von Worten kann ein Mensch sich selbst und das, was er vorhat, in seiner Welt entfalten.

Eine uralte Heilmethode durch gesprochene Worte

Eines der großen Geheimnisse der Heilungen von Herrn und Frau Fillmore (siehe Kapitel 1 dieses Buches) lag in dem dauernden Gebrauch von gesprochenen Worten des Lebens und der Kraft. Ich hörte einst, wie sich ein Helfer an der Unity School of Christianity (Unityschule des Christentums) an einen Besuch im Büro von Charles Fillmore erinnerte. Mr. Fillmore war dabei, Heilungsbejahungen zu sprechen. Der Helfer wartete geduldig, während Mr. Fillmore seine Heilungsworte wiederholte. Als er aufhörte, fragte ihn der Helfer: »Wie oft haben Sie heute morgen diese Heilungsworte wiederholt?« Mr. Fillmore antwortete: »Ich bin gerade mit der zweitausendsten Wiederholung fertig.«

Das gesprochene Wort von Leben, Gesundheit und Kraft, das durch die Schilddrüse im Hals wirkt, erweckt ungeheure Kraft im Körper. Die alten Ägypter sowie die Brahmanen wußten das und benutzten gesprochene Heilungsworte, um eine Schwingungsbewegung zu erzeugen, die Stauungen auflöste und bei der Heilung von Knochenbrüchen und erschlafften Organen mitwirkte.

Weil es in alten Zeiten keine Ärzte gab und keine medizinischen Heilmethoden, wie wir sie heute kennen, war es oft das gesprochene Wort, das angewandt wurde. Die Priesterärzte wußten über die Dynamik des Klanges Bescheid und erkannten, daß jedes gesprochene Wort ungeheure Kraft hat. Durch bestimmte Wortkombinationen, wie sie z. B. bei Heilungsbejahungen benutzt werden, konnte eine phänomenale Schwingungsenergie im Unsichtbaren erzeugt werden, die die physische Substanz des menschlichen Körpers zutiefst beeinflußte. Diese Priester wußten, daß sie mittels ihrer dauernden Heilungsgesänge die zwölf Geisteskräfte in den wichtigen Nervenzentren des Körpers weckten, die verstärkte Energie in alle Körperteile entsandten. Heilung war das natürliche Ergebnis.

Indische Sagen und Überlieferungen bestätigen, daß das gesungene und gesprochene Wort mehr Kraft als irgend etwas anderes im Leben besitzt. Moderne Metaphysiker entdecken nun auch die phantastische Heilkraft des gesprochenen Wortes der Gesundheit. Sie behaupten, daß das gesprochene Wort 80% stärker als das unausgesprochene Wahrheitswort wirkt. Wenn Ihnen jemand erzählt, seine Gesundheit sei durch geistige Behandlung wiederhergestellt worden, so heißt das, sie wurde durch gesprochene Worte wiederhergestellt. Eine geistige Behandlung ist »gesprochene Wahrheit« – die Äußerung einer Heilungsidee. Krankheiten können durch gesprochene Worte vollständig aus dem Bewußtsein entfernt werden. Die verstorbene Florence Shinn lehrte immer, daß Worte ein Zauberstab sind, mit denen jeder sein Leben weben und sich seine Wünsche erfüllen kann. Mrs. Shinn stammte aus einer berühmten Familie in Philadelphia und war eine bekannte Künstlerin, bevor sie Metaphysikerin wurde. Ihr berühmtes kleines Buch »The Game of Life and how to play it« (Das Spiel des Lebens, und wie man es zu spielen hat) erzählt von unzähligen Wahrheitsdemonstrationen, die Leute einfach mittels gesprochener Worte erreichten.

Wenn Sie dazu neigen, die Heilkraft des gesprochenen Wortes zu unterschätzen, wird es Ihnen helfen, von einem berühmten Metaphysiker zu hören, der für eine Konsultation von einer halben Stunde 500 Dollar verlangte und trotzdem immer eine Warteliste voller Patienten hatte. Seine Heilmethode? *BEJAHUNG!*

Was ist zu tun, wenn Sie sich beim Ankämpfen gegen Krankheit kraftlos fühlen?

Wenn Sie sich gegenüber irgendeiner Krankheitserscheinung kraftlos fühlen, erinnern Sie sich daran, daß starke, im Geist festgehaltene Gedanken tatsächlich die Chemie Ihres Körpers ändern können. Gedanken von durchdringender negativer Erregung verursachen einen Kurzschluß in Ihrem Nervensystem; sie nehmen den Muskeln die Energie und führen zum Zusammenbruch von Kreislauf, Verdauung und Ausscheidungstätigkeit des Körpers.

Erinnern Sie sich daran, daß Haßgedanken, die der ursächliche Anlaß für Krebs und Geschwüre sein können, die Blutkorpuskel kochen lassen. Kochende Wut- und Neidgedanken zerreißen das Körpersystem und setzen gefährliche Gifte in Herz- und Magengegend frei. Gedanken von Bitterkeit und Verdammung zertrümmern die Körperzellen, verhärten Adern und Arterien und verstopfen den Strom der Lebensflüssigkeiten im ganzen Körpersystem. Das führt zu Lähmung, Arthritis und Rheumatismus.

Vieles, was als Krankheit und Unwohlsein angesprochen wird, kommt daher, daß Geist und Körper mit leeren, zerstörenden und leblosen Worten gefüttert werden. Solche Worte haben keine Vitalität in sich und lassen eine Leere im Geist zurück, wie auch ein lähmendes Leeregefühl im Körper.

Wir haben oft sagen hören, daß der Mensch zum mindesten einmal im Jahr einen neuen Körper erhält. Das ist wahr; und es erscheint befremdlich, daß eine ansteigende Rate in bezug auf schlechte Gesundheit und vorzeitiges Altern bei den meisten Menschen zu verzeichnen ist. Der Grund dafür ist der aus Unwissenheit falsche Gebrauch von Worten. Der japanische Metaphysiker Tanigushi, der so erfolgreich in der Heilung von Krebs ist, erklärt: »Vorurteile und nachtragende Gedanken müssen weg. Das Suchen von Fehlern und ständiges Kritisieren können nicht mit Gesundheit zusammen existieren. Der Mensch muß Vergebung üben, um gesund zu bleiben!« Anstatt mit lebensvollen Worten neue Zellen zu bauen, schafft sich der

Mensch mit seinen zerstörerischen Worten Krankheit und Alter. Wenn die zerstörenden Worte der Menschen nicht den körperaufbauenden Prozeß hinderten, würde der Körper stets heil sein und in tadellosem Zustand bleiben.

Wie Dr. Alexis Carrel schrieb: »Diejenigen Leute, die ihren Seelenfrieden inmitten von Aufruhr behalten, sind immun sowohl gegen nervöse als auch gegen organische Leiden.«

Die Geistesfähigkeit der Kraft im Halse befindet sich im Bereich des bewußten Geistes. Das heißt, daß Sie bewußt und beliebig Kraft, Leben und Vitalität durch Ihre gesprochenen Worte aktivieren können. Kraft wird als die Fähigkeit definiert, Dinge in Bewegung zu setzen, als da sind: neue Ströme von Leben, Gesundheit und Vitalität, die in den Körper fließen. Das ruhige Sprechen von Worten des Lebens und der Liebe zu jeder Zelle, jedem Organ und jeder Funktion des Körpers ist die sichere und immer wirkende Art, Ihre Denkgewohnheiten zu ändern und bessere physische Gesundheit herbeizuführen. Hinzu kommen neue Stärke, eine neue Knochenstruktur, neue Zellschleimhäute, angereicherte Blutzufuhr und eine neue Einstimmung des ganzen Körpers nach innen und nach außen. Wenn Sie sich selbst heilen wollen, sprechen Sie zu Ihrem Geist und Ihrem Körper, so wie Sie zu einem Patienten sprechen würden.

Das Wort »äußern« und das Wort »äußerer« haben die gleiche Wurzel in ihrer Bedeutung: Was Sie »äußern«, erscheint »außen« an Ihrem Körper und in Ihren persönlichen Angelegenheiten. Da Sie das wissen, brauchen Sie sich nicht länger kraftlos zu fühlen, wenn eine Krankheit auftaucht. Sie können so handeln wie die Hausfrau, die schrieb: »Wenn irgend etwas in meinem Leben passiert, das zu verarbeiten ich mich außerstande fühle, dann *lasse ich meine Stimme darauf los.* Oft muß ich ein großes Gefühl an meine Bejahungen legen (mit lauter Stimme reden, rührt das Gefühlsleben an), um ein Empfinden von Einfluß und Macht zu erhalten. Bei solchen Gelegenheiten bejahe ich gern: *Ich bin ein Gotteskind und habe jetzt Herrschaft über alle Angelegenheiten in meinem Leben. Kraft, Kraft, Kraft gehört mir jetzt.«*

Ein Geschäftsmann stellte kürzlich fest, daß das Meditieren über das Wort »Kraft« der Wendepunkt vom Mißlingen zum Erfolg in seinen finanziellen Angelegenheiten bedeutete. Einmal, als er um Führung betete, kam der Gedanke zu ihm »bitte und sprich in Vollmacht, und ich werde dir die Kraft geben«. Er befolgte diese Führung und begann, in seinem Geschäftsleben autoritätsbewußt zu handeln und zu sprechen; es war, als wenn frische neue Kraft zu ihm käme. Er kaufte einen Wagen für den Preis und zu den Bedingungen, die er sich vorstellte. Er schloß verschiedene Geschäfte ab zum gegenseitigen Nutzen aller Beteiligten. Nachdem er als Autorität, nämlich würde- und kraftvoll, handelte und sprach, wurde er von einem Geschäftspartner zum anderen geführt und kam danach zu stets neuen Geschäften.

Mein kleiner Sohn erklärte einmal den Erfolg eines berühmten Preiskämpfers, der immer vorbildlich handelt und spricht, wie folgt: »Er hat 22 Meisterschaftskämpfe ›mit seinem Munde‹ gewonnen.« Der menschliche Körper ist von angeborener Intelligenz erfüllt. Durch das permanente Sprechen von Worten des Vertrauens erwirbt der Mensch die bewußte Aufmerksamkeit der Intelligenz in den Organen seines Körpers. Wenn er fortfährt, Worte der Kraft zu sprechen, wird die angeborene Intelligenz »angezapft«, und sie läßt bereichertes Leben und stärkere Substanz in den Geist und den Körper und alle persönlichen Angelegenheiten des betreffenden Menschen fluten.

Auf Hawaii war eine Frau drei Monate lang im Krankenhaus wegen Krebs. Ein trauriger Anblick. Sie wog nur noch 60 Pfund, als der Geistliche sie besuchte. Er sagte zu ihr: »Du kannst sterben, wenn du es wünschst, aber Gott wünscht, daß du geheilt wirst. Du hast die Kraft, deine Gesundheit wieder zu erhalten.« Sie sprach laut diese Worte mit ihm: »Gott wünscht, daß ich geheilt werde. Alle Kraft ist in mir, um meine Gesundheit wieder zu erhalten.«

Während der folgenden drei Monate hörte er nichts mehr von ihr; als er sie wiedersah, lebte sie bereits zu Hause, hatte 60 Pfund zugenommen und wurde täglich gesünder.

Leute, die dauernd von Krankheit sprechen, ziehen sie ohne Ausnahme zu sich. Wenn man das weiß, kann man gar nicht vorsichtig genug mit Worten sein. Worte, die andere Menschen herabsetzen, wirken auf den betreffenden Kritiker in Form von minderwertigen, schlechten Bedingungen, wie mangelnder Gesundheit, Problemen im finanziellen oder familiären Bereich. Man glaubt, daß dauerndes Kritisieren Rheumatismus erzeugt. Es wird ebenso behauptet, daß Kritisieren unnatürliche Ausfälle im Blut hervorruft, die sich in den Gelenken festsetzen. Leute, die an Krankheiten ihrer Gelenke leiden, sind meisten solche, die in ihrem Denken keine Beweglichkeit haben (keine Gelenkigkeit). Unhöfliche Worte verhärten Arterien und Organe wie die Leber; auch beeinflussen sie das Augenlicht. Nichtvergeben ist ein Hauptgrund für Krankheit.

Zerstörerische Worte erzeugen endlose Leiden. Leben in der Vergangenheit oder Klagen über harte Erfahrungen im Leben belasten den Körper mit schlechter Gesundheit. Sie schicken dasjenige in Ihren Geist, Körper und Ihre Belange, worüber Sie denken und sprechen, denn Ihr Wort ist Ihre Kraft.

Durch das in Ihrem Hals gelegene Kraftzentrum bauen oder zerstören Sie. Ihre Worte sind fähig, Hindernisse aufzulösen und Barrieren zu beseitigen. Das liegt ganz bei Ihnen. Leute, die unter Behinderungen an Ihrem Körper leiden, litten zunächst unter Hindernissen in ihrem Denken. Meistens fühlten sie, daß irgendeine Person oder ein Umstand hindernd zwischen ihnen und ihrem Guten stand.

Man sollte ständig Worte des Lebens, der Gesundheit und der Vitalität sprechen und seine Stimme in immerwährendem Lob erheben. Auf diese Weise bringt man seinen ganzen Organismus auf eine hohe, gesunde, harmonische Schwingungsstufe, die sich als gute Gesundheit in Geist, Körper und allen persönlichen Angelegenheiten widerspiegelt. Der Körper hat natürliche Kräfte in sich, die ihn transformieren würden, wenn diese Kraft fortwährend durch konstruktive Worte zum Wirken gebracht würde.

Worte der Beschwerde führen zu Kropf, Lungenentzündung, Operationen

Menschen, die unter Halsstörungen leiden, Kropf, Wucherungen, Mandelentzündung, Nervosität, übermäßigem Verlangen nach Süßem, übertriebener Erregbarkeit, rauhem Hals und anderen Störungen der Schilddrüse, sind meistens schweigende Beschwerdeführer. Sie mögen der äußeren Welt gegenüber eine gute Seite zeigen, innerlich aber sind sie unzufrieden mit allem und jedem, und ihre Beschwerden äußern sich schließlich in Halskrankheiten.

Ein hübsches Mädchen litt an gebrochenem Herzen. Ihr Verlobter hatte eine andere geheiratet. Unfähig, über ihre Kränkung zu jemandem zu sprechen, drückte dieses Mädchen ihre unglücklichen Gefühle in Beschwerden über viele andere Dinge aus, so über ihre Eltern, deren Heim, wohin sie zurückgekehrt war, ihre Berufsarbeit, ihre Verwandten usw.

Allmählich entwickelte sie einen großen Kropf am Hals, der schließlich in einer sehr schweren Operation entfernt werden mußte, von der sie sich erst nach Monaten erholte.

Als sie von der Macht der Worte hörte, analysierte diese junge Frau ihre Situation und erkannte, daß sie ihre Worte mißbraucht hatte, daß falsche Gedanken Gestalt angenommen hatten in dem falschen Gewächs an genau der Stelle, wo diese Ideen zum Ausdruck gebracht wurden und dann hatten ausgeschnitten werden müssen. Sie tat ein Gelübde, aus ihrer Sprache das mentale Äquivalent »herauszuschneiden«, welches das falsche Gewächs verursacht hatte: die Worte und Gedanken der Begrenzung. Auf diese Weise war ihre Erfahrung nicht vergeblich, da sie gelernt hatte, auf ihre Worte zu achten.

Jahrelang rätselte ich an einer Dame, die jedes Frühjahr das gleiche Gesundheitsproblem hatte: Es begann mit einer Erkältung und Halsschmerzen, weitete sich dann zu einer Lungenentzündung aus, für deren Ausheilung sie viele Wochen ins Krankenhaus gehen mußte. Erst nach mehreren Monaten erholte sie sich davon. Diese Dame hatte immer eine glückliche Seite ihren Verwandten und Freunden gegenüber gezeigt; endlich erfuhr ich die wahre Situation, die ihre jährlich wiederkehrende Krankheit klären half.

Ihr Mann war vor einigen Jahren gestorben und hatte ihr einen erklecklichen Reichtum hinterlassen. Doch anstatt ihr das Geld direkt zu vermachen, hatte er einem Schwiegersohn die Vollmacht gegeben, das Grundstück zu verwalten und alle ihre Geschäfte wahrzunehmen.

Sie traute diesem Schwiegersohn nicht und fürchtete, er verteile ihre Anteile falsch. Jedes Frühjahr wartete er bis zur letzten Minute, ihre Einkommensteuer zu berechnen. Wenn der äußerste Termin kam, eilte er zu ihr, um die Einkommensteuererklärung von ihr abzeichnen zu lassen, wobei er ihr keine Zeit ließ, diese in gegebener Weise zu überprüfen.

Anstatt nun die Angelegenheit in aller Ruhe von einem Rechtsanwalt in Ordnung bringen zu lassen, geriet diese Dame vor Erregung außer Fassung und »schmorte« innerlich über der Sache, schon Monate vor dem Steuertermin. Wenn der Termin kam, geriet sie Jahr für Jahr in eine Erregung, die bis zur Lungenentzündung führte. Was für einen hohen Preis zahlte sie dafür, daß sie keine Herrschaft über ihre Worte und über ihre finanziellen Angelegenheiten auszuüben vermochte.

Diese schweigenden Worte, die Sie im geheimen sprechen, beeinflussen Geist, Körper und Dinge mehr als etwas, was Sie sagen, tun oder denken.

Tatsächlich wird jedes Ihrer Worte im Körper registriert. Ihre Worte werden Ihr Fleisch. Jedes Wort schwingt durch Ihren ganzen Körper und bewegt sowohl jede Zelle als auch jedes Atom Ihres Wesens. Die Wiederholung verfestigt sich im Geiste und wird zu einer bewegenden Kraft im Körper. Durch Ihre Worte ist Ihnen alle Kraft in Geist und Körper gegeben.

Manchmal können Sie beobachten, wie sich die Kraft vernichtender Worte in ganzen Familien auswirkt, besonders in solchen, wo beide, Ehemann und Ehefrau »schweigende Widersprüchler« sind. Jahrelang hatte sich ein Ehepaar über alles und jedes beschwert, über seine Berufe, seine geldlichen Angelegenheiten, die Kinder, andere Familien, übereinander und das Leben im allgemeinen.

Während einer Routine-Untersuchung erfuhr die Frau eines Tages, daß sie ein bösartiges Gewächs im Halse hätte. Eine Operation war nötig. Kurz danach erfuhr ihr Mann, daß er ebenfalls eine gefährliche Geschwulst im Munde hätte, die einen operativen Eingriff erforderte.

Dieses Paar erkannte hinterher, daß diese Operationen eine Warnung waren, das, was sie tagaus tagein bei sich dachten und sagten, zu ändern, aufzuhören mit der Unzufriedenheit, damit anzufangen, das Gute in sich selbst zu sehen, beim anderen, in ihrer Ehe, in ihrer Karriere, in ihren Kindern, ihrer Familie und der Welt im allgemeinen. Ihre gewandelte Sprache bewirkte eine große Veränderung in ihrer Gesundheit und in ihren finanziellen und familiären Angelegenheiten. Alles hat sich in ihrem Leben verbessert, seit sie ihren Gedanken und gesprochenen Worten eine bessere Qualität gaben. Ein guter Heilungsspruch, um eine Hilfe in dieser Hinsicht zu erhalten, ist folgender: *Besserung kommt jetzt schnell in allen meinen Angelegenheiten.*

Die Heilung eines Kropfes geschieht durch Worte

Ein empfindlicher Mann, der leicht erregbar und durch Worte und Taten anderer sofort außer Fassung geriet, entwickelte seitlich am Hals einen großen Kropf.

Als er von den Ärzten wegen der Größe und Art seines Kropfes auf das Wagnis einer Operation aufmerksam gemacht wurde, suchte dieser geängstigte Mann einen geistigen Berater auf, der bald den Erreger für die krankhafte Geschwulst entdeckte.

Der empfindliche Mann hatte einen Bruder, den er nicht ausstehen konnte, weil er in allen seinen Geschäftsführungen unehrlich war und dauernd unhöfliche und unwahre Dinge tat und sagte. Dieser sensible Mann hatte seinen Bruder gebeten, ein besseres Leben zu führen, aber der Bruder lachte nur und antwortete in gemeinen Redensarten. Er hatte in dieser erbärmlichen Atmosphäre jahrelang gelebt, und die Disharmonie zwischen ihnen war immer größer geworden. Der geistige Berater erklärte diesem empfindsamen Mann, daß er sich kraftlos gefühlt hätte, und dieses Gefühl der Kraftlosigkeit hatte sich in der krankhaften Geschwulst im Bereich des Halskraftzentrums manifestiert. Der Berater versicherte ihm, daß er, wenn er seine Kraft in ausgesprochenen Worten ausüben würde, geheilt werden könnte. Er schlug deshalb vor, er solle stetig bejahen: »Ich liebe dich mit der Liebe des Christus, und du liebst mich mit der Liebe des Christus. Liebe läßt alle Disharmonie zwischen uns hinwegschmelzen. Liebe gibt uns jetzt vollkommenen Frieden. Liebe ist in jeder Beziehung kraftvoll. Sie läßt jetzt Heilung erfolgen. Liebe gewinnt.«

Es dauerte zwei Monate lang, aber das tägliche Anwenden dieser Worte half. Der Kropf verschwand allmählich. Auch eine andere Heilung ereignete sich, als diese zwei Brüder sich versöhnten und hernach in Harmonie und Frieden lebten.

Sie redete sie zurück zur Gesundheit

Vielleicht haben Sie schon die Redensart gehört: »Sie hat mich beinahe tot geredet.« Sie können buchstäblich einen Menschen zu Tode oder zum Leben reden. Eine Hausfrau aus dem Süden hatte eine Reihe Erlebnisse dieser Art. Vor mehreren Jahren wurde sie gebeten, eine reiche ältere Witwe zu betreuen, die nach dem Tode ihres Mannes so allein war, daß sie ihren Lebenswillen aufgegeben hatte. Nachdem sie mehrere Wochen im Krankenhaus zugebracht hatte, wunderten sich ihre Ärzte, wo ihre Krankheit herkäme und änderten dauernd ihre Diagnose. Schließlich einigten sie sich darauf, daß die Symptome auf Krebs deuteten.

Nach Wochen, die keine Besserung brachten, entschlossen sich die Kinder dieser Frau in letzter Verzweiflung, daß sie zu einer Tochter ziehen und dort weiter ihre Medizin nehmen sollte. Die Hausbetreuerin dieser Tochter war ein sehr positiver Mensch und begann sofort Worte des Lebens und der Gesundheit zu der einsamen Witwe zu sagen.

Jeden Morgen gab ihr die Haushälterin ein warmes, anregendes Bad und erzählte ihr lustige Geschichten. Damit brachte sie sie mit Absicht zum Lachen und erreichte, daß sie über glücklichere Dinge nachdachte. Innerhalb eines Monats waren alle Krankheitssymptome verschwunden, und sie nahm auch keine Medikamente mehr. All dies geschah vor wenigen Jahren, und die wunderliche Krankheit ist nicht wiedergekommen. Die Witwe ist jetzt über 80 Jahre alt und führt weiterhin ein sehr aktives Leben.

Wie man diese Kraft der Worte entfesselt

Der universale Lebensstrom ist dem menschlichen Wort untertan und gehorsam. Das beste Beispiel hierfür ist die Auferwekkung des Lazarus durch Jesus. Lazarus hatte vier Tage im Grab gelegen, und zweifellos zerfiel sein Körper bereits. Aber Jesus kannte die Kraft des Wortes, die fähig ist, atomare Energie in jeder Zelle von Lazarus' Körper zu entfesseln, und tat es mit voller Absicht durch sein gesprochenes Wort.

Als Jesus mit lauter Stimme bejahte: »Lazarus, komm heraus«, gehorchte Lazarus und erschien: lebendig und gesund. Beweise von der mächtigen Heilungskraft des Wortes finden sich in der ganzen Bibel, besonders aber in den Geschichten um das Leben Jesu. Er bewirkte Wunder durch das gesprochene Wort.

Das Kraftzentrum an der Zungenwurzel steht in Verbindung mit dem geistigen Zentrum auf dem Scheitel des Kopfes. Es erzeugt die Heilungskraft, die zu allen Körperteilen fließt, sobald sie durch gute Worte in Tätigkeit gesetzt wird, denken und sprechen Sie gesunde, glückliche, aufbauende, lebenerfüllte Worte! Sie stimmen Geist und Körper schnell ein und bereiten den Weg zur Heilung vor.

In den Zellen und Atomen des Körpers sind mächtige Heilungskräfte gespeichert, die auf Freisetzung und Gebrauch warten. Das Konzentrieren auf das Wort »Kraft« hilft, diese mächtige Heilkraft auszulösen, so daß sie ihr vollkommenes

Werk am Geist und Körper des Menschen vollbringen kann. Auch die Geisteskraft an der Gehirnbasis, bekannt als Begeisterung und die Geisteskraft in den Geschlechtsorganen, bekannt als Leben, sind besonders empfänglich für das gesprochene Wort der Kraft. Diese Geisteskräfte – Kraft, Begeisterung, Leben – arbeiten eng zusammen. Durch das gesprochene Wort der Kraft senden Sie auf diese Weise zu den Gemütskräften, die in wichtigen Körperbereichen liegen, die größte Kraft des Universums, nämlich die bewußte Kraft der Gedanken.

Wenn Sie Gesundheitsprobleme im Hals haben, können Sie die dort befindliche Kraft freisetzen durch die Bejahung: *Alle Kraft ist mir jetzt gegeben in meinem Geist und Körper und in meinen Angelegenheiten. Gottes Kraft wirkt jetzt durch mich und befreit mich von jeglicher negativen Beeinflussung. Nichts kann mich in Banden halten. Mein ist alle Kraft, meine Gedanken im Zaum zu halten, meinem Körper neues Leben zu geben, Erfolg zu haben und andere zu segnen. Ich bin stark in dem Herrn und in der Macht seiner Stärke!*

Unter den Jüngern Jesu symbolisiert Philippus die Geisteseigenschaft der Kraft. Das Wort Philippus heißt Pferdeliebhaber, und in der physischen Aktivität stellt das Pferd Kraft dar.

Glücklicherweise besitzt der Mensch die Kraft, alle unharmonischen, zerstörerischen, krankheitsfördernden Worte aufzulösen. Das Wissen dieser Wahrheit ist eine der größten Entdeckungen aller Zeiten. Das heißt, daß Sie aus sich selbst ein neues Wesen machen und Ihre Welt nach ihren höchsten Idealen aufbauen können. Haben Sie keine Angst vor Schein, Problemen oder Diagnosen, sondern sprechen Sie mutig die Wünsche Ihres Herzens für sich aus. Es ist sogar Ihre Pflicht als geliebtes Kind Gottes, gute Worte auszusprechen und Ihren angeborenen guten Gesundheitszustand sowie Reichtum und Glück zu manifestieren. Der Psalmist bezog sich auf die Schöpferkraft des Wortes, als er sang: *Laß dir wohlgefallen die Rede meines Mundes und das Gespräch meines Herzens vor dir, Herr, mein Hort und mein Erlöser* (Psalm 19, Vers 15).

Verbinden Sie sich mit ihm im Sinne dieses Gebetes, wenn Sie geheilt werden wollen.

Zusammenfassung

1) Die Geistesfähigkeit der Kraft liegt bekanntlich im Hals in einem Gehirnzentrum an der Zungenwurzel in der Nähe der Schilddrüse.
2) Die Geistesfähigkeit der Kraft nahe der Schilddrüse regelt alle Schwingungsenergien im Körper.
3) Auf diese Weise können Ihre Worte Gesundheit oder Krankheit hervorrufen, weil sie nämlich auf das Kraftzentrum im Hals wirken und sich dann als Schwingungsenergien im ganzen Körper ausbreiten.
4) Der Körper ernährt sich vom menschlichen Wort. Gesundheitsgebende Worte sind Lebensspender. Umgekehrt setzen Worte, die Krankheit als Wirklichkeit beschreiben, unbewußt zerstörerische Kräfte im Körper in Bewegung.
5) Kraft wird durch das bloße Aussprechen von Worten des Lebens, der Gesundheit und Vitalität freigesetzt. Der Körper kann durch das gesprochene Wort erneuert, ja sogar verändert werden.
6) Aufgrund der Schwingungsenergie der Worte kann der Mensch alles, was er beschließt, in sich und seiner Welt geschehen lassen.
7) Das Wort »äußern« und das Wort »äußeres« haben die gleiche Wurzel. Wenn Sie sich selbst heilen wollen, sollten Sie zu Ihrem Geist und Körper wie zu einem Patienten sprechen.
8) Ihr Wort ist Ihre Kraft. Sie senden alles, worüber Sie nachdenken und sprechen an Ihren Geist, Ihren Körper und beeinflussen damit Ihre Angelegenheiten. Durch das Kraftzentrum in Ihrem Hals können Sie aufbauend oder zerstörerisch wirken.

7. Kapitel

Ihre Heilkraft der Vorstellung

Der berühmte Arzt Thomas Troward beschrieb einstmals die Heilkraft der Vorstellung wie folgt: »Wenn du erst einmal das Ergebnis gesehen hast, das du zu erreichen wünschst, so hast du bereits in einen Weg eingewilligt, der dich zu diesem Ergebnis führen wird.«

Die Vorstellung gehört zu Ihren schöpferischsten Geisteskräften. Mit Hilfe Ihrer Einbildungskraft sind Sie unaufhörlich schöpferisch tätig. Aber dadurch, daß Sie aus freien Stücken Ihre Vorstellung auf das lenken, was Sie wünschen, können Sie damit beginnen, Ihre Gesundheit und jede Phase Ihres Lebens umzugestalten. Immer wieder wird Ihre Einbildungskraft Sie zu einem besseren Leben führen, wenn Sie sie erst einmal dazu aufgerufen haben.

Medizinische Kapazitäten haben die Kraft der Vorstellung beschrieben und festgestellt, daß zwanzigmal mehr Nerven von den Augen zum Gehirn als von den Ohren zum Gehirn laufen. Ergebnisse treten viel schneller ein, wenn Sie sich ausmalen, was Sie wünschen, als nur daran zu denken oder davon zu hören.

Wenn Sie sich Gesundheit im Körper bildlich vorstellen, so versuchen Sie nicht, irgend etwas in den Körper hineinzuprojizieren, was nicht bereits dort ist. Versuchen Sie nicht, Ihren Körper in eine von Ihnen erdachte Form zu zwingen, sondern beanspruchen und befreien Sie die potentielle Vollkommenheit. Es ist die »eingekerkerte Pracht«, die da liegt und darauf wartet, anerkannt und losgelassen zu werden, schließlich die

Erlaubnis zu erhalten, sich in den Zellen des Körpers auszudrücken. Solche mentale Tätigkeit gestattet die Selbstverwirklichung neuer Formen, so daß »organische« Heilung stattfindet.

In seiner Bücherreihe »Baue Dir Deine eigene Welt auf« (»Make your own World«, Tarrytown N. Y. Robert Collier Publications Inc.) berichtet Gordon Collier die faszinierende Geschichte von John McDonald mit dem Titel »Die Botschaft eines Meisters« (The Message of a Master), in der die Heilkraft der Vorstellung im Mittelpunkt steht.

Ein Geschäftsmann war bankrott und hatte solche Gesundheitsprobleme, daß sein Arzt seinen Fall als hoffnungslos ansah und ihm eine Reise nach Europa als letzte Chance für eine Heilung verschrieb.

Eines Abends, als er wieder Selbstmordgedanken hegte, traf dieser verzweifelte Geschäftsdirektor einen Mann in einem Londoner Theater, der sich selbst einfach »Meister« nannte. Innerhalb eines Monats nach dieser Begegnung kehrte der vorher sterbenskranke Geschäftsmann nach Hause zurück, vollständig geheilt und auf dem besten Weg, ein Vermögen zu erwerben. Durch Privatunterricht hatte er das Geheimnis von Gesundheit, Reichtum und Glück von dem Meister gelernt, dessen »Formel« folgende Ideen enthielt:

»Ein Bild, das in irgendeiner Form fest im Geiste behalten wird, ist auf dem Weg, sich zu verwirklichen. Das ist ein großes Universalgesetz, das, wenn wir in kluger Weise damit arbeiten, uns zu absoluten Meistern der Lebens- und Umweltbedingungen macht.«

Durch Ihr Denken sammeln Sie eine Menge Ideen und bringen sie durch Ihre Vorstellung in die endgültige Form. Ihre Vorstellung ist die »Schere des Gemüts«, die Ihre Gedanken nimmt und sie zu Formen zusammenschneidert.

Das Vorderhirn ist das Arbeitsfeld für die drei eng verbundenen Geisteskräfte, die in diesem und den folgenden Kapiteln behandelt werden: Vorstellung, Verstehen, Wille.

Zwischen den Augen befindet sich ein ganglionisches Nervenzentrum, das, wenn es absichtlich angeregt wird, Ihre Vorstellungskraft in Bewegung setzt. Es ist ein Ausgangspunkt für einen Satz von Schleimhäuten, die sich rückwärts bis zum Gehirn erstrecken und sich mit einer imaginierenden oder Bilder produzierenden Funktion in der Nähe der Wurzel des »optischen« Sehnervs verbinden.

Durch diese Geisteskraft können Sie ein Bild von Dingen entwerfen, die konkret oder abstrakt sein können. Zum Beispiel können Sie ein Bild von Neid in irgendeinen Teil Ihres Körpers hineinprojizieren, und die Chemie des Gedankens wird zusammen mit den physischen Funktionen Ihren Teint gelb erscheinen lassen. Oder sie können sich Schönheit und Vollkommenheit vorstellen und in die Tat umsetzen, einfach dadurch, daß Sie an Güte und Vollkommenheit für sich und andere denken.

Diese Geisteskraft der Vorstellung liegt in der Nähe der Hirnanhangdrüse, die so groß wie eine Erbse ist und an der Gehirnbasis liegt, und zwar dicht hinter der Nasenwurzel (siehe Figur 7.1).

Die Hirnanhangdrüse ist die Drüse des fortgesetzten Bemühens und besteht eigentlich aus zwei Drüsen. Wo sie gut entwikkelt ist, ist auch starke mentale Aktivität und Ausdauer. Diese Drüse beeinflußt die emotionale und mentale Natur des Menschen. Sie beeinflußt sexuelle Belange, gewisse Muskelstrukturen und den Verdauungsapparat. Daß sich Ihre imaginäre Geisteskraft von der Stirn zur Hirnanhangsdrüse erstreckt, ist ein Zeichen dafür, daß Ihre Geisteskraft der Vorstellung eng mit Ihrer Glaubenskraft verbunden ist, weil die Hirnanhangsdrüse dicht unter der Pineal-Drüse liegt, welche wiederum das Glaubenszentrum des Körpers ist. So sind die Geisteskräfte der Vorstellung und des Glaubens eng in ihrer Tätigkeit miteinan-

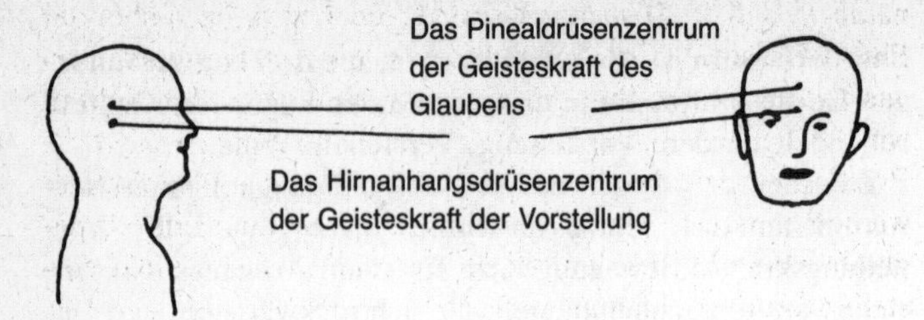

Figur 7.1 Die Lage der Geisteskraft der Vorstellung.

der verbunden. Was sich jemand dauernd vorstellt, daran glaubt er und verwirklicht es, sei es Gesundheit oder Krankheit, Gutes oder Schlechtes. Paracelsus, der Arzt des 16. Jahrhunderts, der die enge Verbindung zwischen Vorstellung und Glauben erkannte, sagte: »Vorstellung ist die Ursache vieler Krankheiten, aber Glaube ist die Heilung aller.«

Nach den Ausführungen, die Edgar Cayce in Hypnose machte, in denen sich das alte Wissen über diese Drüsen und die Geisteskräfte, die in ihnen liegen, offenbarte, war die Hirnanhangsdrüse ursprünglich oben, während die Pineal-Drüse unten lag. In alten Zeiten wurden sie als Zwillingsdrüsen angesehen. In seinen Ausführungen schlägt Cayce vor, die Hirnanhangsdrüse immer noch als Meister-Drüse anzusprechen, die über anstatt unter der Pineal-Drüse liegt.

Aber nach medizinischer Erkenntnis verhält es sich nun umgekehrt.

Das ist die Erklärung dafür, daß ich die Lage der Geisteskraft des Glaubens und der Vorstellung im Kapitel 1 vertauscht habe im Vergleich zu Charles Fillmores Buch »Die zwölf Kräfte des Menschen«. Anscheinend hing Mr. Fillmore der alten Lehre an, daß die Vorstellungs-Drüse oberhalb der Pineal-Glaubensdrüse läge. Doch liegen nach dem Stand der modernen Wissenschaft diese Drüsen genau umgekehrt.

Ein wichtiger Punkt jedoch ragt aus den alten Lehren heraus, nämlich, daß die Hirnanhangsdrüse, die ursprünglich über der Pineal-Drüse lag, Ihre Vorstellungskraft in sich birgt und überaus wichtig ist für Ihre geistige Entwicklung. In der Neuzeit wird die phantastische Kraft der Vorstellung durch moderne Psychologen, medizinische Wissenschaftler und Metaphysiker wieder entdeckt. Ohne Rücksicht auf ihre Lage im Körper glaubt man, daß diese Zwillings-Geisteskräfte Glaube und Vorstellung eng miteinander wirken.

Auf entsprechende Vorstellung hin wurde ein gesundes Kind geboren

Daß die Geisteskraft der Vorstellung sich in der Stirn zwischen den Augen befindet und sich in die mehr innen liegenden Regionen des Gehirns erstreckt, ist ein Anzeichen dafür, daß sie im Bereich des bewußten Geistes liegt. Das heißt, daß Sie bei bewußtem Gebrauch Ihrer Vorstellung wundervolle Veränderungen in Ihrem Körper und in allen Belangen Ihres Lebens hervorbringen können. Der Charakter Ihrer Seele und Ihres Körpers wird von Ihrer Vorstellung beeinflußt. Die Allgemeinheit muß noch entdecken, wie gewaltig ihre Vorstellungskraft ist.

Dr. Phineas P. Quimby, der Vater der mentalen und geistigen Heilung in Amerika, schrieb vor hundert Jahren: »Wenn Leute sagen: ›Es ist alles deine Einbildung‹, so meinen sie wahrscheinlich ›Es ist nichts‹. Das Gegenteil ist der Fall: Einbildung ist wahrscheinlich die allerkraftvollste Seite des menschlichen Geistes, und Tausende von wirklichkeitsbewußten Menschen wissen heute, daß das, was der Geist sich vorstellt, Erfahrung und Tatsache wird.«

Ein Arzt aus Paris sagte einmal:

»Tatsächlich mag es alles Einbildung sein, und wenn das der Fall ist, dann ist Vorstellung in ihrer Kraft so mächtig wie das Verständnis dafür klein ist ... Wenn sie heilen kann, was gibt es dann noch für einen Grund, sie nicht anzuwenden? Wenn Mesmer nichts anderes entdeckt hätte, als daß die Vorstellung eine wohltuende Wirkung auf die Gesundheit auszuüben vermag, wäre er nicht allein dadurch schon einer der größten Ärzte? Ich glaube, daß seine Entdeckung eine der allerwichtigsten ist, die der menschliche Geist je bewundert hat!«

Ihre Einbildungskraft steht an erster Stelle Ihrer latenten Geisteskräfte, die aktiviert werden können. Ganz gleich, ob Sie etwas von der Macht der Gedanken verstehen, die Vorstellung ist eine Geisteskraft, die Sie sofort zu gebrauchen anfangen können. Je mehr Sie sich üben, diese Geisteskraft zu entwickeln, desto mehr wird Ihre Vorstellungskraft wachsen. Je mehr Sie dazu neigen, das Gute für sich selbst und andere in Ihrer Vorstellung zu sehen, desto schneller werden sich wunderbare Veränderungen in Ihrem Körper und in Ihrem Leben zeigen.

Tatsächlich ist das Sich-Vorstellen des Guten der am stärksten wirkende wissenschaftliche und doch praktische Weg zu dessen Verwirklichung. Sich Heilung vorzustellen, ist eine der schnellsten, leichtesten und angenehmsten Arten, sie metaphysisch zu bewirken.

Eine Hausfrau konnte angeblich kein zweites Kind mehr bekommen, da sie einige Jahre vorher eines wegen einer falschen Blutzusammensetzung im Körper verloren hatte. Als sie von der Heilkraft der Vorstellung hörte, entschloß sie sich, diese zu prüfen, und sie stellte sich also bewußt eine gesunde Schwangerschaft und ein gesundes Kind vor. (Die Glücks-Rad-Methode, die sie benutzte, wird später in diesem Kapitel beschrieben.)

»Obgleich ich einige Jahre zuvor wegen einer Vergiftungserscheinung ein Kind verloren hatte, entschloß ich mich, ein Glücksrad mit Bildern von schönen vollkommenen Kindern anzufertigen. Als Unterschrift brachte ich folgendes Gebet an: ›Dank Dir Vater. Ich vertraue Dir.‹

Ich bewahrte es an einem geeigneten Platz auf, schaute es mehrere Male am Tag an und wiederholte das Gebet oft. Zwei Monate später bestätigten meine Ärzte, daß ich bereits fast zwei Monate schwanger war und sich diesmal keine Anzeichen von einer Vergiftungserscheinung zeigten. Tatsächlich war diese Schwangerschaft von Anfang an leicht. Jeder Arztbesuch brachte gute Berichte.

Während der vorausgegangenen Schwangerschaft hatte ich 30 Pfund zugenommen und das Gewicht auch hinterher behalten. Dieses Mal nahm ich nur 10 Pfund zu und verlor innerhalb zweier Wochen nach der Geburt des Kindes 23 Pfund, wodurch ich 13 Pfund leichter war als vor meiner Schwangerschaft. Das war ein großer Segen.

Zusammen mit der Vorstellung einer vollkommenen Schwangerschaft, Geburt und einem vollkommenen Kind gebrauchte ich gewisse Bejahungen, welche mir halfen, ein Bild der Gesundheit für mich und mein Kind zu entwerfen:

Mit Bezug auf meine Diät bejahte ich: ›Durch die Kraft des in mir wohnenden Christus denke ich konstruktiv und esse weise; mein Körper wird mit Ordnung und Harmonie gesegnet, und ich bin frei von Übergewicht.‹

Im Hinblick auf irgendwelche Furcht davor, daß die Vergiftungserscheinung sich wiederholen könnte, erklärte ich: ›Die unendliche Liebe Gottes hüllt mich immer ein und bringt Harmonie, Ordnung und Frieden in meinen Geist, meinen Körper und meine Angelegenheiten. In mir oder meinem Kind können keine negativen Zustände existieren; nur Gutes zeigt sich in mir und meinem Kind.‹ In Zeiten von Unwohlsein bejahte ich: ›Gott ist meine Gesundheit; ich kann nicht krank sein; Gott ist meine Stärke, unfehlbar, sofort.‹

Vor jedem Arztbesuch bejahte ich für meinen Arzt: ›Du drückst Weisheit, Verständnis und Heilungsnähe Gottes aus.‹

Während der Wehen und der Geburt benutzte ich sogar während der Betäubung folgende Bejahungen: ›Mit Leichtigkeit und Vertrauen gebäre ich mein vollkommenes Kind. Es gibt keinen Schmerz. Es gibt nichts zu fürchten. Es gibt nur Gott: Gott ist hier und alles ist gut.‹

Für die Ärzte, Schwestern und das Krankenhaus erklärte ich: ›Gottes Güte wirkt durch meinen Arzt und meine Schwestern in diesem Krankenhaus. Der Christus-Geist tut hier sein vollkommenes Werk und alles ist gut.‹«

Heute ist diese Hausfrau die gesunde Mutter eines gesunden Kindes!

Eine Mutter heilt ihren Sohn durch die Vorstellung von seiner vollkommenen Gesundheit

Sich das Gute für jemand anderen im Geiste vorzustellen, ist der leichteste und beste Weg, ihm zu Gesundheit und Vollkommenheit zu verhelfen. Oft denken die Menschen, man könnte sich gegenseitig helfen, wenn man miteinander redet und sich gegenseitig zu überzeugen versucht, gewisse Ideen und Techniken anzunehmen und zu benutzen.

Meistens ist das das Schlechteste, was man tun kann. Der Mensch, dem man helfen will, baut einen geistigen und emotionalen Widerstand dagegen auf. Keiner von uns wünscht, von einem anderen belehrt zu werden, was er tun soll. Wir alle möchten frei sein, um unseren eigenen Weg zu finden; und das ist auch richtig so.

Anstatt jemanden zu zwingen, die Hilfe nach Ihrem Gutdünken anzunehmen, sollten Sie den wissenschaftlichen, psychologischen und geistigen Weg einschlagen. Er besteht darin, sich den Hilfesuchenden in Geist, Körper und Umwelt vollkommen vorzustellen. Ihre glücklichen Vorstellungen reichen weit über empfindsamen Stolz und verstandesmäßiges Argumentieren hinaus. Sie wirken direkt in der unbewußten Seelennatur, die dann glücklich reagiert und schweigend mit Ihnen arbeitet, glücklichere Ergebnisse hervorzubringen.

Viele Experimente beweisen, daß wir uns dauernd alle möglichen Dinge suggerieren und je nach der Intensität unserer Vorstellungen entsprechende Wirkungen erzielen. Stellen Sie sich etwas vor und versuchen Sie, es durchzuführen, jedoch nicht zu erzwingen.

Eine Mutter erkannte die Heilkraft der Vorstellung, nachdem ihr Sohn die längste Zeit seines neunjährigen Lebens an verschiedenen Krankheiten gelitten hatte. Sie hatte den Glauben an ärztliche Hilfe aufgegeben und begann jetzt, die geistigen Heilungsgesetze ernstlich zu erforschen. So entdeckte sie das Gesetz der Vorstellung. Sie erkannte, daß sie ungefähr nach der ersten Krankheit eine Krankheitsvorstellung von ihrem Sohn aufgebaut hatte; und das nicht nur in ihrem eigenen Geist, sondern auch in dem ihres Sohnes. Obgleich sie ihren Sohn nicht krank sehen wollte, hatte sie doch die Krankheit erwartet. Als sie das schließlich erkannte, fing sie an, dankbar ihre geistigen Vorstellungen zu ändern und Gesundheitserwartungen zu hegen.

Sie stellte sich ihren Sohn so vor, wie er sein sollte: als normalen, gesunden Jungen. Sie sah ihn kräftig, rotbackig, aktiv und als »Inbegriff der Gesundheit«. Sie lehrte ihn, das gleiche zu tun und half ihm beim Ausschneiden von Bildern gesunder Kinder, Teenager und junger Leute, die er an den Wänden seines Wohnzimmers aufhing, wo er sie oft sehen konnte.

Sie entfernte schweigend das Fieberthermometer und andere medizinische Gerätschaften, die sie zum Gebrauch in ihres Sohnes Zimmer aufbewahrt hatte. Sie sprach oft von der Rückkehr zu vollkommener Gesundheit. Mutter und Sohn machten Pläne zur Gesundung, die sich auch tatsächlich nach neun Jahren anhaltender Krankheit einstellte. Sein Zustand besserte sich sofort, und als er in die Junior-High-School kam, konnte er sich als gesunder, normaler Junge an allen Unterrichtsfächern beteiligen. Er wurde sogar Sieger im Sport. Heute ist er im College, und alles ist in Ordnung.

Eine Lehrerin wird von Ausschlag geheilt

Jesus beschrieb die Heilkraft der Vorstellung, als er sagte: »Das Auge ist des Leibes Licht; wenn dein Auge einfältig ist, so wird dein ganzer Leib licht sein.« (Matthäus 6, Vers 22)

Wenn das Auge des Menschen »einfältig«, d. h. geistig auf Gesundheit gerichtet ist, werden seine Körperkräfte erhöht. Die Lebensströme fangen an, als schöpferische Energien aufwärts zu steigen. Während sie mit neuem Leben und Elan aufsteigen, fühlen wir bereits größere Kraft und Vitalität.

Der Mensch ist das einzige Geschöpf auf Erden mit erhobenem Blick. Wo die Naturkräfte aufwärts steigen, tun sie es immer mit großer Energie und Kraft.

Wenn jemand sein Auge einfältig (geistig) auf das Bild der Vollkommenheit gerichtet hält, wird sein Unterbewußtsein von beengenden Bildern gereinigt und befreit. Neue Kräfte erwachen und steigen durch sein ganzes Wesen auf, bis ein neuer Lebensstrom durch seinen ganzen Körper fließt. Geist und Körper werden dann angeregt und neu belebt. Salomon hat wohl diesen Heilungsprozeß beschrieben, als er sagte: »Wo keine Weissagung ist, wird das Volk wild und wüst; wohl aber dem, der das Gesetz handhabt!« (Sprüche 29, Vers 18) »Wer Unrecht sät, der wird Mühsal ernten und wird durch die Rute seiner Bosheit umkommen.« (Sprüche 22, Vers 8, 9) Oft beschneiden wir unser Gutes, wenn wir zu ungestüm wünschen, drängen und verlangen. Mit der Vorstellungskraft des Geistes können wir anfangen, mit Gedanken an Besitz, Versorgtsein und erfüllten Wünschen zu arbeiten. Das entfaltet unser Gutes, belebt unsere Energien und Kräfte und macht Gesundheit zu einer vorhandenen Möglichkeit statt zu einer vagen Hoffnung der Zukunft.

Was immer Sie dazu tun, daß andere Menschen sich ihre Gesundheit bildlich vorstellen, es ist stets ein wirksames Mittel, um sie zu erhalten. Wenn Sie zum Beispiel Heilung suchen, ist das der richtige Augenblick, fest aufzutreten. Das gibt Ihnen selbst und anderen den Eindruck von Gesundheit. Wenn Sie Heilung brauchen, sollten Sie helle Kleidung tragen. Der Körper scheint auf lichte Farben, die Leben, Gesundheit und Vitalität suggerieren, zu reagieren.

Eine Lehrerin litt an einem unangenehmen Hautausschlag, der sich nach einem Autounfall eingestellt hatte. Der Arzt konnte keine Besserung herbeiführen. Durch gemeinsames Gebet mit einem geistigen Berater verschwand der Ausschlag, trat aber später wieder auf.

Der Berater schlug vor, in einer glücklichen, frohen Art für eine vollkommene Heilung Dank zu sagen; sie sollte sich ferner für diese Heilung bereit halten und täglich ihre hellsten und schönsten Kleider tragen, bis sie geheilt sei. Als ihre Freunde sie so gekleidet sahen, dachten sie, der Ausschlag sei weg. Sie erwähnten ihn nicht mehr, da die Lehrerin die entzündeten Stellen mit langärmeligen Kleidern und Pullovern verdeckt hatte. Sie nahm wieder Einladungen zum Essen, zu Parties und Theaterbesuchen an; sie ging aus und hatte trotz des unangenehmen Ausschlags eine gute Zeit.

Als sie fortfuhr, so zu tun, als ob sie geheilt sei, nahmen alle an, sie wäre es tatsächlich. Allmählich verschwand der Ausschlag. Immer, wenn er wieder auftreten wollte, erklärte sie im stillen »nein, nein, nein«, trug wieder ihre hellen Kleider und machte sich eine vergnügte Zeit. Eines Tages war der Ausschlag völlig geheilt und kehrte nicht mehr wieder.

Später faßte sie zusammen: *Für meinen Glauben und Mut ist es eine Hilfe, helle Kleidung zu tragen; ebenso ist es gut, meine Freunde glauben zu lassen, ich sei gesund.* Das ist eine so einfache Art, das Vorstellungsgesetz der Heilung in Gang zu setzen.

Farbenheilung ist eine alte Wissenschaft, die bereits in den Heilungstempeln Ägyptens, Indiens und Chinas angewandt wurde. Unsere modernen Ärzte entdecken nun die Kraft der Farbe wieder neu. In einigen Krankenhäusern wurden bereits Experimente angestellt, die zeigen, wie Farben die Genesung der Patienten beeinflussen. Besonders in Nervenheilanstalten wurde Farbenheilung als wirkungsvoll erkannt.

Ebenso kann Musik ein großer Heiler sein, wenn Sie sich dabei entspannen und das Bild der Heilung auf sich wirken lassen. Heilen durch Musik bildet eine weitere Seite der antiken Wissenschaft. In der arabischen Welt wurde viel mit Musik geheilt. Die Krankenhäuser der alten Welt waren unseren von heute weit voraus. Oft waren sie inmitten von weiten Gärten in wunderschöner Landschaft errichtet. Die Krankenräume waren groß und hell. Musik wurde gespielt, um Schmerzen zu lindern. Alles, was Schönheit in unser Leben bringt, bringt auch Gedeihen und Heilungskraft. (Siehe das Kapitel über Freude und Schönheit in meinem Buch »Wohlstandsgeheimnis der Jahrhunderte«, »Prosperity secret of the ages«.)

Eine Krankenschwester heilt einen Patienten durch die Kraft der Vorstellung

Eine Krankenschwester demonstriert die phantastische Heilkraft, die man für einen Patienten durch den konstruktiven Gebrauch der Vorstellung zur Wirkung bringen kann:

»Ich arbeitete als Operationsschwester in einem kleinen Krankenhaus, als ein dringender Fall eingeliefert wurde. Eine andere Schwester, die Hauptschwester und ich waren dabei, eine Patientin zu einem ernsten Eingriff in den Operationssaal zu bringen. Als wir sie von der Trage zum Operationstisch hinübertrugen, hörte sie auf zu atmen. Die beiden diensttuenden Ärzte waren in einer anderen Etage. Während wir auf sie warteten, begann ich mit der künstlichen Beatmung, doch die Patientin reagierte nicht. Sie lag leblos auf dem Tisch; ich betete um geistige Führung. Plötzlich erinnerte ich mich an die Heilkraft der Vorstellung und sagte zu der Hauptschwester: ›Diese Patientin ist meine Nachbarin. Ich weiß, sie bäckt gerne Brot; sie ist bekannt wegen ihres wundervollen hausgebackenen Brotes. Schließe deine Augen und sieh sie mit einer vorgebundenen Schürze, den Teig in der Hand, lächelnd ihr Brot backen. Die vorstellende Kraft des Geistes kann sie heilen. Wenn du auch nicht mit mir übereinstimmst, laß uns die Methode wenigstens versuchen.‹ Ich ging einen Schritt weiter und stellte mir die Patientin gesund vor, wie sie das Blech einfettete und die Teigrollen darauf legte. Ihre Schürze ist rosa, ihr Kleid blau und die Küche hellgelb. Das Backblech ist neu und glänzend; darauf legt sie die Teigrollen. Ich kann jetzt sehen, wie sie das Blech mit den Rollen in den Ofen schiebt und nach der Uhr sieht. Kannst du sie da stehen sehen? Als ich dies fragte, fing die Patientin an, Lebenszeichen zu zeigen; sie bewegte sich, atmete tief und wurde kräftiger. Als die Ärzte eintrafen, war sie bei vollem Bewußtsein, so daß sie sich entschlossen, mit der Operation zu beginnen. Sie litt an einem schweren Darmverschluß, und der Eingriff dauerte drei Stunden und zwanzig Minuten. Sie überstand ihn gut, erholte sich vollständig und wurde bald nach Hause entlassen. Sie backt Brot, so wie wir es uns vorgestellt hatten, und brachte etwas davon zu uns ins Krankenhaus als ein Zeichen der Anerkennung. Obgleich sie damals schon 80 Jahre alt war, lebte sie noch einige Jahre bei guter Gesundheit. Wenn sie später über ihre Operation sprach, sagte sie auf eine eigenartige Weise: ›Ich fühlte mich so, als ob ich die ganze Zeit Brot backen würde.‹ Natürlich erzählten wir ihr niemals, was geschehen war.«

Da die Vorstellungskraft bei den Augen an den Schläfen liegt, haben Leute, die sich zu stark konzentrieren, oft Kopfschmerzen; sie versuchen Ergebnisse zu erzwingen. Ihre Geisteskräfte sind wie Menschen. Sie können durch Leben und Segnen zu großer Aktivität veranlaßt werden, aber gegen geistigen Zwang lehnen sie sich in Form von negativen Reaktionen im Körper auf. Wenn Sie sich dagegen vorsichtig und ernsthaft Gesundheit vorstellen, werden alle Ihre fünf Sinne darauf ansprechen und sich kräftigen. Gesundheitsprobleme wie Übergewicht, Rauchen und Trinken reagieren auf die Vorstellungskraft des Geistes. Ich habe in meinen früheren Büchern bereits ausführlicher darüber gesprochen.

Die Heilkraft des Glücksrades

Die Fähigkeit, sich etwas vorzustellen, ist ausschlaggebend für jeglichen menschlichen Fortschritt. Alle Reformen und Verbesserungen in der Zivilisation haben ihren Ursprung in der Vorstellung. Genauso hat jegliche Besserung in Ihrem eigenen Leben ihren Anfang in besseren geistigen Bildern genommen. Ein altes Sprichwort sagt: »Wenn du nach oben siehst, wirst du immer Versorgung finden.« Das gilt sowohl für Ihre Gesundheit als auch für Reichtum und Glück.

Der deutsche Dichter Goethe sagte: »Was du tun kannst oder dir einbildest tun zu können, das fang an. Kühnheit hat Genie, Kraft und Magie in sich.«

Wenn Sie sich etwas wünschen, was vollständig unerreichbar scheint, schalten Sie entschlossen den Strom Ihrer Erwartungen von »Ich kann es nicht haben« auf »Ich kann es haben« um.

Machen Sie sich ein Glücksrad und gehen vom Zweifeln zum Hoffen über, vom Mißerfolg zum Erfolg, von Krankheit zu Gesundheit.

Diese Art, wundervolle Veränderungen in Ihrem Leben und in Ihrem Körper hervorzuzaubern, ist nicht neu. Es ist eine alte okkulte Heilmethode, die kürzlich von Metaphysikern und Psychologen wiederentdeckt wurde.

Einer der ersten Schritte zu besserer Gesundheit liegt darin, sie sich ganz entschieden und deutlich vorzustellen. Allgemeines Gerede hilft nichts, weil es ihm an Substanz fehlt. Vage Hoffnungen und unsichere Ziele sind für den Geist nicht überzeugend; und der Geist baut den Körper. Dagegen ist ein klar geschnittenes Bild Ihres Guten die beste Motivation für Ihren Geist und Körper, zum Akt der Heilung zu schreiten.

Es ist kein Zauber mit der Fähigkeit verbunden, die Dinge zu erhalten, die man sich vorstellt. Es ist ein geistiges Gesetz. Was sich der Mensch vorstellt, das kann er tun. Durch die Arbeit der Vorstellung wird jeder Gedanke zur Form. Beim Denken sammelt der Mensch eine Menge Ideen, und kraft seiner Vorstellung gibt er ihnen Form.

Ein Mensch kann sich einbilden, er hätte irgendwelche Krankheitsstoffe im Körper oder in seiner Umwelt, und in seiner Vorstellung kann er sie so aufbauschen, daß sie Wirklichkeit werden. Krankheit wurde in aufnahmebereite Gedanken allein dadurch gesenkt, daß Leute über Krankheit als einer furchtbaren Wahrheit sprachen. In der alten Form der Religion spielte die Vorstellung eine große Rolle und brachte großes Unglück über ganze Völker. Das geistige Bild von verlorenen Seelen, die im ewigen Feuer, riefen Schuldkomplexe, Nervenzusammenbrüche, körperliche und geistige Krankheiten hervor. Glücklicherweise kann der Mensch die gleiche Kraft dazu verwenden, auf allen Gebieten Gutes zu erzeugen. Machen Sie Ihren Körper vollkommen, indem Sie Vollkommenheit in ihn »hineinsehen«. Wenn man sich selbst als vollkommen hinstellt, fixiert man die Idee der Vollkommenheit in der unsichtbaren Geistessubstanz, und die Geisteskräfte fangen sofort an, das Werk der Vollkommenheit hervorzubringen.

Wie man ein Glücksrad entwirft

Ein Ingenieur aus meinem ersten Unterricht über den Reichtum fand einen praktischen Weg, die Vorstellungskraft zu üben, um gesunde Ergebnisse zu erzielen. Er entwarf ein »Glücksrad«, das eine Menge Menschen faszinierte und ihnen Hilfe brachte.

Auf einem großen Stück Zeichenkarton zog er einen Kreis, der fast die ganze Breite einnahm. In die Mitte dieses Kreises legte er das Bild irgendeines religiösen Symbols als Zeichen für die Hilfe einer höheren Macht bei der Verwirklichung seiner Wünsche. In den Kreis zog er vier Radien, die sein Glücksrad in vier Sektoren teilten. Hinein schrieb er 1) Geschäft, 2) Familie, 3) Geistiges, 4) Gesellschaftliches, Soziales und Erholung. In jeden der vier Sektoren legte er Bilder von bereits erfüllten Wünschen, die er für die betreffenden Lebensphasen hegte. Viele Menschen machen auch einen ganzen Glückskreis für nur einen Bereich ihres Lebens wie »Wohlstand«, »Gesundheit«, »Liebe« und »Glück.«

Genaue Anweisungen für den Entwurf eines Glücksrads sind in meinem Buch »Die dynamischen Gesetze des Reichtums«* gegeben. Daraus schlage ich Ihnen die folgenden Seiten vor: 85ff., 344ff.

Erstens: Zeigen Sie niemandem Ihr Glücksrad! Sprechen Sie auch nicht darüber. Bewahren Sie absolutes Stillschweigen über das, was Sie tun. Wenn Sie anderen Leuten davon erzählen, was Sie in Ihrem Leben zu demonstrieren versuchen, sind sie geistig oftmals nicht gleicher Meinung mit Ihnen und könnten sogar versuchen, Ihre Demonstration zu durchkreuzen. Versuchen Sie auch nicht, jemanden davon zu überzeugen, daß die Methode wirkt. Gebrauchen Sie sie ruhig, und genießen Sie den Erfolg. Das ist nämlich überzeugend genug für diejenigen, die hinreichend einsichtig sind, um diese uralte Methode richtig zu bewerten. In meinem Buch »Die dynamischen Heilungsgesetze« (The Dynamic Laws of Healing) wird die Geschichte

* Goldmann Verlag (11879)

einer älteren Dame erzählt, die, nachdem sie ein Glücksrad angefertigt hatte, wieder gesund wurde. Alle anderen Mittel hatten nicht gewirkt.

Zweitens: Benutzen Sie für Ihr Glücksrad große schöne Zeichenkartonstücke in einer Farbe, die Ihnen gefällt. Nehmen Sie nicht etwa kleines, farbloses, graues und trübes Material, es sei denn, Sie wünschen sich nur kleinen, farblosen, enttäuschenden Erfolg. Sie malen sich das Leben nach Ihren Wünschen aus, also seien Sie vorsichtig! Begrenzen Sie nicht Ihr Gutes dadurch, daß Sie Begrenzungen auf Ihrem Glücksrad abbilden. Ein Universitätsprofessor malte ein kleines, dichtgedrängtes, farbloses Glücksrad für eine Auslandsreise. Es funktionierte! Er hatte dann eine dichtgedrängte, farblose, unangenehme Fahrt. Aus dieser Erfahrung lernte er buchstäblich die Kraft der Vorstellung kennen. Nie wieder begrenzte er sein Gutes durch den Entwurf eines zu kleinen Glücksrades. Benutzen Sie große, wundervolle, bunte Zeichenkartons, wenn Sie große, wundervolle, bunte Ereignisse wünschen.

Wenn Sie ein Glücksrad für eine Heilung zeichnen, nehmen Sie nur helle, leuchtende Farben, die das Unterbewußtsein erheben und erfreuen; es regelt ja so viele Funktionen des Körpers. Folgende Farben werden gemäß der alten Farbensymbolik für die Anwendung vorgeschlagen:

1) Für ein geschäftliches Glücksrad sollten Sie grünen oder goldenen Zeichenkarton verwenden.
2) Für ein Glücksrad für größeres geistiges Verständnis sollten Sie gelben oder weißen Zeichenkarton verwenden, der das weiße Geisteslicht versinnbildlicht.
3) Für ein Glücksrad für geistigen Fortschritt, wie das Ablegen eines Hochschulexamens, das Schreiben eines Buches oder Stückes oder für andere Geistesprodukte sollten Sie blauen Zeichenkarton verwenden.
4) Für ein Glücksrad für Gesundheit, Energie, größere Aktivität sollten Sie orange oder hellgelben Zeichenkarton verwenden.
5) Für ein Glücksrad für Liebe, Heirat und größere Lebensharmonie sollten Sie rosa oder rötlichen Zeichenkarton ver-

wenden; auch orange oder eine andere helle auffallende Farbe hilft, die gefühlsmäßige Natur des Menschen so anzuregen, daß er die Möglichkeiten von Liebe und Heirat sieht.

Drittens: Benutzen Sie lieber bunte Bilder auf Ihrem Glücksrad als nur schwarzweiße, da die Vorstellung auf Farben schneller reagiert. Auf die Weise können Sie beim Gebrauch von bunten Bildern auf Ihrem Glücksrad viel schneller farbenfreudige, glückliche Ergebnisse erwarten.

Viertens: Verbauen Sie Ihr Glücksrad nicht mit zu vielen Bildern, Worten oder Sätzen, Ideen oder Bejahungen. Malen Sie lieber mehrere Glücksräder für Ihre verschiedenen Lebensphasen. Verwirren und überhäufen Sie sie nicht, um nicht verwirrte oder überhäufte Ergebnisse zu erzielen, denn Ihre Vorstellung nimmt Sie ernst, buchstäblich beim Wort.

Fünftens: Wenn Sie einen finanziellen Vermögensplan entwerfen, um höheres Einkommen, eine bessere Stellung, ein netteres Heim oder eine Reise zu erlangen, achten Sie darauf, auch einen Sparpfennig beiseite zu legen (wenn Sie nicht schon ohnehin Geld sparen) und zahlenmäßige Angaben auf Ihrem Glücksrad einzutragen. Eine Geschäftsfrau entwarf kürzlich ein Vermögens-Glücksrad und legte direkt Geld darauf. Sie verwahrte es in ihrem Schrank und verbrachte täglich einige Zeit damit, sich darauf zu konzentrieren. Kurz danach belebten sich ihre Geschäftsbeziehungen. Sie wurde unabhängig und reich.

Wenn Sie nur wünschenswerte »Dinge« auf Ihrem Glücksrad anbringen, können Sie sie buchstäblich erhalten, aber nur durch erhöhten Kredit, der zu Verschuldung führen kann. Wenn Sie Geld oder einen entsprechenden Wertgegenstand auf Ihr Glücksrad legen, öffnet das Ihren Geist dahingehend, alles in der Weise zu erhalten, daß sich daraus keine finanziellen Belastungen für Sie ergeben. Zu diesem Zweck ist es auch hilfreich, große Schecks von verschiedenen Absendern auf Sie ausgestellt auf den Plan zu legen, da die meisten großen finanziellen Demonstrationen in Form von Schecks auftreten.

Sechstens: Legen Sie ein geistiges Symbol auf Ihr Glücksrad – vorzugsweise ein buntes Christusbild. Erinnern Sie sich, daß der Name »Christus« gleichbedeutend mit den allergrößten Erfolgen ist, die jemals in der Menschheit erreicht wurden. Wenn Sie sein Bild auf Ihr Glücksrad legen, stimmen Sie sich auf sein ungeheures Erfolgsbewußtsein ein, womit Sie den Weg für kolossale Ergebnisse bahnen!

Das Christusbild gibt Ihrem Glücksrad eine geistige Basis und göttlichen Schutz. Wenn die Dinge, die Sie abbilden, nicht zu Ihrem höchsten Guten passen, ist das Christusbewußtsein Ihr göttlicher Schutz und wird Ihnen dazu verhelfen, daß die rechten Dinge geschehen. Der Christus auf Ihrem Glücksrad entwickelt ein göttliches Element, eine göttliche Kraft des Vollbringens, das Ihrem Glücksrad andernfalls fehlen würde. Es erhebt vom gefühlsmäßigen Bewußtsein zum geistigen Bewußtsein größerer Kraft und größerer Errungenschaften. Der Name »Christus« hat die Kraft, Substanz zu formen und die besten Ergebnisse hervorzubringen. Ein Bild der Bibel, eine biblische Weissagung, einen Spruch oder ein anderes geistiges Symbol können Sie auch einkleben oder hineinschreiben, wenn Sie kein Christusbild zur Verfügung haben. Es empfiehlt sich auch, Ihr Glücksrad zu weihen und zu Gott zu sagen: »Vater, dieses hier oder etwas Besseres. Dein Wille geschehe.« Das vergrößert die für Sie wirkende geistige Kraft und gibt vollständigen göttlichen Schutz.

Siebentens: Schreiben Sie eine Quittung auf Ihr Glücksrad. Mit der Anfertigung eines Glücksrades veranlassen Sie nicht das Bewußtsein, irgend etwas für Sie zu erzwingen. Sie öffnen lediglich Ihren Geist, etwas zu empfangen, was bereits vorhanden ist. Bejahen Sie: *Mein Gutes ist da, und ich bin dankbar, es jetzt zu empfangen.*

Sie entwerfen das Glücksrad nicht, um irgend etwas von Gott zu empfangen. Er hat bereits alles als eine erreichbare Segnung vor Sie hingestellt: *Es ist eures Vaters Wohlgefallen, euch das Reich zu geben* (Lukas 12, Vers 32), und es ist Ihr Wohlgefallen, es zu empfangen. Die Herstellung eines Glücksrades für die Erfüllung Ihrer Wünsche öffnet Ihren Geist für das Erleben.

Selbst wenn Sie Erfolg geerntet haben, ist es meistens nicht gut, viel darüber zu sprechen. Eine Frau, die ein Glücksrad baut, um einen Mann zu bekommen, sollte es ihm niemals erzählen, wenn sie ihn bekommen hat. Er könnte sich in eine Falle gelockt fühlen. Wir sollten nicht an anderen Leuten herumarbeiten, um unser Gutes zu erhalten. Wir haben nur an unserem eigenen Denken zu arbeiten. Dann reagieren diejenigen schon, die empfänglich dafür sind.

Achtens: Wenn Sie das Glücksrad gemalt haben, sollten Sie täglich einige Zeit in Ruhe und allein konzentriert bei ihm verweilen. Studieren Sie, nehmen Sie auf und bemuttern Sie die Idee bis zu deren Verwirklichung. Vorstellung ist schöpferisch, und Konzentration trägt dazu bei, daß die Schöpfung schneller Gestalt annimmt.

Liebe ist die anziehende, lockende Geisteskraft. Wenn Sie das Vorstellungsgesetz früher einmal angewandt haben, ohne die erhofften Wünsche zu erreichen, liegt der Grund dafür vielleicht darin, daß Sie Ihre Vorstellungswünsche nicht bis in die Verwirklichung hinein liebten. Liebe ist der Magnet, der die Substanz des Universums herbeizieht und Ihre Vorstellung mit Leben erfüllt. Die Liebe zu Ihrer Wunschvorstellung ist das Geheimnis zu ihrer Verwirklichung.

Leben Sie jeden Tag eine Weile mit Ihrem Glücksrad zusammen. Erfreuen Sie sich in der Stille daran. Versuchen Sie nicht herumzurätseln, *wie* sich Ihre Wünsche erfüllen werden, und genausowenig, sie im Geist in eine äußere Sichtbarkeit zu zwingen. Stellen Sie sich alles nur vor, und erfreuen Sie sich geistig an dem Bild. Tun Sie das in einer glücklichen, entspannten, dankbaren Stimmung. Das ist liebende Konzentration – die rechte Art, Erfolg zu haben.

Neuntens: Arbeiten Sie so lange mit Ihrem Glücksrad, wie es Sie interessiert. Sobald Sie das Interesse an ihm verlieren oder sobald sich auch nur ein wenig von allen Dingen an ihm verwirklicht hat, hat es seine Schuldigkeit getan. Legen Sie es beiseite und sehen Sie später wieder nach ihm. Wahrscheinlich werden Sie entdecken, daß es in der Zwischenzeit sein Werk für Sie weitergeführt hat. Wenn Sie das Interesse vollständig verloren haben, dann ist die Zeit gekommen, das Glücksrad ganz und gar aufzugeben und ein neues zu entwerfen.

Sie sollten mindestens am Beginn eines jeden neuen Jahres ein neues Glücksrad machen. Entwerfen Sie es für jede Phase Ihres Lebens: Gesundheit, Reichtum und Glück; machen Sie sich keine Sorge um andere Leute, und versuchen Sie auch nicht, ihnen Ihre Ideen aufzuzwingen. In diesem Sinne wird aus Ihrem Glücksrad ein »Gebetskreis«, so wie ihn die Buddhisten in Tibet jahrhundertelang benutzt haben.

Viele Menschen glauben, sie hätten den Punkt erreicht, wo sie kein Glücksrad mehr zu machen brauchten. Sie sagen hochmütig: »Ich bin als aufgeklärter Mensch über so etwas hinaus.« Glauben Sie das nicht. Wenn Leute darüber hinaus sind, das Gute zu sehen, sind sie meistens auch zu fortschrittlich, um Heilung oder Wohlstand zu erleben!

Sie wachsen niemals über die Vorstellungskraft des Geistes hinaus. Sie ist von der Geburt bis zum Tode bei Ihnen, und Sie sollten sich dauernd konstruktiv mit ihr beschäftigen. Stellen Sie sich permanent etwas Besseres vor, als das Beste, was Sie jetzt erleben. Glücksräder sind ein geistiger, wissenschaftlicher, psychologischer und praktischer Weg zu dessen Verwirklichung.

Die Heilkraft der Vorstellung ist allmächtig. Sie hilft, das Auge auf ein bestimmtes Ziel gerichtet zu halten und verkürzt gleichzeitig die Entfernung dahin. Der Kraft des Wirklichkeitserlebens geht die Stunde des Erkennens voraus. Vorstellung ist die Kraft der Erfindung, und was Sie erfinden, können Sie auch vollbringen! Die gleiche Kraft, die Sie befähigt, Schmerz, Schuldgefühl und Versagen zu erkennen, ist auch immer bereit, Schmerzfreiheit und einen gesunden Körper zu sehen. Die Vorstellungskraft muß sich auf irgendeine Weise zum Ausdruck bringen; sie ist immer tätig: konstruktiv oder destruktiv. Sie kann in ihrer Funktion nicht gehemmt werden. Viele Geisteskrankheiten begannen mit im Geist festgehaltenen negativen Bildern.

Ihre Vorstellungskraft an der Hirnanhangsdrüse zwischen den Augen kann Sie zu höchsten Höhen und tiefsten Tiefen führen. Der Jünger Bartholomäus bedeutet Vorstellung. Geradeso wie Jesus ihn unter einem Feigenbaum in weiter Ferne sah, bevor er für das äußere Auge sichtbar wurde, so hält Ihre Vorstellungskraft Ihnen das Gute manchmal vor, bevor es Wirklichkeit wird. Ihre Vorstellung hat die Kraft, Dinge im Geist zu kombinieren, neue Voraussetzungen im Körper zu schaffen, neue Umstände, neue Umgebungen und neue Verbindungen in Ihrer Welt herzustellen. Wie also auch Ihr gegenwärtiges Leben aussieht, es besteht Hoffnung auf bessere Gesundheit, größeren Reichtum, höheres Glücksempfinden. Machen Sie sich gleich daran, diese große wundervolle Kraft Ihrer Vorstellungsfähigkeit anzuzapfen. Sie werden darüber glücklich sein und oft die Bejahung wiederholen: *Ich stelle mir nur das Beste für mich und andere vor. Meine Augen sind einfältig für das Erkennen des Guten, und mein ganzer Körper ist von Licht erfüllt.*

Zusammenfassung

1) Die Geisteskraft der Vorstellung liegt nahe der Hirnanhangsdrüse an der Gehirnbasis bei der Nasenwurzel zwischen den Augen und erstreckt sich bis in die inneren Gehirnteile.
2) Durch bewußten Gebrauch Ihrer Vorstellung können Sie wundervolle Veränderungen in jedem Bereich Ihres Lebens bewirken.
3) Die Vorstellung ist eine der stärksten Geisteskräfte, und ihre Anwendung beeinflußt dauernd Ihren Geist und Körper.
4) Sich Heilung bildlich vorzustellen, gehört zu den wissenschaftlichsten und praktischsten Wegen, um sie zu verwirklichen.
5) Ein großes Erfolgsgeheimnis besteht darin, eine Sache in der Vorstellung durchzuführen, anstatt sie willentlich zu erzwingen.
6) Wenn Auge und Vorstellungskraft genau auf Gesundheit eingestellt sind, werden die menschlichen Körperkräfte erhöht. Sobald die natürlichen Kräfte aufwärts steigen, bewegen sie sich mit großer Energie und Kraft.

7) Durch eine entschiedene Vorstellung von Gesundheit beleben Sie Ihre Energien und Kräfte. Dadurch wird aus einer vagen Zukunftshoffnung spontan Gesundheit.
8) Was man sich vorstellt, erhält man; darin besteht nichts Magisches. Sie arbeiten mit einem Geistesgesetz. Vage Hoffnungen und unbestimmte Ziele können den Geist, der den Körper regiert, nicht überzeugen. Aber klar geschnittene Bilder Ihres Gesundheitszieles drängen Geist und Körper zum Heilungswerk.
9) Gießen Sie täglich liebende Aufmerksamkeit über Ihre Wunschvorstellungen. Das ist das Geheimnis, sichtbare Erfolge schnell zu erreichen.

8. Kapitel

Ihre Heilkraft des Verstehens

Es mag Ihnen unglaubhaft vorkommen, eine Geisteskraft zu haben, die »Verstehen« genannt wird und Heilkräfte in sich trägt. Und doch habe ich viele Male gesehen, wie diese Geisteskraft »Verstehen« Menschen geheilt hat.

In meinem eigenen Leben gab es auch einen Beweis dafür. Die ersten 20 Jahre war ich alles andere als gesund. Von früher Kindheit an durchlief ich die ganze Skala schlechter Gesundheit, von Blutarmut angefangen bis zu niedrigem Blutdruck, Untergewicht, Reizbarkeit und allen üblichen Kinderkrankheiten. Im Alter von 15 Jahren mußten Operationen durchgeführt werden, die von schwerwiegenden Komplikationen begleitet waren. Ich brauchte Monate, um mich zu erholen.

Ich schmecke immer noch die verschiedenen Arzneien, die durch meinen widerstrebenden Hals buchstäblich hinuntergegossen wurden von meiner lieben Mutter, deren einziges Bestreben es war, der Krankheit beizukommen. Ich versuche immer noch, die schwarzen Strümpfe, die immer rutschten, zu vergessen, die ungetümen hohen Stiefel und die kratzende wollene Unterwäsche, die ich vom frühen Herbst bis zum späten Frühjahr tragen mußte; ebenso die verhaßte Hornbrille, die auf meiner Nase drückte – jahraus, jahrein.

Trotz meiner zahlreichen Bekanntschaft mit schlechter Gesundheit muß ich doch eine kräftige Konstitution gehabt haben, da ich all diese Kuren überstand.

Schließlich erfuhr ich in meiner späteren Jugend von der Kraft, die man mit seinen Gedanken und Gefühlen auf seinen

Körper auszuüben vermag. Von solcher Möglichkeit fasziniert, entschloß ich mich, mich selbst von Krankheit zu befreien. Ich begann mit der Heilungsidee zu experimentieren und hoffte, durch größeres Verstehen zu einem positiven Ergebnis zu kommen.

In der zweiten Periode meines Lebens war meine Gesundheit ausgezeichnet, obgleich ich lange Stunden arbeitete und die Lampe noch um Mitternacht brannte, da ich mich auf zwei verschiedene Berufe vorbereitete, der eine in der Geschäftswelt und der andere in den Geisteswissenschaften. Gleichzeitig zog ich einen lebhaften Sohn auf und mußte traurige Erfahrungen durchmachen, weil liebe Freunde starben. Trotz all dieser Herausforderungen habe ich in dieser zweiten Lebensperiode nur kleinere Krankheiten gehabt, die als Folge von Übermüdung oder zu großer gefühlsmäßiger Anspannung auftraten. Natürlich habe ich bei Bedarf medizinische oder heilpraktische Hilfe in Anspruch genommen. Trotzdem unterschieden sich die genannten zwei Lebensperioden voneinander wie Tag und Nacht.

Meine eigenen Erfahrungen haben mir bewiesen, daß das Verstehen entwickelt werden sollte, weil Verstehen heilt.

Wo liegt Verstehen?

Die als »Verstehen« bekannte Geisteskraft, die alle Formen des Wissens, wie Kenntnis, Weisheit, Aufgewecktheit, Aufnahmefähigkeit einschließt, liegt im Vorderhirn gerade zwischen den Augen im Bereich des bewußten Denkens. Das Vorderhirn gilt als eines der wichtigsten Organe für die Intelligenz des Menschen.

Eine Theorie besteht darin, daß der Mensch fünf physische Sinne und zwei metaphysische Sinne – Telepathie und Intuition – besitzt. Diese zwei metaphysischen Sinne entwickeln sich um so stärker, je mehr der Mensch seine als »Verstehen« bekannte Geisteskraft entfaltet. (Siehe die Kapitel über die Entwicklung von telepathischen und intuitiven Kräften in meinem Buch

»Die dynamischen Gesetze des Reichtums«.*)

Die als »Verstehen« bekannte Geisteskraft nimmt zusammen mit ihrer Zwillingsgeisteskraft, dem Willen, ein Nervenzentrum im Vorderhirn ein (siehe Figur 8.1). Die Geisteskräfte von Willen und Verstehen sollen zusammenarbeiten und zwar so, daß das Verstehen den Willen führt und nicht umgekehrt.

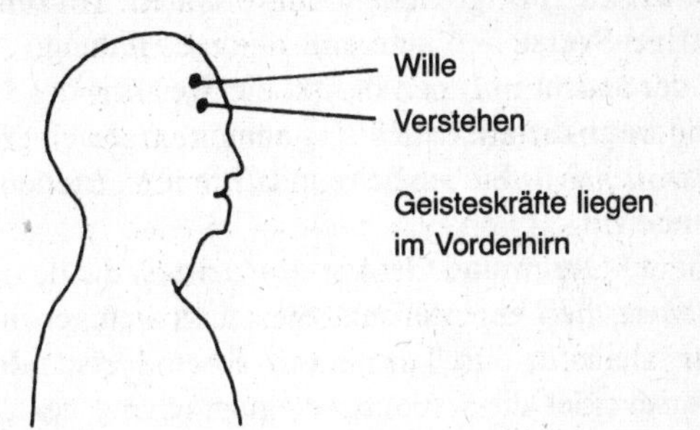

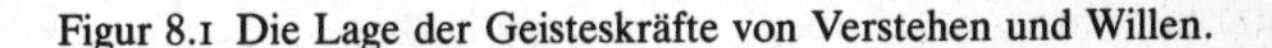

Figur 8.1 Die Lage der Geisteskräfte von Verstehen und Willen.

Die Geisteskraft des Verstehens wird durch den Jünger Thomas dargestellt, der der Zweifler genannt wurde, weil er alles erst genau untersuchte. Die Geisteskraft des Willens wird durch Jesu Jünger Matthäus dargestellt, den Steuereinnehmer. Der Wille ist eine der ausführenden Geisteskräfte, die Arbeiten in einer äußeren Art und Weise, oft durch hastiges Tun, erledigt zu haben wünscht. Es kann einer nur klug handeln, wenn er weise durch intuitives Verstehen geführt wird. Ihre Zwillingsgeisteskräfte Verstehen und Wille sollen vom Vorderhirn aus wirken, wobei das Verstehen den Willen führt.

Verstehen drückt sich durch intuitives Wissen aus, der »stillen leisen Stimme« im Menschen, die sich oft durch die wahrnehmende Geisteskraft äußert. Sie »sehen« mit Ihrem Verstehen. Sie werden durch das intuitive innere Wissen erleuchtet.

* Goldmann Verlag (11879)

Eine Frau kam wegen eines Rates zu mir und behauptete, nur ein einziges Problem zu haben. Doch während sie sprach, erfuhr ich auf telepathischem Wege: diese Frau ist Alkoholikerin. Das ist ihr eigentliches Problem. Nur wenn sie davon geheilt wird, werden sich ihre anderen Probleme von selbst lösen. Sechs Wochen später gestand sie mir, daß der Alkohol ihr wahres Problem sei, doch sie hatte bereits die ganze Zeit über hierfür eine geistige Behandlung erhalten. Mit zunehmendem geistigen Verstehen kam vollständige Heilung.

Das innere Licht in Ihnen besitzt die Weisheit der Jahrhunderte; und wenn diese Erleuchtung anhebt, sagen Sie: *Ich sehe, was zu tun ist;* d.h. Sie »sehen« mit Ihrem Verstehen. Sehen heißt Verstehen.

Augen und Ohren sind Organe des Geistes, die dem Verstehen des Menschen entsprechen. Sie sehen weniger mit Ihren Augen als vielmehr durch sie gemäß Ihrem Verständnis. Das Ohr unterscheidet die Geräusche entsprechend der geistigen Wahl des inneren Geistes und nimmt das auf, was der Geist mental annimmt, weist aber alles andere zurück.

Gesundheitsprobleme an den Ohren sind oft ein Zeichen dafür, daß jemand aus seiner eigenen Sicht gut und respektabel ist, aber intolerant denen gegenüber, die nicht glauben, daß er so sei. Ohrenschmerzen sind oft ein Zeichen dafür, daß jemand mit Gewalt seinen Willen durchsetzen will. Er läßt es zu, daß seine Geisteskraft des Willens die des Verstehens regiert anstatt umgekehrt. Ein Geist, der auf das feine Empfinden des intuitiven Verstehens eingestimmt ist, der es wagt, den Weisungen der »stillen leisen Stimme« des inneren Verstehens zu lauschen und zu folgen, erneuert Ohren und Augen ununterbrochen.

Die Geisteskraft des Verstehens beeinflußt die Gesundheit des ganzen Körpers, indem sie durch den bewußten Geist vom Vorderhirn her arbeitet

Durch ihre intuitiven Anstöße wird die Geisteskraft des Verstehens ein Kanal, durch den die Energie des Christus-Geistes vom höchsten Teil des Kopfes ihre Überweisheit zuerst zum bewußten Geist in der Stirn und dann zum großen Körpergehirn im Solarplexus fließen läßt. Der Solarplexus wird als Sitz der unbewußten Weisheitsaktivität im Unterleib automatisch durch unseren Gebrauch von Weisheit und Verstehen beeinflußt. Er regelt dann von sich aus die Gesundheitsfunktionen von Magen, Herz und Unterleib.

Die Verbindung Ihrer Füße mit Ihrer Geisteskraft des Verstehens

Die Füße reagieren ganz besonders empfindlich auf unseren Gebrauch der Geisteskraft des Verstehens. Tatsächlich sind nämlich die Fußnerven direkt mit dem Vorderhirn und dem Sitz des Verstehens verbunden. Ein altes Sprichwort sagt: »Des Mannes Schreiten ist des Mannes Schicksal«, was bedeutet, daß die innere Natur eines Menschen oft im gesunden oder kranken Zustand der Füße reflektiert wird. Der ganze Mensch wird von seinen Füßen beeinflußt; denn sie sind die Basis, auf der er steht. Die Füße haben ein sehr feines Empfinden gegenüber dem, was richtig und was falsch ist und reagieren dementsprechend.

Eine Frau, die jahrelang ein Verhältnis mit einem verheirateten Mann hatte, bekam eine mysteriöse Krankheit an den Beinen und Füßen. Sie schmerzten, schwollen an, und schließlich konnte sie überhaupt nicht mehr gehen. Spezialisten und die besten Ärzte einer berühmten Klinik waren ratlos. Sie konnten einfach keine organische Ursache für dieses Problem finden. Was sie nicht wußten, war, daß die Füße metaphysisch »Verstehen« bedeuten. Wenn jemand sich weigert, nach dem

Höchsten und Besten zu leben, obwohl er weiß, hat er mit erstaunlichen Gesundheitsproblemen an Beinen und Füßen zu kämpfen.

Diese Frau, die eine Wahrheitsschülerin war und es besser wußte, sich aber noch immer weigerte, den Ehemann einer anderen Frau freizugeben, litt weiter an dieser erstaunlichen Krankheit. Sie gehorchte mehr ihrem Willen als ihrem Verstehen. Obgleich sie sogar von ihren Freunden gewarnt wurde, daß ihr Eigenwille sie unter Umständen das Leben kosten könnte, weigerte sie sich immer noch, darauf zu hören. Diese Frau könnte auf moralischer Basis eine physische Heilung und geistige Befriedigung erhalten, wenn sie bejahen würde: »Alles läuft im rechten Einklang.« Sie sollte es daraufhin wagen, ihr Leben ganz in Ordnung zu bringen.

Um schlechte Durchblutung und Krämpfe in Beinen und Füßen zu beheben, sollten Sie oft bejahen: *Göttliches Verstehen* und *es werde Licht.*

Bejahungen für größeres Heilungsverstehen

Eine andere junge Frau brauchte Heilung; sie hatte einen schweren Anfall von Rheumatismus in Händen, Armen, Knien und Füßen. Jedes Glied war heftig angeschwollen und verursachte große Schmerzen. Als sie einen geistigen Heiler aufsuchte, wurde ihr bedeutet, daß in einem bitteren und unnachgiebigen Geisteszustand keine Heilkraft sein könnte; sie müßte ihren Geist wandeln, wenn sie ihren Körper wandeln wollte. Zur Reinigung ihres Geisteszustandes bejahte sie: *Die vergebende Liebe Jesu Christi hat mich von der Vergangenheit befreit einschließlich der Wirkungen von in der Vergangenheit begangenen Fehlern. Es gibt in Jesus Christus keine Verurteilung, und so verurteile ich mich selbst auch nicht.* Um ihr Verstehen zu vermehren, erklärte sie: *Ich werde vom Christus-Geist erhoben und getragen. Keine Krankheit kann im Christus-Geist bestehen und somit auch nicht in mir. Der Christus in mir befreit mich, reinigt mich und heilt mich.*

Die Behandlung und Bitte um Erleuchtung wurde Tag für Tag zwei Monate lang fortgesetzt, bis vollständige Heilung eintrat.

Der bewußte Gebrauch des Verstehens strahlt vom Vorderhirn aus und beeinflußt den ganzen Körper, vor allen Dingen die Ohren, Augen und die übrigen fünf Sinne am Kopf; ferner den Bereich des Solarplexus im Unterleib sowie Beine und Füße.

Die Heilkraft des Lichtes

Sie strahlen Ihre Geisteskraft des Verstehens zur Heilung aus, wenn Sie »Licht« bejahen, denn Erleuchtung ist der Ausdruck des Verstehens. Im 16. Jahrhundert erklärte Paracelsus: »Alles, was lebt, lebt im Licht; alles, was existiert, strahlt Licht aus. Alle Dinge empfangen ihr Leben vom Licht, und dieses Licht ist in seiner Wurzel selbst Leben . . . Durch Intuition werden wir in Kontakt mit dem inneren Licht gebracht.«

Wenn sich Ihre Geisteskraft des Verstehens als Licht ausdrückt, hat sie eine ungeheure Heilkraft. Die gefühlsmäßige Aufnahme von Licht ist ausschlaggebend für die Behandlung von bösartigen und krebshaften Geschwülsten. Die allgemein zur Behandlung verwendeten Bestrahlungen, u. a. mit Radium, sind ein Symbol für das innere Licht, für das Heilungslicht des Christus, des Allwissenden. Geisteswissenschaftler berichten, daß im Zentrum jedes Atoms im Menschen Licht ist. In erkrankten Teilen scheint dieses Licht ausgegangen zu sein. Wenn Sie Ihre Geisteskraft des Verstehens darauf richten, wieder Licht in dem betreffenden Körperteil zu sehen, strömen Sie eine Heilkraft aus. Dunkle Gefühle beeinträchtigen dieses Licht. Gedanken von Ungerechtigkeit, Selbstmitleid sowie von Furcht vor Krankheit und Tod decken das Licht in jeder Zelle zu. Kinder werden im allgemeinen als immun gegen Krebs angesehen, weil sie noch nicht von trüben Gefühlen erfüllt sind, die die Zellen verdunkeln und Krankheit verursachen. Krebs ist eine Krankheit, die sich meist erst im späteren Leben zeigt, nachdem man dunkeln, verworrenen, entkräftigenden Gedanken von Unsicherheit, Furcht, Nichtvergessenkönnen, Entmutigung, Unzufriedenheit und Auflehnung Gelegenheit gegeben hat, den menschlichen Geist und Körper zu durchdringen.

Geistige Erleuchtung macht den Körper durchscheinend. So wie der Geist von Licht erfüllt ist, so ist es auch der Körper. Tote Zellen werden eliminiert; Jähzorn, Überempfindlichkeit, Labilität im Emotionalen, Eifersucht, Kritiksucht, Neid und Nachtragen lösen sich in Erleuchtung auf. Röntgenstrahlen zeigen, daß große Unterschiede zwischen den Körpern einzelner menschlicher Wesen bestehen. Die Röntgenaufnahmen vom Herzen zweier junger Männer zeigten bei jedem ein dunkles Objekt in der Brust, das sich in leicht pulsierendem Rhythmus bewegte. Aber das Herz des einen war auf dem Röntgenbild viel klarer als das des anderen. Die Untersuchung ergab, daß der »klar-herzige« Mann ein Wahrheitsschüler war, der ununterbrochen nach größerem Verstehen suchte, während der andere Mann ein übliches weltliches Leben führte. Es ist kaum verwunderlich, daß Salomon riet: »Weisheit ist das Höchste. Daher werde weise; ja, mit all deinem Wesen suche Verstehen ... Nimm ganz fest Unterweisung auf; laß sie nicht fahren; halte sie, denn sie ist dein Leben.« (Sprüche Kapitel 4)

Wie man Licht zur Heilung benutzt

Eine gute Heilbehandlung für kranke Körperteile ist die Bejahung: *Licht, Licht, Licht. Es werde Licht. Das Heilungslicht des Christus-Geistes durchdringt und verdrängt alle Dunkelheit aus meinem Geist und Körper. Ich bin das Licht meiner Welt.*

Ein Geistlicher war mit verschiedenen Mitgliedern seiner Gemeinde Zeuge einer Heilung, während sie im Krankenhaus am Bett eines beliebten Gemeindegliedes standen, das um sein Leben kämpfte. Sie bejahten zusammen: »Du bist des Lichtes Kind, und du wandelst im Licht.« Ihre Lichtvorstellung war der Höhepunkt der Heilung.

Ich umkleide mich sicher mit reinem weißen Licht des Chri-

stus, in das nichts Negatives eindringen, sondern aus dem nur Gutes kommen kann. Das ist eine von Silent Unity besonders gern angewandte Bejahung, die unzählige Menschen geheilt hat.

Wenn Sie oft mit der Bejahung arbeiten »Ich bin das Licht meiner Welt«, können Sie Ihr ganzes Wesen in Licht baden und alle Finsternis auflösen. Licht kann nicht Licht verletzen, Licht wird durch nichts verletzt. Es heilt alles. In der Mitte von diesem Lichtgedanken werden Sie erkennen, daß Sie immun gegen Verletzung sind; daß nicht einer sie je verletzte. Sie vergeben und vergessen jedes Erscheinen von Verletzung und werden sich nun der Möglichkeit bewußt, die Wahrheit dessen zu beweisen.

Intuitives Verstehen heilt

Die höchste Form des Verstehens liegt im Ausdruck Ihrer Intuition. Salomon galt als ein Mann von großer Weisheit und großem Verstehen, da er seinem intuitiven Wissen zu folgen wagte. Das Wort »Intuition« bedeutet »innerer Lehrer«. Wenn Sie dieser leisen, kleinen Stimme des intuitiven Wissens in sich folgen, folgen Sie der höchsten Wissensform, die Sie immer auf Wege zu größerem Guten leiten wird. Auch Sie haben die Weisheit Salomons. Sie ist eine Ihrer Geisteskräfte.

Heilung durch den Gebrauch des intuitiven Verstehens

Eine Dame, die physisch und geistig bereits viel durchgemacht hatte, fürchtete, daß ihr Arzt bei einer Untersuchung womöglich eine unheilbare Krankheit diagnostizieren würde. Sie wußte von der heilenden Kraft, die aus der Geisteserneuerung mit zunehmendem Verstehen erwächst und fühlte sich intuitiv veranlaßt, einige Monate lang ein geistiges Seminar zu besuchen. Sie erzählte niemandem von ihren alarmierenden gesundheitlichen Problemen. Während der ersten Monate ihres

Seminars blieben ihre gesundheitlichen Probleme die gleichen, und sie litt viel unter Schmerzen.

Aber als sie Tag für Tag die Gebetsgottesdienste und geistlichen Vorträge besuchte und mit anderen Leuten sprach, die durch geistliche Seminare und das Erweitern ihres Verstehens Heilungen erlebt hatten, beruhigte sich ihr Geist allmählich, und ein großer Friede senkte sich auf sie herab. Ein zweiter Monat verging im Seminar, und dann wurde sie eines Tages gewahr, daß sie keine Schmerzen mehr hatte; sie wußte nur nicht genau seit wann. Erneuerung des Geistes hatte Erneuerung des Körpers gebracht.

Ein Geschäftsmann, der bereits längere Zeit Blut im Speichel hatte, ging voller Furcht zu einer ärztlichen Untersuchung. Diese ergab, daß er eine als unheilbar erachtete Form von Tuberkulose hatte. Sein Arzt erklärte ihm, daß seine Krankheit durch bestimmte Medikamente aufgehalten, aber nicht geheilt werden könnte. Das bedeutete ein langsames Sterben. Diesem Geschäftsmann wurde klar, daß nur größeres Verstehen sein Leben retten könne. Er überraschte den Arzt mit der Weigerung, die verschiedenen Medikamente einzunehmen, und sagte: »Ich weiß durch Intuition, was zu tun ist. Ich werde in die Wüste gehen. Dort werde ich 30 Tage lang zügig wandern und in Einklang mit Gott leben. Ich werde gesund werden.« Sein Arzt antwortete: »Wenn du in diesem geschwächten Zustand zügig wanderst, wirst du sicherlich sterben.« »Ich werde nicht sterben. Ich werde leben, und zwar in guter Gesundheit und nicht in einem Zustand anhaltender Krankheit.« Am nächsten Tag reiste der Mann in die Wüste. Dort fand er einen geeigneten Platz zu leben, und er wanderte, wie er es sich vorgenommen hatte. Tag für Tag fühlte er sich besser. Innerhalb von 30 Tagen wußte er, daß er geheilt war. Er kehrte in die Stadt und zu seinem Beruf zurück und fühlte sich besser denn je zuvor. Nachdem er 30 Tage lang gefastet hatte, fand er, daß er nicht länger nach Nahrung verlangte, die seiner Gesundheit unzuträglich war. Eine innere Weisheit schien ihm Kenntnis von vielen Dingen zu geben. Er konnte härter als je zuvor arbeiten und schien nach seiner Heilungserfahrung sogar jünger zu werden. Eines Tages traf er auf der Straße seinen Arzt; der sah ihn verdutzt an und meinte: »Ich dachte, du seist schon tot.« Als ihn Freunde nach seinem Geheimnis fragten, war seine Antwort: »Gebet, Fasten und ein Leben in Harmonie mit Gott und den Menschen. Das bringt größeres Verstehen, das zu weiteren Segnungen führt.«

Wie Salomon schrieb: »Glücklich ist der Mensch, der Weisheit findet, der Mensch, der Verstehen erhält ... Sie ist ein Baum des Lebens dem, der sie annimmt; und glücklich ist jeder, der sie festhält.« (Sprüche Kapitel 3)

Ein protestantischer Geistlicher hatte viele Probleme, unter anderen auch ein ernstliches Herzleiden. Ein Freund gab ihm ein Exemplar meines Buches »Die dynamischen Gesetze des Reichtums«*. Er las es und faßte den Entschluß, die darin beschriebenen mentalen und geistigen Gesetze anzuwenden. Er stand also jeden Morgen um halb sechs auf, um erst eine Stunde mit Gebet, Studium und Meditation zuzubringen. Auf diese Weise entwickelte er sein Verstehen in einem viel höheren Grade als je zuvor.

Innerhalb eines Jahres wuchsen die jährlichen Einnahmen von 6000 auf 30 000 Dollar, nachdem er eine bestimmte Kollekte für seine Gemeinde übernommen hatte. Als er zu einer Routineuntersuchung seinen Arzt aufsuchte, stellte dieser fest, daß sein früheres schweres Herzleiden vollkommen verschwunden war. Der Arzt rief aus: »Ich würde es nicht glauben, wenn ich die früheren und jetzigen Röntgenaufnahmen nicht selbst gemacht hätte. Es ist unglaublich, aber deine Röntgenaufnahmen sind klar. Du bist geheilt.« Größeres Verstehen hatte mehr Gesundheit und Reichtum zu diesem Geistlichen gebracht.

Ein Veteran des Zweiten Weltkrieges war gezwungen, wegen einer Tuberkuloseerkrankung ein Veteranenkrankenhaus aufzusuchen, denn sie trat immer wieder auf. Jede nur mögliche Art von Medizin war versucht worden, um eine Heilung herbeizuführen, aber nichts half, bis er sich einer Gebetsgruppe, die

* Goldmann Verlag (11879)

einer der freiwilligen Krankenhaushelfer gegründet hatte, anschloß.

Durch größeres Verstehen, das sich nach und nach durch Gebet und geistige Literatur entfaltete, begann er sich besser zu fühlen. Darauf wurde er gebeten, einer Gruppe von Patienten beizutreten, die eine Versuchsbehandlung mit einer neuen, besonderen Medizin durchmachen sollte. Dieses Mal wirkte die Behandlung, und der Mann konnte ziemlich schnell aus dem Krankenhaus entlassen werden. Doch der Wendepunkt war nur gekommen, nachdem er sein Verstehen entsprechend erhöht hatte.

Die Heilungskraft unseres friedvollen Geisteszustandes

Ihre Geisteskraft des Verstehens, die im Vorderhirn liegt, reagiert besonders gut auf Frieden. Ein friedvoller Geisteszustand ist ein heilender Geisteszustand.

Ein Geschäftsmann hatte jahrelang geraucht, sehr zum Nachteil seines Gesundheitszustandes. Dieser Mann besuchte einen religiösen Vortrag über »Frieden«. Auf dem Nachhauseweg wollte er sich eine Zigarre anstecken; plötzlich wurde ihm klar, daß sich sein Wunsch zu rauchen durch die Empfindung des Friedens, die er durch den Vortrag erhalten hatte, in nichts auflöste. Die Gewohnheit war einfach ausgeblieben. Es gab keine Minute irgendeiner nervösen Unruhe oder emotionalen Störung, er empfand nur große Freiheit und Dankbarkeit. Dieser Mann rauchte nie wieder. Die Erfahrung des Friedens, die die höchste Form des Verstehens ist, hatte ihn geheilt. Eine machtvolle Bejahung für die Freisetzung der bewußten Heilungskraft des Friedens ist: *Der Friede Jesu Christi ist über mich ausgegossen (über diese Lebenslage, diese Diagnose, diese Persönlichkeit), und ich bin (sie ist) geheilt.*

Durch die Kontaktaufnahme und das Freisetzen der Geisteskraft des Verstehens kann der Mensch schnell das vollbringen, was aufgrund der langsamen Entwicklung der menschlichen Persönlichkeit sonst Äonen dauern würde. Verstehen ist höchstes Wissen. Alle die bitteren Erfahrungen, die durch bornierte Unwissenheit kommen, können vermieden werden, wenn Sie sich dafür entscheiden, sich unter den Einfluß göttlichen Verstehens zu stellen.

Sie können unter den Einfluß von solchem Verstehen gelangen und es von sich aus aussenden, wenn Sie »göttliche Intelligenz« bejahen. Dr. Emmet Fox erklärt in seinem Büchlein »Die sieben Hauptaspekte Gottes« (»The Seven Main Aspects of God« by Harper and Row Publishers):

»Um beides für sich in Anspruch zu nehmen, sollten Sie sich selbst behandeln durch Nachdenken über Intelligenz und Weisheit, mindestens zwei- oder dreimal in der Woche.«

Diese Übung wird jegliche Aktivität in Ihrem Leben in ihrer Wirkung steigern. Es gibt sicher einige Dinge, die Sie auf bessere Weise vollbringen könnten, als Sie es zur Zeit tun. Die Demonstration von Intelligenz wird Ihnen solche Dinge zu erkennen geben. Wenn Sie in gewissen Richtungen Zeit verschwenden, wird die Demonstration von Intelligenz Ihnen diese Tatsache klarmachen, und es wird Ihnen ein besserer Weg für Ihr Tun gezeigt werden.

Wenn Dinge in Ihrem Leben nicht richtig zu laufen scheinen, sollten Sie göttliche Intelligenz bejahen. Wenn das Geschäft oder andere Situationen auf einem toten Geleise zu sein scheinen, bejahen Sie Intelligenz. Wenn Sie gegen eine Mauer zu rennen scheinen und kein Ausweg zu finden ist, behandeln Sie sich selbst, indem Sie sich für die Intelligenz aufnahmebereit erklären.

Wenn Sie ein Geschäft mit jemandem abwickeln, der anscheinend sehr dumm oder töricht ist, machen Sie sich klar, daß göttliche Intelligenz auch in ihm am Werke ist; ist er doch ein Gotteskind. Wenn Sie sich göttliche Intelligenz genügend klarmachen, kann es ihm nützen . . . Die Grundeinstellung zur Intelligenz ist sehr wichtig, auch in ihrem Verhältnis zur körperlichen Gesundheit.

Wenn Sie Intelligenz und Verstehen bejahen, rühren Sie das innere Wissen an, das unter dem Namen »intuitives Verstehen« bekannt ist und die höchste Form der Weisheit darstellt. Intuitives Wissen erscheint dann als Gedankenfluß, als ein Inspirationsstoß, als ein Wink oder eine Idee, die in ihren Geist dringen und Ihre Aufmerksamkeit herausfordern.

Nehmen Sie folgendes über intuitives Wissen an: Es wird Sie zu immer größerem Guten führen, vorausgesetzt, daß Sie ihm ruhig und widerstandslos folgen; stellen Sie es nicht in Frage, versuchen Sie es nicht verstandesmäßig durchzuarbeiten, sprechen Sie nicht zu anderen darüber.

Der magische Pfad der intuitiven Weisheit rechtet nicht mit Ihnen. Sie zeigt Ihnen mit ihren Hinweisen den von Ihnen einzuschlagenden Weg und stellt es Ihnen frei, ihn zu gehen oder nicht.

Wenn Sie Ihrem intuitiven Leitstern ruhig und ohne Widerrede folgen, dann sind Sie auf dem magischen Pfad zu Ihrem Guten. Salomon versprach: »Der Mensch, der es wagt, seinem intuitiven Verstehen zu folgen, wird ein langes Leben, Reichtum, Ehre, Gefallen, Seelenfrieden, Gesundheit und Glück haben.« (Sprüche Kapitel 3)

Wenn Sie jedoch Ihre Arbeit unterbrechen, um sie zu zerreden oder über Ihre intuitive Führung zu anderen Menschen sprechen, um möglicherweise ihre Meinung zu hören, sei es Zustimmung oder Ablehnung, werden Sie verwirrt werden und die erhaltene Führung verlieren.

Beinahe jeder Mensch hat einmal diese verborgene Weisheit als intuitives Wissen oder Ur-Inspiration berührt und war erstaunt über ihre Offenbarungen. Sie hilft Ihnen, schnell zur Wahrheit jeglicher Angelegenheit vorzudringen. Wenn Sie zum erstenmal diesen Gedankenfluß entdecken, der vom verstandesmäßigen Denken unabhängig zu sein scheint, mögen Sie über seinen Ursprung erstaunt sein. Aber wenn Sie diesem zarten Geflüster Ihr Ohr leihen, wird es stärker, und Sie merken, daß es seinen Ursprung nicht im Kopf hat. Wie können Sie es entwickeln? Sie können durch die einfache Bejahung »wissen«, alles Nötige über eine Situation oder eine Person, die Ihnen begegnet, erfahren. *Mir wird genau gezeigt, was ich unter allen Umständen und an allen Orten zu tun habe. Ich weiß, was ich wissen muß,* wenn *ich es wissen muß. Ich bin fähig, in diesem Augenblick alles vollkommen zu tun. Ich drücke immer Weisheit und Verstehen aus. Ich treffe schnell die richtigen Entscheidungen.* Soundso oft wissen wir etwas nicht, weil wir sagen, wir wüßten es nicht. Drehen Sie den Gedanken um. Fangen Sie an zu sagen, sie wüßten, was zu tun ist, und Sie werden es tatsächlich wissen.

Wenn Sie einen intuitiven Anstoß erhalten, etwas zu tun oder zu unterlassen, befolgen Sie ihn schnell und in der Stille.

Henry Ford hatte schon die Mitte seines Lebens überschritten, als ihm intuitiv die Idee für das Ford-Automobil kam. Es war eine harte Zeit, bis er genügend Geld in der Hand hatte, um das Experiment zu finanzieren und das Auto zu bauen. Seine Freunde dachten, Fords Idee sei geradezu lächerlich. Sein Vater jammerte, »Henry, warum gabst du eine gute Stellung mit 25 Dollar pro Woche auf, um einer verrückten Idee nachzujagen!« Aber Henry Ford wagte es, der verrückten Eingebung zu folgen, und Sie kennen die glücklichen Ergebnisse. Einige Jahrzehnte vorher sagte der berühmte Wissenschaftler und Arzt Dr. Alexis Carrel: »Genies sind einfach Menschen, die es gewagt haben, auf ihre Intuition zu hören.« Aber wie Henry Ford müssen sie unabhängig von der Meinung anderer sein, um ihr intuitives Verstehen entwickeln zu können.

Je mehr Sie die Kraft der Gedanken studieren, desto vorsichtiger werden Sie mit Ihren Worten umgehen. Sie werden weniger sprechen und mehr denken. Wie oft haben wir schon unser Gutes zerredet! Gibran hat in »The Prophet« (Alfred Knopf Publishers New York) erklärt: »Du sprichst, wenn du aufhörst mit deinen Gedanken in Frieden zu leben . . . und indem du viel über deine Gedanken sprichst, ist die Sache schon halb tot.«

Manchmal sagen die Leute: »Aber ich bin nicht sehr intuitiv. Wie kann ich etwas entwickeln, was ich anscheinend gar nicht habe?«

Jeder hat intuitive Weisheit in sich. Im allgemeinen sind die Leute, die sagen, sie hätten sie nicht, einfach diejenigen, die nicht genügend und noch nicht lange genug still geworden sind, um ihre Führungen zu vernehmen. Wenn sie es fertig brächten, nicht soviel zu reden und mehr in sich hineinzuhorchen, würde die stille, sanfte Stimme des intuitiven Verstehens auch in ihnen lebendig werden.

Intuitives Verstehen wird in der Stille lebendig

Das ist der Grund, warum das Verweilen im Gebet, in Meditation und Inspiration so gewaltig erfrischend und belehrend sein kann.

Ein Ingenieur in einer leitenden Stellung eines führenden amerikanischen Industrieunternehmens erzählte mir einst, daß er alle seine beruflichen Probleme durch Intuition löse. Sobald sich irgendein Problem im Dienst ergab, das er nicht zu handhaben wußte, setzte er sich still in sein Büro, um auf eine Idee oder einen Hinweis zu warten. Immer würde ihm gezeigt, was zu tun sei. Allein durch das Horchen auf die Intuition und dem Folgeleisten sei er von Erfolg zu Erfolg aufgestiegen.

Die meisten großen Geister aller Jahrhunderte wurden dadurch groß, daß sie es wagten, der Führung ihrer inneren Stimme zu folgen. Als Albert Einstein gefragt wurde, was denn sein Geheimnis bei der Entwicklung seiner berühmten Relativitätstheorie gewesen sei, antwortete er: »Der wirklich wertvolle Faktor war Intuition.«

Intuition ist eine Form von kosmischem Wissen. Intuitiv zu leben bedeutet, in vier Dimensionen zu leben; eine der größten Gaben im menschlichen Leben. Wenn Sie göttliche Weisheit, Verstehen, Klugheit, Intuition bejahen, wird der Sitz des Verstehens in Ihrem Vorderhirn angeregt und ein Kontakt mit der Einflußsphäre der Superintelligenz des Christus-Geistes im Scheitel des Kopfes hergestellt. Da dieser Bereich Kontakt mit dem Wissen des Universums hat, dringen Sie damit in das Wissen der Jahrhunderte ein. (Über die Entwicklung der Ja-

und Nein-Phasen Ihrer Intuition erfahren Sie in meinem Buch »Die dynamischen Gesetze des Reichtums«.*)

Fälle von Geisteskrankheiten durch intuitives Verstehen geheilt

Es zahlt sich aus, für das intuitive Verstehen anderer Leute zu beten, besonders, wenn sie Schwierigkeiten mit ihrer geistigen Gesundheit haben. Ein Vater, dessen einziger Sohn an Kleptomanie litt, wandte sich, voll Scham, Enttäuschung und Furcht, was sein Sohn sonst noch tun möchte, zum Beten. Er bat Gott, seinen eigenen Geist zu erleuchten, ihm Verstehen und Weisheit in Hinsicht auf seinen Sohn zu geben.

Als er Gott alles über den schlechten geistigen Zustand seines Sohnes, seine Unlenkbarkeit, seine Gewohnheit, Dinge zu stehlen, erzählte, wurde es ihm klar, er solle nicht die Substanz seines Gebetes damit vergeuden, seinen Sohn dort einzustufen, wo er ihn nicht haben wollte. Dieser Vater hielt inne in Erstaunen über das Gefühl von Kraft und Freiheit, das mit dieser intuitiven Wahrnehmung über ihn kam, und betete: »Gott segne den Geist meines Sohnes und auch meinen Geist und hilf uns, gerade, klar und wahr zu denken.« Als er die Detektive von der Spur seines Sohnes abrief und sogar über Geschäftsangelegenheiten mit ihm sprechen konnte, erlebte er, wie ein wundervoller, verständiger Strom die Gedanken des Jungen durchpulste. Vater und Sohn wurden schließlich in der Klugheit des intuitiven Verstehens vereint, und allmählich verschwand der falsche Geisteszustand.

Eine wütende Frau ging zu einer geistigen Beraterin und begann eine Tirade über die Grausamkeit ihres Mannes. Sie sagte, er dächte die gemeinsten Dinge, er hätte den argwöhnischsten Geist und gebrauchte die unsittlichsten Ausdrücke. Sie sagte, sie würde ihn verlassen, wenn geistige Methoden nicht sofort helfen könnten.

* Goldmann Verlag (11879)

Schweigend schrieb die Beraterin auf die Rückseite der Terminkarte: »Gott hat Deinen Geist mit Licht, Liebe und intuitivem Verstehen gesegnet. Durch Deinen Geist segnet er jetzt den Geist Deines Mannes mit Licht, Liebe und intuitivem Verstehen.« Sie bat die Frau, ruhig zu sitzen und die Worte zu wiederholen: »Gott hat meinen Geist und den meines Mannes mit Licht, Liebe und intuitivem Verstehen gesegnet.« Als die Beraterin einige Minuten später zurückkehrte, war die Frau weggegangen. Mehrere Monate später kam sie wieder und brachte ihren Mann mit. Lachend erklärte sie: »Mein Mann sagt, er hätte niemals solch eine Änderung an einer Frau erlebt, und ich weiß, es kommt daher, daß Gott unseren Geist, unsere Herzen und unser Heim mit Licht, Liebe und intuitivem Verstehen gesegnet hat.«

Hunderte von Menschen, die sich niemals klargemacht haben, was ihre eigenen intuitiven Gedanken und Gebete für andere vollbringen könnten, würden erstaunt sein, wenn sie all die Leute sehen könnten, die aus Hospitälern entlassen, von Rückenmarksleiden befreit, von verwirrtem Geisteszustand geheilt, im Geist erneuert und zu völlig normaler Geisteskraft zurückgeführt wurden.

Anstatt jemanden zu verdammen, ihn einen Narren zu schimpfen, unreif, verrückt oder irre zu nennen, sollten Sie erklären: *Gott hat Deinen Geist mit Licht, Liebe und intuitivem Verstehen gesegnet. Du weißt zu jeder Zeit und überall, was zu denken, zu sagen und zu tun ist. Du drückst jetzt vollkommen Dein intuitives Verstehen aus.*

Wie eine Heilung durch Verstehen vor sich geht

Eine neue Flut von Leben kommt zu denen, die ihren Geist und Körper dem Verstehen öffnen. Sie erhebt die atomare Schwingung des Organismus über die meist auseinanderstrebenden Gedankenströme der Erde.

Ebbe und Flut des Verstehens erzeugen eine feine Lebenssubstanz, die durch die Nerven fließt und auch durch das Blut strömt. Ihr erhöhtes Verstehen rührt auch die großen Ganglien (Nervenzentren) des Sympathischen Nervensystems an und regelt die Funktion der Atmung, der Zirkulation und der Verdauung sowie auch der kleineren Nervenzentren um Herz und Magen. Dieses Nervensystem läßt Sie sich froher und gesünder fühlen, sobald Sie Ihre Geisteskraft des Verstehens entwickeln. Das Gehirn-Rückenmark-System, das aus dem Gehirn und dem Rückenmark besteht und sich in die einzelnen Körperteile verzweigt, besonders in die Bewegungszentren hinein, reagiert ebenfalls auf Ihr erhöhtes Verstehen. Die Entwicklung Ihrer Geisteskraft des Verstehens ist eine der am weitesten fortgeschrittenen metaphysischen Entwicklungen, die Sie überhaupt vollziehen können. Sie können durch Ihr erhöhtes Verstehen Ihren Körper heilen und Ihr ganzes Leben revolutionieren. Wenn Sie erst einmal gelernt haben, Ihr intuitives Verstehen zu handhaben und zu gebrauchen, werden Sie niemals mehr zu der alten Ja- und Neinmethode des verstandesmäßigen Kombinierens, der Logik und der Willenskraft zurückkehren; genausowenig wie einer, der die Elektrizität zu handhaben und zu gebrauchen gelernt hat, zu Kohle, Öl und den alten Lebensweisen zurückkehrt. Intuitives Verstehen schafft wundervolle Lösungen für jegliches Dilemma.

Zu diesem Zweck sollten Sie Ihre Aufmerksamkeit im Vorderhirn konzentrieren und sich schweigend in Gedanken entspannen: *Sei still und wisse, daß ich Gott bin. Ich bin das Licht von meiner Welt.* Denken Sie dann, wie das Licht Ihren ganzen Körper und alle Ihre Angelegenheiten durchdringt und durchbricht. In diesem Licht ist erhöhte Energie, Führung und Heilkraft.

Vom Scheitel Ihres Hauptes bis zu den Zehenspitzen waschen Sie Ihren Körper mit dem Gedanken von Licht und Erleuchtung. Dann folgen Sie mit Ihrem intuitiven Verstehen nach, das erscheint, wenn Sie oft bejahen: *Ich bin intuitives Verstehen. In mir ist die Weisheit der Jahrhunderte. Der Geist, der »weiß wie«, zeigte es mir jetzt. Der Geist, der »weiß wo«, führt mich dorthin. Der Geist, der »weiß wann«, wird mir sagen wann!*

Zusammenfassung

1) Die Geisteskraft, die als »Verstehen« bekannt ist, liegt im Vorderhirn gerade über den Augen. Und das Vorderhirn wird als eines der wichtigsten Organe der menschlichen Intelligenz angesehen.
2) Die Geisteskraft des Verstehens beeinflußt die Gesundheit des ganzen Körpers, wenn sie durch den bewußten Geist vom Vorderhirn her arbeitet.
3) Ihre Geisteskraft des Verstehens, die im Vorderhirn liegt, reagiert besonders auf Gedanken von Licht und Friede. Der Gedanke des Lichts wirft Krankheit hinaus, und ein friedvoller Geisteszustand ist ein heilender Geisteszustand.
4) Ihre Geisteskraft des Verstehens arbeitet oft durch Intuition, die, wenn sie wohl gehütet wird, zur Heilung führt.
5) Durch das Entwickeln von »Verstehen« können Sie auf schnelle Weise all das fertig bringen, was Äonen brauchen würde, wenn die nur langsam wachsende Persönlichkeit des Menschen es schaffen müßte.
6) Alle die bitteren Lektionen des Lebens, die durch mißgeleitetes Unwissen kommen, können vermieden werden, wenn Sie oft erklären, daß Sie unter dem Einfluß göttlichen Verstehens geborgen sind.
7) Beim Entwickeln Ihres intuitiven Verstehens müssen Sie unabhängig von der Meinung anderer Leute sein; Sie müssen auf die leise Stimme der Weisheit in sich horchen.
8) Intuitives Verstehen wird in der Stille lebendig.
9) Das Wachsen Ihrer Geisteskraft des Verstehens ist eine der am weitesten fortgeschrittenen metaphysischen Entwicklungen, die Sie überhaupt vollbringen können. Sie können Ihren Körper heilen und Ihr ganzes Leben durch erhöhtes Verstehen umstellen.

9. Kapitel

Ihre Heilkraft des Willens

Ein geistiger Berater wurde zu einem kleinen Kind gerufen, das im Koma lag und so schwach war, daß sein Puls kaum noch zu fühlen war. Mehrere hinzugezogene Ärzte tippten auf einen Gehirntumor; eine Operation wäre die einzige Möglichkeit, das Kind am Leben zu erhalten. Seine Mutter glaubte jedoch, daß in seinem geschwächten Zustand eine Operation tödlich verlaufen würde. So rief sie den geistigen Berater.

Dieser geistige Berater wollte unbedingt die Ereignisse wissen, die zu dieser plötzlichen Krankheit geführt hatten. Die Tatsachen waren folgende: Einige Tage zuvor war das kleine Mädchen atemlos, jubelnd, aufgeregt zu seiner Mutter gelaufen, weil sie von ihren Freunden zu einer Party eingeladen war.

Aber seine Mutter sagte scharf: »Du gehst nicht.«

»Ich muß gehen«, erklärte das Mädchen. »Ich sagte, daß ich käme. Ich versprach es. Sie warten auf mich.«

»Du kannst nicht gehen.«

»Ich gehe.«

»Du gehst nicht. Ich bin deine Mutter, und ich sage, du gehst nicht – und du tust es auch nicht.«

Unsicher fragte das Mädchen: »Warum nicht?«

»Das geht dich nichts an; du kannst nicht gehen.«

Das kleine Mädchen blieb bei seinem Vorsatz, bis es sich in einen Nervenzusammenbruch hineingesteigert hatte; es warf sich auf den Boden, schrie und schlug um sich. Aber die Mutter blieb bei ihrem Nein. Da der Wille der Mutter stärker war, wurde das Kind geistig bis zur Gefühlslosigkeit geschlagen.

Später stellte sich heraus, daß es keinen Tumor hatte. Das Leiden war ganz und gar emotional bedingt. Physisch gesehen hatten sich die Rückgratsmuskeln zwischen den Schultern krampfartig zusammengezogen. Die Muskeln, die zum oberen Rückenmark gehören, waren spastisch verkrampft, und das hatte für einige Zeit die Blutzufuhr zum Gehirn gehemmt. Das Kind wurde in einen Spannungszustand der streitenden Willensäußerungen hineingeworfen. Da war Krieg auf dem geistigen Schlachtfeld, und das Kind wurde in seinem natürlichen Widerstand gegen einen unerklärbaren harten Willen durch die Spannung in seinem Geiste gelähmt. Durch gesprochene, aufmunternde Worte, die den Willen entspannten, wurde das Kind wieder gesund.

Der Sitz des Willens

Eine alte metaphysische Lehre sagt: Der Wille ist der Mensch. Der Wille ist der Brennpunkt, um den alle Geistestätigkeit kreist, wenn der Geist harmonisch ist. Philosophenschulen aus alter Zeit haben gelehrt, daß der Wille und das Verstehen Geisteskräfte sind, die nahe miteinander verwandt sind. Wenn der Mensch mit seinem Willen schwer arbeitet, zieht er seine Augenbrauen zusammen und sein schnelles Verstehen läßt seine Augen »strahlen«. Die nahe verwandten Geisteskräfte »Verstehen« und »Wille« sollten von einem Menschen, der seine Gesundheit wieder zu erhalten sucht, frei entfaltet werden. Diese Geisteskräfte haben das Vermögen, die Verbindung mit der verborgenen Vitalität im Organismus herzustellen.

Die Idee der Energie ist oft mit der Willenskraft in Verbindung gebracht worden. Ihre Geisteskraft des Willens liegt an der Stirn im Vorderhirn, gerade über der Geisteskraft des Verstehens. Ihre Lage ist wichtig (siehe Figur 9.1). Das Verstehen und der Wille sind Zwillingsgeisteskräfte, denn sie arbeiten zusammen, wobei das Verstehen den Willen leitet, obgleich es im allgemeinen umgekehrt ist. Meist versucht der Wille, das intuitive Verstehen des Menschen zu beherrschen und es dazu zu zwingen, was er schnell und gewaltsam getan zu haben wünscht; es sollte aber umgekehrt sein. Der Wille sollte auf die

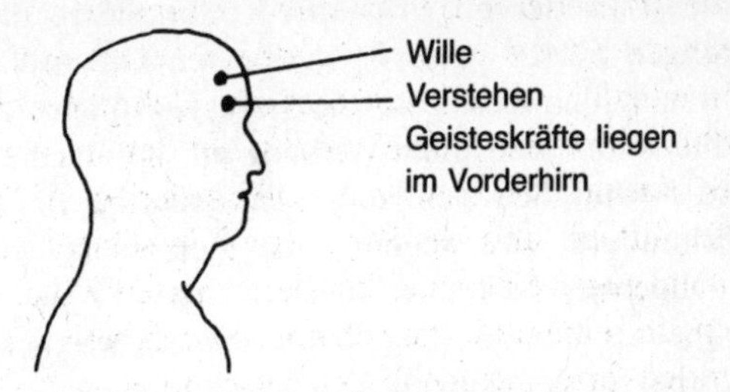

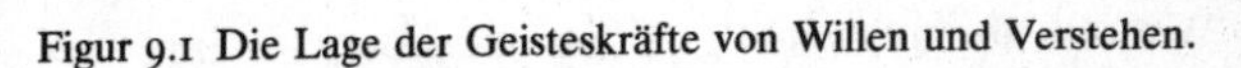
Figur 9.1 Die Lage der Geisteskräfte von Willen und Verstehen.

stille intuitive Führung des Menschen hören und ihr gehorchen. Meist ist es jedoch so: Wenn eine intuitive Führung zu Ihnen kommt – wenn Sie so eine blitzartige Erleuchtung von innerem Wissen haben –, will Ihr Wille nur selten dieser Führung folgen. Oft versucht er sogar, Sie zu überstimmen. Er bemüht sich, sein eigenes logisches Denken in der Angelegenheit schnell durchzusetzen.

Wenn Sie auf Ihren Willen mit all seinen logischen Beweggründen, die er schnell realisiert zu haben wünscht, hörten, wurden Sie oft verwirrt und machten Fehler, die Sie teuer zu stehen kamen. Wenn Sie nicht Ihrem intuitiven Verstehen folgten, wurden Sie verwirrt und machten Fehler. Später sahen Sie ein, daß Ihre Intuition immer richtig war, und daß Sie Ihrer stillen Weisheit hätten folgen sollen, anstatt Ihrem lauten, verlangenden, gewaltsamen, menschlichen Willen, dessen logische Argumente nichts taugten.

Es gibt eine Warnung, die eigenwillige Menschen charakterisiert: »Stürze dich in eine Unternehmung, bis du deswegen genügend Sorgen hast, so daß du alles hinwirfst.« (Hurry, worry, bury: Eile, sorge und begrabe.)

Nicht, daß da irgend etwas nicht richtig mit Ihrem Willen ist. Ihr Wille ist wundervoll. Er ist Ihre Rettungsleine; das geht aus Äußerungen hervor wie: »Er verlor den Lebenswillen.« »Er verlor den Willen zu siegen (die Siegesgewißheit).« Bezüglich der Willenskraft und ihrer Wirkung auf den eigenen Körper erklärte Arthur Schopenhauer, der deutsche Philosoph des 18. Jahrhunderts, der wegen seiner metaphysischen Willensdoktrin hochberühmt war: »Mein Körper ist die Verwirklichung meines Willens. Der Wille ist mein wirkliches Selbst. Der Körper ist der Ausdruck des Willens.«

Ihr Wille ist überaus wichtig. Er ist notwendig für Ihre Gesundheit, Ihren Reichtum, Ihr Glück. Aber dieser Wille muß seine Grenzen kennen. Er muß mit intuitivem Verstehen gepaart werden. Ihr Wille muß geschult werden, Ihren intuitiven Führungen zu folgen, anstatt sich ihnen zu widersetzen. Nur dann haben Sie wirklich den »siegreichen« Willen. Sobald das intuitive Verstehen des Menschen zu geistiger Erleuchtung aktiviert wird und sobald der Wille geübt ist, den Weisungen der Intuition zu folgen, ist der Mensch fähig, seinen Willen in den universalen Willen einzuordnen. Dann werden alle Versprechen Gottes automatisch ein Teil seines Lebens.

Verstehen ist ein inneres Erkennen, jedoch geschieht es durch den Willen, daß sich alles im Innern Erkannte als glücklicher Erfolg im äußeren Leben des Menschen ausdrückt und manifestiert. Durch das Verstehen wird der Wille geschult und geübt. Die zwei müssen einträchtig für eine vollkommene Lebensentwicklung und vollkommene physische und geistige Gesundheit zusammenarbeiten. Wenn der Wille ohne Verstehen arbeitet, entstehen chaotische Zustände in Geist, Körper und sonstigen menschlichen Bereichen.

Der Wille, der allein auf eine eigensüchtige Art ohne die Gaben der Zwillingsgeisteskraft von intuitivem Verstehen arbeitet, hat durch das Unterbewußtsein schon viele Gesundheitsprobleme im menschlichen Geist und Körper hervorgerufen. Sobald der Wille beginnt, seine Kräfte mit intuitivem

Verstehen zu vereinen, können diese Gesundheitsprobleme gelöst werden.

Gesundheitsprobleme, die durch Eigenwilligkeit entstehen

Wenn dem Willen gestattet wird, nach eigener Willkür zu arbeiten, wird der Mensch leicht erregbar und eigensinnig. Diese Geisteszustände führen zu allen möglichen körperlichen Störungen. Eigenwilligkeit erzeugt Verspannungen, und ein verspannter Geist wiederum verursacht im ganzen Organismus Nervenknoten, Muskelverdickungen und Bänderzerrungen. Eigenwillige Leute klagen oft über ein Gefühl, als wäre ein starkes Band um ihren Kopf gepreßt. Dieses Gefühl hat seinen Ursprung im Druck der Gedanken, die die Geisteskraft des Willens im Vorderhirn festhält und an den jeweiligen Körperteil anklammert.

Jedes Körperorgan wird von der Willenstätigkeit beeinflußt. Wenn sich diese Geisteskraft in bestimmtem Verhalten verkrampft, hält sie den gesamten Körper an dieses Verhalten gekettet, so als ob der Körper in einem Schraubstock wäre. Auskristallisierte, feste Geisteszustände verursachen auskristallisierte, verfestigte Gesundheitsprobleme im Körper. Der Solarplexus im Unterleibsbereich des Körpers ist ein Gehirn- und Nervenzentrum. Er regelt die Zirkulation, Verdauung und Assimilation. Durch diesen Plexus-Bereich werden die führenden Gedanken vom Kopf in den Körper getragen, wobei die Geisteskraft des Willens diese Arbeit vollbringt. Irgendwelche harten, beherrschenden, eigenwilligen Geisteszustände verhärten das Herz. Diese gewalttätigen Geisteszustände wirken durch den Solarplexus und richten Begrenzungen im ganzen Körper auf. Verhärtete Arterien sind ebenfalls oft das Ergebnis von harten, eigenwilligen Gedanken. »Wir bedürfen keines geringeren Willens, wir bedürfen nur eines besseren Verstehens, um ihn zu lenken.« Uneinsichtige, eigenwillige, widerstrebende, zerstörerische Geisteszustände verstopfen den Fluß des Lebens und sind häufig die Einleitung zu Blutandrang und

Krämpfen. Der Wille fordert häufig die Organe über ihre normale Leistungsfähigkeit hinaus; überanstrengte Nerven und Muskeln, verminderte Seh- und Hörfähigkeit sind die Folge. Taube Leute sollten auf die Befreiung von Uneinsichtigkeit hin behandelt werden.

Die Entschlossenheit, ohne Rücksicht auf die Rechte anderer seinen Willen durchzusetzen, löst häufig eine Tendenz aus, die freie Tätigkeit des Herzens zu unterbinden. Der Magen wird gleichfalls beeinflußt. Leute mit derartigen Gesundheitsproblemen machen sich selten klar, daß es ihr eigenes störrisches Beharren ist, das ihre Gesundheit zerstört. Sie nehmen mitunter nur langsam das intuitive Verstehen an, daß man die Fehler ablegen muß, die man durch seinen arroganten Willen verursacht hat.

Eine übertriebene Vorstellung von ihrer eigenen Wichtigkeit hat ihren Willen verblendet und gegenüber der Zwillingskraft des intuitiven Verstehens taub gemacht. Leute, die eigenwillig auf ihren persönlichen Rechten bestehen, begeben sich in geistige, gefühlsmäßige und körperliche Knechtschaft und verhindern somit ihr geistiges Wachstum. Oft muß ihr Ego erst gekreuzigt werden, bevor sie einwilligen, wieder mit intuitivem Verstehen zu arbeiten, worin ihre einzige Hoffnung auf Heilung besteht.

Da waren ein Mann und eine Frau, die nicht miteinander auskamen. Jeder versuchte, den anderen dazu zu zwingen, nach seiner Pfeife zu tanzen. Keiner wollte dem anderen irgendwelche innere Freiheit geben. Natürlich hatten sie beide ernstliche Probleme mit ihrer Gesundheit. Der Mann verlor Augenlicht und Gehör. Er mußte dicke Brillengläser tragen und konnte trotzdem kaum sehen. Auch mehrere Augenoperationen brachten keine Besserung. Er trug das teuerste Hörgerät, das es zu kaufen gab, und konnte dennoch kaum hören. Nach ihren unzähligen Streitereien hatte der Mann oft Herzattacken, wonach er sich ins Krankenhaus zurückzog, um sich dort zu erholen. Das gelang auch, denn dort war er von den Zänkereien seiner Frau frei.

Die Frau hingegen hatte starkes Übergewicht und litt an

Zuckerkrankheit sowie an Herz- und Magenstörungen. Weder sie noch ihr Mann konnten sich normal unterhalten, ohne auf die Fehler des anderen anzuspielen. Einmal rief mich die Frau an: »Sie sind eine von den wenigen Menschen, auf die mein Mann hört. Wenn er das nächste Mal zur Kirche kommt, möchte ich, daß Sie ihm sagen, er solle dies und das und jenes tun.«

Ihr Mann fand schließlich einen Weg, um den dauernden Forderungen seiner Frau aus dem Weg zu gehen. Sobald sie versuchte, ihm zu sagen, was er tun solle, schaltete er sein Hörgerät aus.

Die gleiche Eigenwilligkeit, die dieses Ehepaar krank machte, hielt sie aber auch zusammen. Jeder schwor, er warte auf den Tod des anderen, um allein über ihren gemeinsamen Reichtum verfügen zu können. Eigensinn spannte sie in den Schraubstock desolater Gesundheit.

Wie man Eigenwilligkeit behandelt

Catherine Marshall beschreibt in ihrem Buch »Über uns selbst hinaus« (Beyond ourselves, Carmel N. Y.: Guideposts, Inc.) die Notwendigkeit, sich von Eigenwilligkeit zu befreien, da sie gleichbedeutend ist mit »sein Ego totschlagen«. C. Marshall erklärt auch, wie wichtig das für unsere geistige und mentale Gesundheit ist. Für unser physisches Wohlbefinden ist es ein »Muß«, das Ego totzuschlagen.

Die Heilbehandlung für jede Eigenwilligkeit sollte Bejahungen für geistiges Verstehen enthalten: *Der Wille soll nicht gebrochen, sondern dirigiert und diszipliniert werden. Der Wille kann durch die ständige Verbindung mit dem Verstehen gestärkt werden, intuitives Verstehen belebt ihn und macht ihn aufgeschlossen.* Anstatt zu sagen »Ich weiß nicht, ich verstehe nicht«, sollten Sie erklären: »Ich habe intuitives Verstehen; ich weiß, was zu tun ist, und ich tue es.«

Sie können wissen, einfach dadurch, daß Sie erklären: »Ich weiß es.« Das ist keine eigenwillige Selbstherrlichkeit, sondern ein Anrufen universalen geistigen Wissens. Alsdann unternehmen Sie nichts, so lange, bis Sie eine innere intuitive Zusicherung erhalten haben. Diese Zusicherung ist ein Zeichen dafür, daß Sie eine direkte Verbindung mit dem Geist Gottes oder dem Reiche göttlicher Weisheit erreicht haben. Diese quillt aus dem Scheitel des Kopfes hervor, durchdringt Ihre Geisteskraft von Verstehen und Willen in der Stirn und dann den Bereich des Solarplexus sowie den übrigen Körper. Körper und Geist werden dann durch und durch belebt.

Beobachtet man Eigenwilligkeit bei anderen, ist es ratsam, die Behandlung auf ein Beruhigen des Willens und ein allgemeines Entspannen des ganzen Nervensystems zu richten. Die universale Heilbehandlung für Eigenwilligkeit, wie Jesus sie gab, war: »Nicht mein, sondern dein Wille geschehe.« (Lukas 22, Vers 42) Dieses gefühlsmäßige Überantworten veranlaßt den menschlichen Willen, einzulenken und den begrenzten menschlichen Willen mit dem universalen guten Willen Gottes zu vereinen. Wenn das geschehen ist, tritt Heilung in Geist und Körper ein. Sie können metaphysisch Ihre persönliche Eigenwilligkeit mit der Bejahung behandeln: *Ich entspanne mich, ich löse die Fesseln, ich lasse los und lasse Gott wirken. Ich lasse los und wachse. Ich lasse los und vertraue.* Und Sie können auch andere auf die gleiche Weise behandeln.

Eigenwilligkeit ist mentaler Mord

Wille als Erzeugnis der menschlichen Natur ist oft eine zerstörerische Kraft. Beinahe alle unsere Erziehungssysteme gingen davon aus, den Willen des Kindes zu brechen, um Macht über das Kind zu gewinnen und von ihm Gehorsam zu fordern.

Das Recht der freien Willensausübung wurde dem Menschen von Anbeginn an gegeben. Der Wille soll nicht gebrochen, sondern durch intuitives Verstehen gelenkt werden. Jesus Christus benutzte seine Geisteskräfte niemals negativ. Er lehrte keine Doktrin der Unterwerfung, sondern forderte für sich und seine Nachfolger göttliche Kraft und Autorität bei der Anwendung der Geisteskräfte.

Versuchen Sie niemals, den Willen eines anderen zu ändern oder gar zu brechen, denn das ist mentaler Mord. Die Kraftausübung menschlichen Willens verursacht üblicherweise Rebellion und Reibung. Wenn jemand versucht, seinen Willen einem anderen aufzuzwingen, tut er damit, was er persönlich wünscht, und seine Eigenwilligkeit wirkt auf ihn selbst zurück; und das nicht allein in Form geistiger Verwirrung und emotionaler Störung, sondern ganz allgemein äußert sich dieser Eigensinn in schlechter Gesundheit.

Ein Vater kam mit seinem Sohn ziemlich gut aus, bis dieser in die Entwicklungsjahre kam. Der Vater versuchte nämlich, den Heranwachsenden weiterhin als Kind zu behandeln. In seiner Wut schimpfte er eines Tages: »Notfalls werde ich seinen Willen brechen.«

Der Versuch, den Willen des Sohnes zu brechen, erwies sich als mentaler Mord, jedoch für den Vater. Der Junge hatte nämlich einen Weg gefunden, die Disharmonie abzuwerfen. Aber der Vater bekam Herzbeschwerden und andere gesundheitliche Störungen. Eines Tages starb er nach einem weiteren Ausbruch seiner Eigenwilligkeit. Versuchen Sie niemals, den Willen eines anderen zu brechen, denn das ist mentaler Mord, und der mentale Mord, den Sie begehen, kann sich an Ihnen selbst vollziehen.

Die Gefahren von Hypnose und Spiritismus

Es ist sehr schlecht für einen Menschen, seinen Willen einer anderen Persönlichkeit unterzuordnen. Hypnose, Mesmerismus, auch die Benutzung als Medium beruhen auf der Unterwerfung des Willens einer Person unter den einer anderen. Wer von einem anderen verlangt, sich beeinflussen zu lassen, fordert dessen geistige und körperliche Unterordnung unter seine eigenen Gedanken und Worte von Willen und ausübender Macht. Die Wirkung auf den, der sich unterordnet, ist immer schwächend. Fortgesetzt angewandt, kann sie zu geistiger Verwirrung, ja sogar zu einem völligen Zusammenbruch führen.

Wir sollten aufpassen, nicht in irgendein Heilungssystem zu geraten, das mit der Freiheit kollidiert. Hypnose ist keine wirkliche Heilung (siehe Christian Science Textbuch; Anm. des Übersetzers). Ein System, das den Willen unterdrückt, ist von Grund auf falsch. Die Arbeit des wahren geistigen Heilers besteht darin, aufzuklären und sowohl Ursache als auch Heilmittel vom geistigen Blickpunkt her aufzuzeigen. Alle anderen Methoden helfen nur auf Zeit. Ein Mensch kann einen gelähmten Arm haben, vielleicht hervorgerufen durch eigensüchtiges Verlangen nach Geld; selbst wenn er eine momentane Erleichterung durch bloße mentale Gesundheitssuggestion in der Hypnose finden mag, wird die Heilung niemals von Dauer sein, bis er die Erfolgsgesetze von Substanz verstanden hat und sich ihnen willig angleicht.

Es gibt auch Leute, die behaupten, sie seien als Medium geistig entwickelt. Wenn Sie glauben, sie seien unter der Kontrolle des Willens einer anderen Person, wird Ihr Wille allmählich geschwächt, und Sie können sogar Ihre eigene Beeinflussung durch den Willen vollständig verlieren. Der Wille muß durch dauernde Verbindung mit dem Verstehen gestärkt werden. Während Mesmerismus den Willen schwächt, wirkt geistiges Verstehen belebend und macht den Willen wach und lebenstüchtig.

Eine junge Frau hatte einen sehr starken Willen, den sie noch nicht gelernt hatte, durch Verstehen im Gleichgewicht zu halten. Sie erfuhr von der Kraft der Gedanken und war davon fasziniert. Sie beschloß, ihre Geisteskraft dazu zu benutzen, andere Leute zu veranlassen, ihre Wünsche auszuführen. Obgleich sie einen guten Ehemann und nette Kinder hatte, wünschte sie sich als nächsten Ehemann einen attraktiven Geschäftsmann. Sie drang darauf, immer wieder ihre Geisteskräfte dafür einzusetzen, ihn an sich zu ziehen, und bejahte, er würde um ihre Hand anhalten.

Als sie ihren Willen auf diese Weise durchzusetzen versuchte, war die einzige Reaktion des Mannes Zurückweisung. Es wirkte nun die Eigenwilligkeit, die die Frau zu dem Mann auszusenden versuchte, auf sie selbst zurück.

Sie wurde mental und emotional verwirrt. Schließlich ließ sie sich scheiden und hielt immer noch an ihrem Entschluß fest, diesen Mann zu heiraten, aber es gelang ihr nicht. Je härter sie geistig darauf bestand, desto verwirrter wurde sie. Schließlich mußte sie in eine Nervenklinik eingeliefert werden, während dieser Mann eine andere heiratete. Ihr früherer Mann heiratete ebenfalls wieder, und die Kinder wurden ihm zugesprochen.

Wenn jemand das Gute durch den Willen erzwingen will, tut er sich immer weh; er leidet immer. Unter gewissen Umständen kann jemand zeitweilig erreichen, was er eigenwillig verlangt, aber es wird ihn nicht befriedigen. »Wenn Sie für etwas kämpfen, um es zu bekommen, müssen Sie kämpfen, um es zu behalten.« (Erinnern Sie sich des letzten Satzes.)

Die Wahl der rechten Willensart

Weit verbreitete Unwissenheit und ihre zerstörerischen Einflüsse auf Geist und Körper können durch das gesprochene Wort behoben werden.

Bejahungen, die nur mit dem Kopf gesagt werden, sind von einem Spannungsgefühl begleitet, als wären Bänder um die Stirn geschlungen. Sobald dieser Geisteszustand in das Unterbewußtsein sinkt, spannen sich die Nerven an. Fährt man in dieser Weise fort, entstehen nervöse Verkrampfungen. Die positive Entwicklung der Geisteskraft ist nicht das Werk des Augenblicks. Der Weg führt über tägliche Entspannung, Meditation, Gebet und geistiges Studium. Stille Meditation über den Gedanken »Nicht mein, sondern Dein Wille geschehe«, öffnet den im Vorderhirn liegenden Willen, so daß die Energie und Kraft des Christus-Geistes vom Scheitel des Kopfes her einfließen können. Wenn diese Energien sich im Vorderhirn vereinigen, fließen sie in den ganzen Körper.

Der Wille spielt eine führende Rolle in allen Heilsystemen. Die einfache Aussage »Ich möchte mit Gottes Hilfe gesund sein« konzentriert die Kräfte von Geist und Körper in der zentralen Idee von der Ganzheit des Körpers. Matthäus stellt unter den Jüngern Jesu die Geisteskraft des Willens dar und Thomas die des Verstehens. Matthäus war der Steuereinnehmer, der am Eingangstor saß und den ausführenden Teil der Regierung repräsentierte. Geradeso ist der Wille die ausführende Autorität des Geistes und führt die gebenen Befehle aus. Alle Gedanken, die in das oder von dem Bewußtsein kommen, passieren das Tor desselben, in dem der Wille seinen Sitz hat. Wenn der Wille seine Aufgabe versteht, werden Wert und Charakter eines jeden Gedanken geprüft, und ein gewisser Tribut muß zum Wohle des ganzen Menschen entrichtet werden.

Das Wort »Wille« bedeutet »Zweck, Wahl, Bestimmung«. Was Sie wählen, das wollen Sie. Alle Dinge können »nach Wahl« getan werden. Machen Sie die große Bewußtseinsaktion Ihres Geistes nach Ihrer freien Wahl. Wenn Sie Leben und Gesundheit wählen, dann wünschen Sie sich selbst zurück zu Leben und Gesundheit. Ihr Wille zur Gesundheit ist eine starke Kraftkomponente, um Gesundheit zu erzeugen. Der Wille ist der Baumeister des Körpers.

Viele Menschen »wollen« und erreichen unwissentlich für sich genau das Gegenteil von dem, was sie wünschen: desolate Gesundheit, finanzielle Enge und Familienprobleme. Sie »wollen« und erreichen aber Leben und Gesundheit tatsächlich, sobald sie sich entschließen, die richtige Wahl zu treffen, nämlich darüber nachzudenken, zu sprechen und den richtigen Dingen ihre Aufmerksamkeit zu schenken.

Gute Gesundheit ist Gottes Wille für Sie

Manche Krankheiten reagieren nicht gleich auf die Behandlung »Nicht mein, sondern Dein Wille geschehe«, weil der Glaube sich im Geist des Patienten festgesetzt hat, daß Gottes Wille Leiden sei. Aber Gottes Wille für seine ganze Schöpfung ist nur gut. Wenn sich der Patient das überlegt, dann können sich Geist und Körper harmonisieren, und das ist der vollkommene Wille Gottes.

Sich dem Willen Gottes fügen, ist keine negative Handlung. Sie bereitet einfach den Weg, um für unseren tiefsten Wunsch Ausdruck zu finden. Der Wille Gottes ist die offene Tür zur Erfüllung aller unserer Träume.

Wenn Gottes Wille für Sie nicht gute Gesundheit wäre, könnten Sie nicht geheilt werden; Sie könnten unternehmen, was Sie wollten. Ein berühmter Arzt stellte kürzlich fest, daß Patienten mit dem Glauben, Gottes Wille für sie sei Gesundheit, größere Widerstandskraft gegenüber der Krankheit zeigen; sie erholen sich auch schneller als Patienten, die das bezweifeln. Der berühmte Psychologe C. G. Jung sagte: »Ich habe Hunderte von Patienten behandelt, und es war nicht einer, dessen Problem nicht darin bestand, letzten Endes einen religiösen Aspekt im Leben zu finden.« Wenn der Mensch sich mit dem Willen Gottes verbindet, entwickelt er eine höhere Fähigkeit, die Dinge auszuführen. Mit großer Geschwindigkeit fördert er eine geistige Kraft zu Tage, die Jahrhunderte brauchen würde, hervorzukommen, wenn er allein auf das langsame Wirken seines menschlichen Bewußtseins angewiesen wäre. Die Entwicklung höherer Geisteskräfte führt den Menschen immer zur Erfüllung seiner Träume.

Dr. Emmet Fox sagt in seinem Buch »Die Bergpredigt« (The sermon on the mount): »Orthodox-religiöse Menschen machen oft den Fehler anzunehmen, Gottes Wille für sie beinhalte etwas Langweiliges und wenig Verlockendes, wenn nicht sogar Unliebsames ... In Wahrheit bedeutet Gottes Wille für uns immer größere Freiheit, größeren Selbstausdruck, vermehrte fröhlichere neue Erfahrungen, bessere Gesundheit, größeren Wohlstand, mehr Gelegenheiten, anderen zu helfen, und ein reicheres, ausgefüllteres Leben.«

Wenn Sie arm und krank sind oder Dinge tun sollen, die Sie nicht mögen, wenn Sie sich einsam fühlen oder sich mit Leuten abgeben müssen, die Sie nicht schätzen, können Sie sicher sein, daß Sie nicht Gottes Willen ausdrücken; und solange Sie nicht seinen Willen ausdrücken, erfahren Sie natürlich Disharmonie. Umgekehrt gilt selbstverständlich, daß Sie Harmonie erleben, wenn Sie Seinen Willen ausdrücken. Es ist Gottes Wille, daß wir alle ein gesundes, glückliches Leben führen sollen, voll von frohem Erleben; auch daß wir uns Tag für Tag und Woche für Woche frei und stetig entwickeln sollen, so wie sich auch unsere Lebenswege mehr und mehr entfalten bis hin zu einem vollkommenen Tag.

Wagen Sie es, Gottes Willen für sich anzurufen

Sagen Sie oft zu sich selbst: *Gottes Wille für mich ist das höchste Gut. Gottes Wille für mich ist Gesundheit, Reichtum und Glück. Ich möchte Gottes Willen tun, der die offene Tür zur Erfüllung aller meiner Träume ist. Gottes guter Wille wird jetzt in meinem Leben Wirklichkeit.* Wenn Sie es wagen, in dieser Weise zu denken, öffnen Sie den Weg für das Gute, daß es schnell zum Vorschein kommt, während es sonst Jahrhunderte brauchen würde, um sich in Ihrem Leben zu entfalten.

Wenn Sie versucht sind, andere Leute geistig zu beeinflussen, entspannen Sie Ihren Willen durch das Machtwort: »Ich darf Menschen und Ereignisse nicht zu beeinflussen suchen. Ich entspanne mich, gebe sie frei und überantworte sie dem vollkommenen Willen Gottes.«

Dieser Wille darf nicht zurückgehalten, sondern muß überall bekräftigt werden. Gesundheit in Geist und Körper wird durch das Zusammenwirken der Geisteskraft des Willens und der des Verstehens hervorgerufen. Zu diesem Zweck bejahen Sie oft: *Gott wirkt in mir, das zu wollen und zu tun, was er wünscht, daß ich tun soll; und Gott macht keine Fehler.*

Manche Menschen beten angstvoll: »Wenn Du willst, o Herr, laß es geschehen«, aber verspüren oft keine sichtbaren Ergebnisse. Sie sollten statt dessen eine entschiedene, positive, unverrückbare Haltung einnehmen und sagen: »Ich möchte, daß jetzt Dein Wille in dieser Angelegenheit geschieht.« Das ist eine positive Kraft, die immer dazu führt, daß sich die besten Ergebnisse einstellen. So sagt man: »Was Gott will, erfüllt er auch.«

Wenn Sie den Willen Gottes in Ihrem Leben bejahen, schützen Sie sich vor den eigenwilligen, begrenzten Gedanken anderer Menschen. Solche giftigen Gedanken bringen tatsächlich Krankheit in empfängliche Gemüter, die noch nicht gelernt haben, sich selbst zu schützen.

Ein Geschäftsmann hörte von der Kraft des Willens, die töten oder heilen kann, und erkannte, daß er jahrelang im Winter nur deshalb an Erkältungen gelitten hatte, weil andere Leute von Erkältungen zu dieser Zeit überzeugt waren. Er erkannte, daß er seine Erkältung wegen der kalten Gedanken anderer Leute aufgeschnappt hatte. Sie waren in Form von Kritik und Verurteilung auf ihn gerichtet. Zu allen Steinen, die ihm in den Weg gelegt wurden, begann er »Nein, nein, nein« zu sagen; bald darauf war er von den ihn seit Jahren plagenden Erkältungen befreit.

Sie müssen lernen, die Geistestür gegenüber der negativen Eigenwilligkeit anderer Leute zu schließen. Krebs wird durch bösartige Gedanken erzeugt. Manchmal werden diese bösartigen Gedanken durch einen Dritten auf einen Menschen gerichtet.

Ich hörte von einer lieben kleinen Dame, die finanziell von ihrer Tochter abhängig war. Sie wirkte immer gefällig, hilfsbereit, beschwerdelos. Und doch litt sie an Gesichtskrebs. Nirgends schien eine Ursache für solch eine bösartige Geschwulst zu sein; jedoch ihr geistiger Berater suchte weiter und entdeckte einen Schwiegersohn, der dauernd ärgerliche Gedanken hegte und bissige Worte gegen die Dame richtete. Er regte sich über ihre Anwesenheit in seinem Hause auf, weil sie die Familiengemeinschaft etwas beengte. Mehrere Jahre lang war diese gehässige Emotion seiner Schwiegermutter ins Gesicht geschleudert worden. In ihr wirkte sich das in der bösartigen Krankheit von Gesichtskrebs aus. Heillose Verurteilung erzeugt unheilbare Krankheiten. Folgende Feststellungen können solche Verdammung aufhellen: *Es gibt keine Verdammung in Jesus Christus, und es gibt keine Verdammung in mir. Es gibt keine Verdammung in mir, durch mich und um mich herum. Ich vergebe voll und ganz. Ich löse und lasse los. Ich lasse los und lasse Gott walten. Keines Menschen Wille, sondern allein Gottes Wille geschieht jetzt in Geist und Körper und allen Dingen um mich her.*

Unterschiedliche Meinungen, das Aufeinanderprallen von Argumenten zwischen zwei oder mehr Leuten und allgemeine Eigenwilligkeit können Arthritis erzeugen. Es ist eine der ältesten Krankheiten, die man sogar an Skeletten von Dinosauriern gefunden hat. Alternde Menschen entwickeln oft Arthritis parallel mit ihrem rigiden Benehmen anderen Leuten gegenüber. Geradeso wie Arthritis physisch auf Wärme reagiert, spricht sie metaphysisch auf wärmende Gedanken und Gefühle an. Z. B. folgende: *Es gibt keinen Widerspruch in Gottes Willen zum Guten für seine Kinder; in mir ist kein Konflikt. Ich lasse los und lasse allen Widerspruch fallen, jedes widersprechende Gefühl, jeden Konflikt, jede Versteifung meiner Gedanken, Handlungen und Reaktionen gegenüber meinem Nächsten.*

Viele Gesundheitsprobleme werden unbewußt gelöst, sobald einer aufhört, das Leben anderer Leute beeinflussen zu wollen. F. L. Rawson war Anfang dieses Jahrhunderts ein berühmter Elektroingenieur in England. In der Erwartung, einen Betrug aufzudecken, beschloß er, Geistheilungen zu untersuchen. Statt dessen wurde er so fasziniert von der Geisteskraft des Heilens, daß er selbst ein berühmter Geistheiler wurde.

In seinem Buch »Verstandenes Leben« (Life Understood, London: Society for Spreading the Knowledge of True Prayer) weist er darauf hin, daß Menschen durch ihre eigenen krankhaften Gedanken einen kranken Menschen in seiner Krankheit bestärken können. Warnend machte er klar, daß Verwandte, Freunde und sogar Ärzte und Schwestern die Krankheit des Patienten verschlimmern können, und daß man während einer Krankheit vorsichtig sein sollte, mit wem man verkehrt. Glücklicherweise können Sie durch die Bejahung von Gottes Willen die Krankheitsbilder, die andere Ihnen gegenüber hegen, unschädlich machen.

Ihre Geisteskraft des Verstehens bildet ein ruhiges und beschauliches Element Ihres Charakters. Von ihr lernen Sie, was zu tun ist. Im Gegensatz dazu ist Ihre Geisteskraft des Willens die fleißige mentale Exekutive, die ausführt, was sie unter der Führung Ihres Verstehens empfängt. Ihr Wille regt alle übrigen Geisteskräfte zur Tätigkeit an. Diese Zwillingsgeisteskräfte (Verstehen und Willen) arbeiten zusammen und sind Ihre »Muß«-Heilungskräfte. Sie können sie aktivieren und koordinieren; um glückliche Ergebnisse zu erzielen, bejahen Sie: *Ich entspanne mich und lasse los. Ich entspanne mich und höre auf die Stimme des intuitiven Verstehens, daß sie das Gute für mich entfaltet. Ich willige freudig in den guten Willen Gottes ein.*

Zusammenfassung

1) Die Geisteskraft des Willens liegt in der Stirn im Vorderhirn, gerade oberhalb der Geisteskraft des Verstehens.
2) Verstehen und Wille sind Zwillingskräfte, die zusammenarbeiten, wobei das Verstehen den Willen leiten soll.
3) Wenn der Wille allein in einer starren, unnachgiebigen Art, ohne das Gute der Schwesterkraft des intuitiven Verstehens, arbeitet, werden über das Unterbewußtsein viele Gesundheitsprobleme in Geist und Körper des Menschen induziert.
4) Diese Gesundheitsprobleme können gelöst werden, sobald der Wille beginnt, sich mit den Kräften des intuitiven Verstehens zu verbinden.
5) Jedes Organ des Körpers wird von der Tätigkeit des Willens beeinflußt.
6) Der Wille soll nicht gebrochen, jedoch vom intuitiven Verstehen in Schach gehalten und geleitet werden.
7) Der Versuch, den Willen eines anderen zu brechen, ist geistiger Mord.
8) Wenn ein Mensch versucht, das Gute mit Gewalt zu erzwingen, tut er sich weh und schafft beständige Leiden. *Wofür Sie kämpfen, um es zu bekommen, dafür müssen Sie kämpfen, um es zu behalten.*

9) Die positive Entwicklung der Geisteskraft kann nicht in einem Augenblick vollzogen werden.
10) Zerstörerische Wirkungen auf Geist und Körper können durch das gesprochene Wort neutralisiert werden.
11) Der Wille spielt eine führende Rolle in allen Heilsystemen. Die Feststellung *Ich willige ein, mit Gottes Hilfe gesund zu sein* sammelt die Kräfte von Geist und Körper um die zentrale Idee des »Ganzseins im Körper«; der Wille ist der Baumeister des Körpers.
12) Durch die Bejahung von Gottes Willen in Ihrem Leben schützen Sie sich selbst vor den eigenwilligen Gedanken anderer Leute. Durch die Bejahung von Gottes Willen neutralisieren Sie die krankhaften Bilder, die andere Leute von Ihnen haben mögen.
13) Der Wille setzt all Ihre übrigen Geisteskräfte in Bewegung.

10. Kapitel

Ihre Heilkraft der Ordnung

Eine unglückliche, übergewichtige Frau hatte alle erdenklichen Probleme: sie konnte nicht mit ihrer Familie auskommen; sie konnte sich in keiner Stellung halten; sie konnte nicht abnehmen. Sie besuchte Gebetsgruppen und fragte geistliche Ratgeber – alles anscheinend ohne Erfolg. Als sie eines Tages ziemlich krank im Bett lag, ersuchte sie telefonisch einen Ratgeber, zu ihr zu kommen, um mit ihr zu beten. Als der Ratgeber das Haus betrat, wurde ihm augenblicklich klar, warum niemand bisher dieser kranken, frustrierten Frau helfen konnte. Ihr Haus befand sich in einem Zustand großer Unordnung. Überall verstreut lagen alte Zeitungen, Illustrierte, leere Medizinflaschen, Kleidungsstücke, Haushaltsgegenstände und alle möglichen Scherben.

Hier könnte die verängstigte kranke Frau mit Hiob geheult haben: »Meine Seele ist lebensmüde ... bevor ich gehe, woher ich nicht zurückkehre, ja zum Land der Dunkelheit und der Schatten des Todes; ins Land, da es stockfinster ist und wo keine Ordnung ist ...« (Hiob, Ende des 10. Kapitels)

Als der Berater diesen Zustand der wildesten Unordnung sah, konnte er leicht verstehen, warum diese Frau so viele Probleme hatte. Sie verletzte dauernd das oberste Gesetz des Universums: *Ordnung*. Der Berater erklärte ihr, daß genauso wie Ordnung das erste Gesetz des Himmels ist, es auch das erste Gesetz der Erde ist. Er schlug ihr vor, zur Lösung ihrer Probleme die Heilkraft der Ordnung anzurufen. Sie bejahten zusammen: »Göttliche Ordnung stellt sich jetzt in mir durch die

Kraft des innewohnenden Christus ein. Durch die Kraft des innewohnenden Christus ist göttliche Ordnung nun in meinem Geist, Körper und in meinen Angelegenheiten gegenwärtig. Ich bin in göttlicher Ordnung. Mein Geist ist in göttlicher Ordnung. Mein Körper ist in göttlicher Ordnung. Meine Beziehungen sind in göttlicher Ordnung. Jede Phase meiner Welt ist in göttlicher Ordnung. Göttliche Ordnung heilt mich, bringt mich voran und heilt mich jetzt.«

Als diese verwirrte Seele anfing, göttliche Ordnung anzurufen, klärte sich ihr Geist auf, und ihre Gefühle beruhigten sich. Sie holte sich Hilfe und putzte ihr Haus. Sie warf alle Illustrierten und leeren Medizinflaschen weg, die sie so lange des Aufhebens für wert befunden hatte. Als sie bejahte »Ich lasse abgetragene Dinge sowie überholte Vorbehalte gehen, göttliche Ordnung ist jetzt in mir und meiner Welt aufgerichtet und wird aufrechterhalten«, fing sie bereits an, sich besser zu fühlen. Ihre Familie lebte viel angenehmer in der nun nicht mehr chaotischen Umgebung. Gleich wie der alte König Hiskia (in 2. Könige, 20) brachte sie ihr Haus in Ordnung, anstatt zu sterben, lebte sie. Mit der Zeit verlor sie an Gewicht, fand eine Anstellung und beschritt einen glücklicheren Lebensweg. All das nur, weil sie begonnen hatte, das Heilungsgesetz der Ordnung zu beachten.

Die Lage des Ordnungszentrums im Körper

Ordnung ist eine Ihrer zwölf Geisteskräfte. Sie liegt bei einem großen Nervenzentrum gerade hinter dem Nabel im Bereich des Solarplexus. Vielleicht überrascht es Sie, daß Ordnung zuallererst eine Geisteskraft ist. Wir haben sooft angenommen, sie sei etwas, worüber man hinweggehen könnte. Ironischerweise bedeutet das Wort »Disharmonie«, daß »etwas nicht in Ordnung ist«. Disharmonie in Geist, Körper und persönlichen Angelegenheiten ist ein Anzeichen dafür, daß Sie dringend Ihre Geisteskraft der Ordnung entwickeln müssen. Ordnung nimmt ihren Anfang im »Innern«.

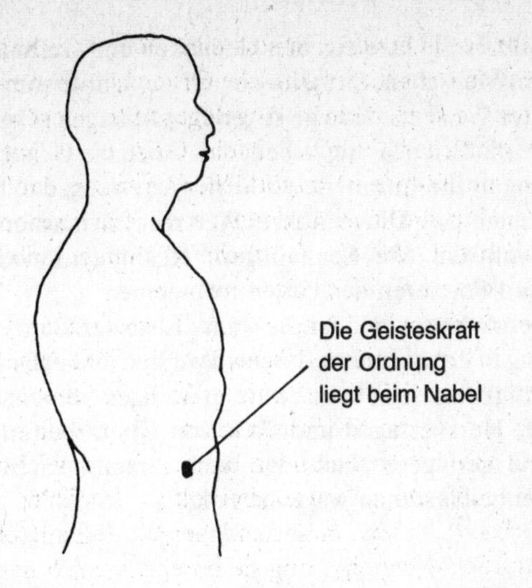

Figur 10.1 Die Lage der Geisteskraft der Ordnung.

Von den JüngernJesu steht Jakobus, der Sohn des Alphäus, symbolisch für die Geisteskraft der Ordnung; denn seine Aufgabe bestand darin, mit den übrigen Jüngern zusammenzuarbeiten. Ordnung aus dem Innern fördert die Zusammenarbeit und bringt die höchste Form der Harmonie zutage. Im Universum hat immer göttliche Ordnung geherrscht, und sie wird auch immer dort sein. Wenn Dinge nicht in göttlicher Ordnung zu sein scheinen, erinnern Sie sich daran, daß im Weltall nie Mangel an Ordnung herrscht, sondern lediglich in Ihrem eigenen Benehmen und Empfinden, was sich vielleicht als Mangel in der Zusammenarbeit mit anderen zeigt.

Wenn Dinge unharmonisch und unordentlich erscheinen, sollten Sie nicht versuchen, sie schleunigst auf eine äußere Art und Weise wieder zurechtzurücken. Sie sollten auch nicht versuchen, andere Leute zu ändern und ordentlicher zu machen. (Dieser Versuch führt meist nur zu noch größerer Unordnung.) Erinnern Sie sich, daß Mangel an Ordnung in Ihnen selbst herrscht. Sobald Sie Ihre eigenen Gedanken und Gefühle ordnen, werden Menschen, Situationen und das Universum selbst in geordneter Weise auf Ihre geistigen Bemühungen reagieren.

Wenn Sie die Erleuchtung haben, daß Ihnen die Geisteskraft der Ordnung in Ihrem Innern zur Verfügung steht, daß Sie sie anrufen können, alle Dinge in Ihrer Welt recht zu machen, wird dieses Bewußtsein alle Spannungen, Reibungen sowie Ihr Drängen und Forcieren des Guten fortnehmen.

Wenn mehr Menschen über die wahre Lage der Geisteskraft der Ordnung in ihrem Innern Bescheid wüßten und daß man sie leicht in Tätigkeit setzen kann, würden weniger Nervenzusammenbrüche, Herzversagen und Fälle von Überarbeitung auftreten. Eine geringere Nachfrage nach Ärzten, Psychiatern oder Nervenheilanstalten wäre die Folge.

Wie Ihr Ordnungszentrum arbeitet

Sobald Sie anfangen, Ihre Geisteskraft der Ordnung aufzurufen und sie in Funktion zu setzen, wird sich alles in Ihrer Welt danach richten. Einige Aspekte Ihres Lebens werden schneller reagieren als die anderen; aber wenn Sie göttliche Ordnung gebieten, wird es jeweils auf seine Weise in jeder Phase Ihrer Welt funktionieren. Sie werden mehr und mehr sehen, wie Harmonie und Ordnung ruhig, ausgeglichen und tiefgreifend zu arbeiten anfangen. Sie werden die Weisheit in der Anordnung des Paulus an die Korinther verstehen: »Lasset aber alles ehrbar und ordentlich zugehen.« (1. Korinther 14, Vers 40)

Daß die Geisteskraft der Ordnung am Nabel (siehe Figur 10.1) in dem gefühlsmäßigen, unterbewußten Teil des Körpers liegt, ist ein Zeichen dafür, daß Ordnung zunächst eine Eigenschaft der Gefühlsempfindung ist. Der Philosoph der Antike Philolaos fühlte, daß der Sitz von Emotionen am Nabel liegt; so empfand es auch die berühmte Frau E. Blavatzky (die Begründerin der Theosophie; der Übersetzer). Der Prophet und Verfechter der Reinkarnationslehre Edgar Cayce nennt dieses Ordnungszentrum mit dem alten Namen »Lyden-Drüse«.

Ordnung wirkt durch Harmonie im Gefühlsmäßigen. Ordnung, die ohne harmonische, gefühlsmäßige Übereinstimmung erreicht wird, ist keine Ordnung. Als Konflikt führt sie nicht zu Ordnung, sondern zu Verwirrung!

Die »perfekte Hausfrau«, die alle Familienmitglieder mit ihrer Ordentlichkeit zur Verzweiflung treibt, ist ein typisches Beispiel für »äußere Ordnung«, die nur zu Verwirrung und Disharmonie führt, weil weder innere Harmonie noch Einfühlungsvermögen dahinterstehen. Solche Leute, die nur dem Namen nach ordnungsliebend sind, haben oft eine schlechte Gesundheit und leiden an den schlimmsten emotionalen Problemen; sie tragen auch zu den Gesundheitsproblemen ihrer Umgebung bei, weil sie kein Verständnis haben für das, was wirklich Ordnung ist.

Scheinbare Ordnung, die durch Disharmonie mehr oder weniger erzwungen wird, verfehlt vollständig ihr Ziel; denn irgend etwas ist gefühls- und stimmungsmäßig nicht im Lot. Äußere Ordnung, die für den Preis von Verstimmung erreicht wird, ist überhaupt keine Ordnung. Sie ist würgende Eigenwilligkeit. Die Verstimmungen und Spannungen, die dadurch zu Hause oder im Geschäft auftreten, vermehren auf unvorstellbare Weise bei allen Beteiligten die Neigung zu Krankheiten.

Es gibt einen Scherz: Die »richtige« Art, Ihren Tag im Büro anzufangen, ist folgende: 1) Ordnen Sie Ihre Gedanken! 2) Rufen Sie Ihre Frau an! 3) Ordnen Sie Ihre Gedanken erneut!

In bezug auf Ordnung ist es immer gut, nach einem Erfolgsplan vorzugehen. Doch sollte bei dessen Ausführung eine gewisse Flexibilität und Entspanntheit vorherrschen, dann wird göttliche Ordnung in ihrer schönsten Weise zum Ausdruck gebracht.

Die Art von Ordnung des einen Menschen führt zu einem wohldurchdachten System, die Akten zu erledigen; das Ordnungsverständnis des anderen führt zum Überhäufen des Schreibtisches mit Bergen von Briefen und Schriftstücken. Einer ist ein Frühaufsteher, ein anderer arbeitet bis spät in die Nacht. Beide arbeiten im Geschäft und sind vielleicht gleichermaßen erfolgreich in ihrem Unternehmen. Wer will über den besten Weg entscheiden und ein Urteil über sie fällen? Jeder muß sein eigenes Ordnungsschema in seinem Leben und in seinen Angelegenheiten entwickeln.

Die wundervollen Ergebnisse göttlicher Ordnung werden in Ihnen Wirklichkeit

Viele physische Unpäßlichkeiten, die jemand im Magen und um den Nabel herum erleidet, haben ihren Ursprung in Disharmonie und Mangel an Ordnung in ihren Gefühlen und ihrem gesamten Leben. Sobald sie göttliche Ordnung bejahen, helfen sie sich, daß sich ihre Gedanken und Angelegenheiten ordnen. Oft tritt die Heilung schnell ein. Wenn Sie Sorgen mit der Gesundheit, den Finanzen, mit der Familie haben oder unter Durcheinander und Ungewißheit leiden, können Sie alles klären, wenn Sie göttliche Ordnung bejahen.

Eine Frau, die sich der Geisteskraft der Ordnung in sich bewußt war und diese auch auf Wunsch freisetzen konnte, brauchte Worte göttlicher Ordnung, um einen verlorenen Schlüssel wiederzufinden, Schmerzen einer mit kochendem Wasser verbrannten Hand zu lindern, bei Glatteis im Wagen Schutz und innere Ruhe zu gewinnen, das Auto mit einer schwachen Batterie zu starten, einem Kind über seinen ersten Schultag hinwegzuhelfen, die passenden Worte zu einem verarmten Freund zu sprechen u. a.

Diese Frau fuhr mit ihrem Mann und ihrem kleinen Sohn eines Tages durch ein Wüstengebiet im südwestlichen Teil der USA, als die Bremsen des Wagens versagten. Der kleine Sohn erklärte sofort mit lauter Stimme »göttliche Ordnung, göttliche Ordnung, göttliche Ordnung«; da schien sich eine Tankstelle aus der Wüste heraus zu »erheben«. Dort fanden sie die nötige Hilfe und erfuhren, daß dies die einzige Tankstelle in einem Umkreis von 50 Meilen (80 km) war.

Ein junges Paar war drauf und dran, sich scheiden zu lassen. Als letzte Rettung versuchten sie, göttliche Ordnung für ihre Ehe zu erklären. Sie verlief daraufhin tatsächlich glücklich.

Die Worte »Göttliche Ordnung« brachten einmal einem Kind, das bewußtlos in Krämpfen und mit hohem Fieber darnieder lag, Heilung. In einem anderen Falle war einer jungen Mutter, die ihr erstes Kind erwartete, erklärt worden, daß eine normale Geburt schwierig sein würde und sie sich auf Komplikationen gefaßt machen müsse. Sie rief »göttliche Ordnung« an, um die Situation zu retten, und erlangte damit völlige Furchtlosigkeit; das Baby wurde heil und vollkommen gesund geboren.

Besondere Anwendung der Geisteskraft der Ordnung

Frauen mit Unterleibsleiden oder Schwangerschaftsbeschwerden sollten dauernd die Geisteskraft der Ordnung am Nabel anrufen, da hier der physische wie auch der mentale und emotionale Sitz dieser Probleme ist. Sobald göttliche Ordnung durch Bejahung freigesetzt ist, strahlt sie ihre gewaltige Kraft zu Ihren übrigen Geisteskräften, die in den elf wichtigen Nervenzentren des Körpers liegen; so werden Gesundheit und Gleichgewicht des Geistes, Gefühlslebens und Körpers wieder angeregt.

Geradeso wie das ungeborene Kind durch das Nervenzentrum am Nabel die Lebensnahrung von der Mutter empfängt, so erhält auch die Seele des Menschen durch die Geisteskraft der Ordnung am Nabel ihre Nahrung. Sie muß nur angeregt werden, um größere Vitalität, Energie und Heilkraft zu fördern.

Ordnung besitzt überwindende Kraft bei Heilungen

Göttliche Ordnung ist weder streng noch bindend; sie drückt sich in Freiheit und Freude aus. Jemand, der nicht in Einklang mit göttlicher Ordnung wirkt, leidet im geistigen und körperlichen Bereich. Er bringt es nicht fertig, geistig zu wachsen. Wenn die Wirkungen der Lebenskräfte in Geist und Körper ohne Ventil im Körper eingeschlossen werden, können sie ihn zerstören. Solche eingeschlossenen Lebenskräfte wirken negativ und brennen Energie ab. Negative Empfindungen hemmen auch den Körper, sich zu erneuern und wieder aufzubauen. Schleppt man irgendwelchen Ärger mit sich herum, werden Gifte im Körper eingeschlossen, und diese Gifte erzeugen wieder neue Gifte.

Welches Heilmittel ist gut dafür? Betonen Sie das Positive, indem Sie nach »göttlicher Ordnung« verlangen. Das scheidet negative Empfindungen in Geist und Körper aus und macht Platz für das Erscheinen wunderbarer Veränderungen.

Zum anderen gräbt die Geisteskraft der Ordnung, die im Unterbewußtsein wirkt, verborgene Talente aus, zeigt latente Kräfte auf und öffnet den Weg für ihr Wirken. Die Geisteskraft der Ordnung koordiniert alle Geisteskräfte, so daß sich neue Geisteseingebungen einstellen und unbehindert Anerkennung im bewußten Geist finden. Ordnung setzt die überwindende Kraft im Menschen frei. Sie können viele Herausforderungen im Leben überwinden, wenn Sie göttliche Ordnung erklären.

Ich begegnete einst einem honorigen Geschäftsmann, der einer der ruhigsten, harmonischsten und friedvollsten Menschen war, den ich je kennenlernte. Er hatte sein Glück gemacht, als er die Kraft der Gedanken studiert hatte, nachdem eine Karriere vollständig fehlgeschlagen war. Ich erkannte bald, daß das Geheimnis seiner dauernden Ausstrahlung von Frieden, feiner Lebensart und Kraft darin zu suchen war, daß er »Göttliche Ordnung« anrief.

Was auch im Leben dieses Mannes oder im Leben der ihn umgebenden Personen geschah, zu allem war sein Gebet »Göttliche Ordnung«. Seine Einstellung gab ihm eine Art Herrschaft und Disziplin in seinem Leben, die die meisten Menschen niemals erreichen. In diesem Geisteszustand schien es für ihn ein leichtes, vorwärts zu gehen und sich an guter Gesundheit, Reichtum und Glück zu erfreuen, wonach andere Leute in wilder, hektischer und fehlgeleiteter Weise suchen.

Die Entwicklung der Geisteskraft der Ordnung wirft Furcht und Verzweiflung, Krankheit und Schwäche über Bord. Gesundheit und Freiheit sind die natürlichen Früchte der Ordnung. Die Bejahung von Ordnung setzt diese frei, um sie in den unterbewußten Körperteilen wirken zu lassen, wo sie das Schwache und Negative ausscheidet. Dann werden Ihre Geisteskräfte aufgerüttelt und zusammengezogen, so daß Seele und Körper erhoben und geheilt werden. Unter den Jüngern Jesu war Jakobus, der Sohn des Alphäus, das Symbol für die Geisteskraft der Ordnung. Seine Aufgabe war, mit den übrigen Jüngern zu kooperieren.

Wenn Sie beschwingt Ihre Geisteskraft der Ordnung entwikkeln, entdecken Sie, daß sie eine Fähigkeit ist, die die Maschinerie von Geist, Körper und persönlichen Belangen vollkommener, wissenschaftlicher, harmonischer und erfahrener bewegt, als der allerbeste Theaterregisseur die Aufführung eines Stückes inszenieren könnte.

Wie beschleunigt man die Heilungsfähigkeit der Ordnung?

Das Zentrum der Ordnung, das im menschlichen Körper beim Nervenzentrum hinter dem Nabel liegt, wird durch Gebet, Meditation und Bejahung belebt. Göttliche Ordnung strahlt dann ihre mächtige Kraft zu den anderen Geisteskräften, so daß diese als Unterstützung dienen und Harmonie und Vollkommenheit das natürliche Ergebnis in Geist, Körper und allen Angelegenheiten des Menschen sind.

Durch die Entwicklung der Geisteskraft der Ordnung wird die Größe von Geist und Körper aufgezeigt. Bejahen Sie, daß Ihr Haus (Ihr Gemütszustand) in Ordnung ist und alle Kräfte Ihres Wesens daran arbeiten, das Gute in Ihrem Leben zu preisen.

Das Gesetz für das geistige und mentale Wachstum ist dauernd in Ihrem geistigen Sein an der Arbeit. Sie werden von allen Ihren Problemen nicht durch ein plötzliches, starkes Überwältigtsein befreit, sondern durch das schrittweise Entfalten von Ordnung in Geist und Körper.

Die Kräfte der göttlichen Intelligenz, die im Christus-Geist am Scheitel des Kopfes liegen, sind so intensiv und stark, daß das äußere Bewußtsein nicht den vollen Strom auf einmal aushalten kann. Wenn diese dynamische Energie in einem Augenblick vom Scheitel des Kopfes in den ganzen Körper gegossen würde, wäre der Strom so stark, daß er den Organismus zerstören würde. Durch das allmähliche, der menschlichen Natur angepaßte Entwickeln wird dieser mächtige Strom nicht nur die Substanz und das Leben Ihres Organismus erhalten, sondern ihn auf natürliche und normale Weise stärken. »Das ist das Werk Ihrer Heilkraft der göttlichen Ordnung, daß sie sich schrittweise, aber stetig zu Ihrem höchsten Guten hin entwickelt.«

Der Mensch ist ein Kraftwerk, das zu jeder Zeit Energie erzeugt und liefert. Wenn man über Ordnung nachdenkt, setzt man diese Energien auf konstruktive Weise frei. Eine Dame besuchte einen Vortrag über »Ordnung« und beschloß, ihre Kraft sofort auszuprobieren. Als ihr Begleiter hustete, bejahte sie schweigend »Göttliche Ordnung«, und der Husten verschwand.

Eine überarbeitete Mutter bekam Diarrhöe. Als sie bejahte, »Göttliche Ordnung« überwiegt jetzt in allen Funktionen und Tätigkeiten, war der Krankheitsanfall innerhalb von 20 Minuten vorbei. Sie stand auf und fuhr fort, in Ruhe ihren Haushalt in »Göttliche Ordnung« zu bringen; es bestand plötzlich keine Notwendigkeit mehr für Angst und Überarbeitung, die sie ganz krank gemacht hatten.

Gute Gesundheit demonstriert »Göttliche Ordnung«

Wenn Sie Gesundheit demonstrieren wollen, müssen Sie Ihr Leben durch die Bejahung von »Göttlicher Ordnung« in die richtigen Bahnen lenken. Denn wenn die mentalen und physischen Aktivitäten nicht geordnet sind, entsteht Disharmonie. Alles muß in die rechte Ordnung gebracht werden. Wenn Sie Heilung und Wohlstand bejahen, aber doch noch immer an unruhigen Gedanken festhalten, wird sich das in Disharmonie und Störungen in Ihrem Körper und in Ihren Angelegenheiten äußern. Der Mangel an ordentlicher Gedankenführung ist oft verantwortlich für viele verzögerte Heilungsprozesse.

Wenn Sie mit der Entwicklung Ihrer Geisteskraft der Ordnung beginnen, werden Sie zu einem neuen Zustand in Ihren Gedanken und Unternehmungen gelangen, und Sie werden herausfinden, daß Sie viele Dinge jetzt anders tun, weil die Geisteskraft der Ordnung, die auch die Welt leitet, nun durch Sie wirkt. Alle Ihre Wege werden sich harmonisieren. Was in Geist, Körper und persönlichen Angelegenheiten nicht in Harmonie war, wird nun leicht zurechtgerückt; denn Sie öffnen in Ihrem Geist den Weg für das Erscheinen der göttlichen Ordnung.

So wie im vorgeburtlichen Zustand Gesetz und Ordnung notwendig sind, um ein gesundes Kind zur Welt zu bringen, so sind Gesetz und Ordnung im menschlichen Geist notwendig, um im Körper Gesundheit herzustellen.

Veränderungen, die Sie mit der dynamischen göttlichen Ordnung erwarten können

Wenn Sie für die Heilung im Körper göttliche Ordnung bejahen, wird sich wahrscheinlich Ihr Essensgeschmack ändern. Sie werden sich die reinsten und besten Lebensmittel wünschen, die ganz speziell für Ihre Gesundheit zuträglich sind. Leute, die Gewicht verlieren oder das Rauchen aufgeben oder das Trinken sein lassen wollen, bejahen göttliche Ordnung. Sie erleben dann, daß »falscher Appetit« verschwindet und damit auch die Gesundheitsprobleme. Solange Sie an den langsamen Verlauf von dem, was Sie »Natur« nennen, glauben, unterwerfen Sie sich dem Gesetz der Langsamkeit. Aber wenn Sie von neuem beginnen und göttliche Ordnung bejahen, werden Sie sich unter einem anderen, höheren Gesetz arbeiten sehen.

Wenn Sie zu Hast neigen, halten Sie inne und erklären göttliche Ordnung. Rasten Sie in geruhsamer Haltung. Es besteht keine Notwendigkeit zur Eile. Sie leben jetzt in der Ewigkeit und werden das auch immer tun. Wenn Sie verwirrt und unschlüssig gewesen sind, stellen Sie sich sofort unter das Gesetz der göttlichen Ordnung, und das gleiche Gesetz, das die Sterne harmonisch kreisen läßt, wird in Ihrem Leben und all Ihren Angelegenheiten zu arbeiten beginnen und alle Dinge zurechtrücken. Mit Ihrer Gedankenkraft bauen Sie lebende Zellen. Fehlerlose Gedanken bauen fehlerlose Zellen. Der Geist erweckt die Lebenskräfte und verändert das Gewebe je nach den Gedanken des betreffenden Menschen. Je nach Art Ihrer Gedanken wird dauernd Ihre Gesundheit ab- oder aufgebaut.

Was Ihnen geschieht, wenn Sie göttliche Ordnung aufrichten

Bringen Sie Ihren Geist in göttliche Ordnung, und eine gewaltige Geisteskraft wird für Sie augenblicklich zu arbeiten beginnen. Diese göttliche Ordnung wird zum Aufbau von Geist und Körper gebraucht. Göttliche Ordnung ist ein starkes Stimulans. Es erhebt das ganze Bewußtsein, belebt die Organe und gibt Ihnen Mut und Ausdauer. Es neigt dazu, Sie besonders empfänglich für göttliche Heilströme zu machen.

Wenn das geschieht, seien Sie aufmerksam und sehen überall Harmonie am Werk. Überschätzen Sie nicht scheinbare Unstimmigkeiten. Vergeuden Sie Ihre Aufmerksamkeit nicht in Mitleid mit anderen Menschen oder Situationen, sondern erklären Sie immer wieder universale Harmonie. Erklären Sie: *Ich stehe jetzt allen Leuten und Situationen in der rechten Weise gegenüber.* Das versichert Sie der vollkommenen göttlichen Ordnung und Einheit von Geist und Körper.

Wenn Sie Ihre Geisteskräfte mit Hilfe göttlicher Ordnung vereinen, wird Ihr Körper in einen neuen Zustand der Harmonie erhoben. Ganze Meere von Medizin werden täglich geschluckt, Millionen von Ärzten spenden ihre Energie, und unzählige Gebote werden gesprochen, um Krankheit zu überwinden. Und doch ist das Anrufen der Geisteskraft der Ordnung allmächtig, um diese universale Not der Menschheit aufzuheben; es muß nur in der richtigen Weise geschehen.

Wenn Sie täglich göttliche Ordnung bejahen, werden Sie bald fruchtbare Ergebnisse erleben, die durch die von Ihnen erzeugten Geistesströme erscheinen. Sie werden kaum angeben können, wie jede Bejahung wirkt; aber im Laufe von Monaten werden Sie schrittweise die verschiedenen Veränderungen beobachten, die in Geist, Körper und in Ihren persönlichen Angelegenheiten eintreten. Sie werden feststellen, daß sich Ihre Vorstellung vom Leben ungeheuer erweitert. Ihre kleine begrenzte Welt hat sich in eine viel größere und wertvollere verwandelt. Ihr Geist wird viel wacher werden. Ihr Körper wird voller Leben und frei von Disharmonie und Schwäche sein. Sie werden auch nicht länger mehr ängstlich sein oder Ihre Energie an Kleinigkeiten verschwenden. Sie werden die göttliche Hand wahrnehmen, die Sie und das Weltall leitet. Sie werden einen Sinn für kosmische Geborgenheit bekommen. Dieser Sinn der Geborgenheit wird sich auf Ihre Gesundheit und Ihren Lebensbereich erstrecken, sobald Sie sich nicht mehr darum sorgen. Kritiksucht und Vorurteile hören dann auf. Sie werden nicht mehr hart urteilen. Sie werden großzügiger sein; andere werden darauf eingehen und ebenfalls großzügiger zu Ihnen sein. Dinge werden Ihnen über den Weg laufen, die früher von Ihnen ferngehalten zu sein schienen.

Diese großen Verbesserungen werden nicht nur in Ihrem eigenen Leben und Ihren ureigenen Angelegenheiten eintreten, sondern ihre stille Wirkung wird sich auch auf diejenigen, die um Sie sind, erstrecken. Diese werden ebenfalls glücklicher, harmonischer und an Geist und Körper gesünder sein. Dann haben Sie die magische Kraft erkannt, die in diesen zwei himmlischen Worten »Göttliche Ordnung« freigesetzt wird.

Schwere Blasenkrankheit geheilt

Eine Krankenschwester namens Clara Palmer wurde durch Gebet von einer unheilbaren Krankheit geheilt. Danach wurde sie selbst Geistheilerin und Zeuge von bemerkenswerten Heilungen vieler »sogenannter« unheilbarer Krankheiten. In ihrem Buch »Du kannst geheilt werden« (You can be healed) schreibt sie: »Göttliche Ordnung regiert den Körper.«

Dann berichtet sie von einer Patientin, die an Cystitis litt, dazu unglücklich, nervös und reizbar war. Mrs. Palmer merkte, daß durch das undisziplinierte Denken der Patientin dieses Blasenleiden verursacht wurde.

Sie sagte ihr, sie müsse ihre Reizbarkeit und ihre unglücklichen Denkgewohnheiten ablegen; auch müsse sie unnötige Dinge in ihrem äußeren Leben wegwerfen, um eine rechtmäßige Heilung zu erleben. Die Frau schrie: »Dinge wegwerfen! Wissen Sie, daß mein ganzes Leben ein Abfallhaufen für weggeworfene Dinge gewesen ist? Obgleich ich als Kind im Überfluß lebte, dachten meine sparsamen Eltern, ich sollte die ausgewachsenen Kleider meiner Schwester auftragen. Selbst das Haus, in dem ich lebte, war nur das, das die übrige Familie nicht haben wollte. Alles, was ich jemals besaß, waren weggeworfene Hüllen.«

Sie wurde darauf hingewiesen, daß die Behebung des Blasenleidens eine Entleerung von Flüssigkeiten erfordere, die nicht weiter vom Körper benötigt würden. Ihre Not, die vom Festhalten an nicht mehr benötigten Dingen herrührte, wurde erläutert. Ferner wurde beschlossen, daß sie alles Überflüssige sofort ablegen sollte. Diese vorher kranke, nervöse und reizbare Frau interessierte sich nunmehr für das Loswerden von Abfällen, die ihre Familie bei ihr abgeladen hatte. Als sie damit begann, ihren Überschuß denen zuzuleiten, die ihn gebrauchen konnten, änderte sich ihr Leben zum Besseren. In zunehmendem Maße ließ sie ängstliche, störende, unfreundliche und ungerechte Gedanken fahren.

Schrittweise ließen Reizbarkeit, Unglück und Nervosität nach, und die Frau entwickelte ein tiefes Verstehen und mehr Geduld. Dann kam die Zeit, in der sie eine Nacht ohne Unruhe und Schmerz durchschlafen konnte. Der Säureüberschuß verschwand aus ihrem Organismus, und schließlich funktionierte die Blase, die sie jahrelang belästigt hatte, einwandfrei. Sie brachte Ordnung in ihren Geist und in ihre Umgebung und war glücklicher und wohler in Geist und Körper denn je zuvor.

Eines ihrer häufig wiederholten Gebete war: »Einfließen und Ausscheiden von allem, was mein Leben berührt, ist in göttlicher Ordnung und Harmonie gegründet, und ich bin friedvoll und richtig eingestellt.«

Wenn Sie Ordnung in Ihrem Leben benötigen, sollten Sie folgendes bejahen: *Jedes Organ meines Körpers steht unter göttlicher Ordnung. Ich pflege Reinlichkeit, Wohlbehagen und Ordnung, und ich bin Gottes heiles und vollkommenes Kind.*

Wie ein graduierter Absolvent der Universität göttliche Ordnung bestätigte

Wenn Sie göttliche Ordnung bejahen, werden Geist und Körper neu ausgerichtet. Im Inneren und Äußeren arbeiten Ihre Geisteskräfte in harmonischer Weise. Die Idee der göttlichen Ordnung und der Kraft, die scheinbare Wunder in unserem Leben vollbringt, ist nicht neu.

Vor vielen Jahren berichtete William James, der Vater der amerikanischen Psychologie, wie ein Oxford-Student von der Kraft der göttlichen Ordnung hörte und mit ihr experimentieren wollte.

Er fing an, göttliche Ordnung für sein Leben anzurufen, jedoch tat er es mit Furcht und Zittern, weil er die irrige Vorstellung hatte, Gottes Wille müsse einiges sehr Unangenehmes an sich haben. Er nahm an, daß die Ergebnisse nicht allzu zufriedenstellend sein möchten, wenn man göttliche Ordnung bejahte; da er jedoch die Segnungen des Lebens bitter nötig hatte, nahm er das Risiko auf sich.

Für diesen jungen Mann war es eine völlige Überraschung, daß ihn seine schlechten Gewohnheiten verließen, sobald er göttliche Ordnung anrief. Sein Körper und Charakter festigten sich, und sein ganzes Wesen war mit einer Ausstrahlung und Kraft behaftet, die er vorher nie gekannt hatte. Das Bejahen der göttlichen Ordnung erwies sich als eine durchaus erfreuliche, befriedigende und heilende Erfahrung.

Wie können Sie göttliche Ordnung verordnen?

Diese zwei Worte »Göttliche Ordnung« können Ihnen viel Gutes bringen. Gebrauchen Sie diesen Satz als Heilungsspruch. Wenn Sie das andauernd tun, kann sich ein Muster für Vollkommenheit bilden. Wenn sich in Ihren Angelegenheiten Mangel an Inspiration herausstellt, dauernd etwas korrigiert werden muß, größerer Wohlstand, mehr geistiges Unterscheidungsvermögen und Harmonie benötigt werden, dann lautet die Antwort: verweilen Sie bei göttlicher Ordnung. Das gleiche gilt für rechte Beziehungen zu Familie, Freunden und Mitarbeitern. Wenn die Anforderungen zu groß werden und die Spannung steigt, wird Ihnen schon gezeigt werden, wie Sie sich von allem Unnötigen mit Hilfe dieser Worte befreien können. Eine Familie, die verklagt und aus ihrer Wohnung ausgewiesen werden sollte, bejahte göttliche Ordnung, und die Klage wurde bald zurückgezogen.

Ich habe festgestellt, daß, wenn ich die Worte »Göttliche Ordnung« auf mein Telefon klebe, nur die wirklich nötigen Anrufe kommen. Wenn Sie finanziell herausgefordert werden, sollten Sie die Worte »Göttliche Ordnung« neben Ihr Scheckbuch, Ihren Geldbeutel oder die unbezahlten Rechnungen legen. Wenn Sie dann Ihre Rechnungen bezahlen, bejahen Sie göttliche Ordnung, und es wird Ihnen genau gezeigt werden, wie Sie Ihren finanziellen Verpflichtungen am besten nachkommen können. Es ist so, als ob sich die Substanz für Sie ausdehnte oder vervielfältigte oder umgestaltete, um Ihren Bedarf durch göttliche Ordnung zu decken.

Ich habe herausgefunden: Wenn ich mich unter Druck fühle oder in meiner Arbeit gedrängt werde, muß ich nur die Worte »Göttliche Ordnung« an dem Platz, an dem ich arbeite, anbringen, entsprechend dieser Idee ordnen sich dann die Dinge und beruhigen sich die Menschen.

Ich erinnere mich, daß ich mir einmal eine Arbeit vornahm und dachte: »Das wird wahrscheinlich ein paar Tage dauern, und ich habe sie einfach nicht dafür zur Verfügung. Aber trotzdem, es muß getan werden.« Dann fiel mir ein, daß ich in großen breiten Buchstaben die Worte »Göttliche Ordnung« aufschreiben und sie in der Nähe meines Schreibtisches plazieren könnte. Zu Beginn meiner Arbeit schaute ich oft zur Ermutigung auf diese Worte. Die Arbeit war tatsächlich schnell und leicht getan und bereits in nur einem halben Tag fix und fertig. Ich arbeitete ohne Unterbrechung, und die Gedanken flossen frei und ordneten sich selbst in vollkommener Reihenfolge ein. Das ist die Kraft der göttlichen Ordnung. Ich sage Ihnen das, damit Sie daraus das Beste für Ihr Leben machen.

Welches ist die höchste Form von erhörtem Gebet?

Eine der höchsten Gebetsformen ist, Dank für göttliche Ordnung in Geist, Körper und persönlichen Belangen zu sagen, ganz gleich, ob dazu ein Grund vorhanden ist oder nicht. Wenn Sie damit beginnen, Ordnung im Nervenzentrum hinter dem Nabel aufzurufen, werden Sie fühlen, wie Sie in einem Strom göttlicher Ordnung untertauchen.

Zuerst erhalten Sie ein Gefühl des Friedens, der Kraft und der Beherrschung von Geist und Empfindungen. Dann werden Sie sich geistig und physisch besser fühlen. Die Lage mag immer noch die gleiche sein, aber sie wird Sie nicht mehr erschüttern.

Weiterhin werden Sie sich dazu angeregt fühlen, *die* Dinge in Ihrem äußeren Leben zu tun, die Ihre Angelegenheiten in Ordnung bringen. Sie kommen sich dabei vor, als ob Sie großreinemachen oder ein neues System der Buchführung für Ihre finanziellen Angelegenheiten einrichten. Sie mögen sich veranlaßt fühlen, Ihr tägliches Programm oder andere Angelegenheiten in Ihrem Leben neu aufzuziehen.

Vielleicht gehen Sie auch daran, früher einmal geplante Ziele in die Tat umzusetzen. Sie werden plötzlich wissen, was zu tun ist, und werden es voll gespannter Erwartung tun. Einer der besten Wege, anderen zu helfen, ist »Göttliche Ordnung« für sie anzurufen. Wenn Sie sich um einen Ihrer Lieben, einen Verwandten, einen Geschäftsfreund oder Bekannten sorgen, segnen Sie ihn oder sie mit göttlicher Ordnung. Wenn Sie den Eindruck haben, daß dieser Mensch mit mehr Verstehen, neuer Kraft, einer besseren Stellung, neuen Freundschaften, einem erfüllteren Leben oder einem Mehr an irgendwelchen guten Dingen glücklicher sein würde, sollten Sie ihn geborgen sehen unter göttlicher Ordnung. Segnen Sie die Welt um sich herum selbstlos mit göttlicher Ordnung. Wenn Sie den Eindruck haben, daß dieser Mensch mit mehr Verstehen, neuer Kraft, einer besseren Stellung, neuen Freundschaften, einem erfüllteren Leben oder einem Mehr an irgendwelchen guten Dingen glücklicher sein würde, sollten Sie ihn geborgen sehen unter göttlicher Ordnung. Segnen Sie die Welt um sich herum selbstlos mit göttlicher Ordnung. Erklären Sie göttliche Ordnung für verdorrende Felder, die Regen brauchen, für den Schutz der Feldfrüchte, für Schädlingsplagen, für die Beschirmung gegen Überschwemmungen und Orkane, die Leben und Besitz bedrohen. Bejahen Sie göttliche Ordnung für politische Angelegenheiten oder für den Weltfrieden.

Wenn Sie das tun, senden Sie die Heilkraft der Ordnung in die Atmosphäre, daß sie ihr vollkommenes Werk vollbringe, während Sie persönlich Furchtlosigkeit und einen neuen Sinn für Sicherheit und Geborgenheit gewinnen. Suchen Sie, erwarten Sie und sagen Sie recht oft Dank für göttliche Ordnung. Wenn Sie das tun, senden Sie eine Ihrer wichtigsten Geisteskräfte aus, um für und durch sie zu wirken und jedermann zu segnen.

Zusammenfassung

1) Die Geisteskraft der Ordnung liegt bei einem großen Nervenzentrum gerade hinter dem Nabel im Bereich des Solarplexus.
2) Wenn Sie anfangen, Ihre Geisteskraft der Ordnung aufzurufen und zu entwickeln, werden alle Dinge in Ihrer Welt darauf reagieren.
3) Ordnung ist zunächst eine gefühlsmäßige Eigenschaft.

Ordnung ist keine Ordnung, wenn sie nicht durch harmonisches, gefühlsmäßiges Übereinstimmen erreicht wird. Sie ist dann mehr ein Konflikt und führt eher zu Verwirrung denn zu Ordnung.

4) Äußere Ordnung, die um den Preis von Ärger erreicht wird, ist keine Ordnung, sondern Sklaverei. Sie verschlechtert die Gesundheit all derjenigen, die solcher Atmosphäre ausgesetzt sind.
5) Viele physische Krankheiten in Magen und Darm sowie um den Nabel herum haben ihren Ursprung in Disharmonie und Mangel an Ordnung in den Empfindungen und Lebensbereichen.
6) Die durch Bejahungen freigesetzte göttliche Ordnung strahlt ihre gewaltige Kraft in Ihre übrigen elf Geisteskräfte, so daß wieder Ganzheit und Gleichheit in Ihrem Geist, Körper und in Ihren Empfindungen belebt werden.
7) Ordnung setzt die Überwindungskraft im Menschen frei. Sie können viele Probleme im Leben gerade durch das Bejahen göttlicher Ordnung bewältigen.
8) Das Ordnungszentrum beim Nervenzentrum hinter dem Nabel wird durch Gebet, Meditation und Bejahung angeregt.
9) Der Mangel an ordentlich zu Ende geführten Gedanken ist schuld daran, daß viele Heilungen verspätet eintreten.
10) Ordentliche Gedanken bauen ordentliche Zellen im Körper.
11) Eine der höchsten Gebetsformen ist die, Dank für göttliche Ordnung in Geist, Körper und Angelegenheiten zu sagen, ob dazu Grund vorhanden ist oder nicht.

11. Kapitel

Ihre Heilkraft der Begeisterung und des Wagemuts

Haben Sie jemals versucht, einen Menschen dazu zu bringen, so zu denken, wie er es Ihrer Meinung nach tun sollte? Und haben Sie bei diesem vergeblichen Unterfangen einen steifen Hals gekriegt? Oder haben Sie versucht, einen anderen davon zu überzeugen, nur das zu tun, was Sie wünschten, und dafür einen heftigen Kopfschmerz im hinteren Halsbereich geerntet?

Wenn das der Fall ist, haben Sie Ihre Geisteskraft der Begeisterung mißbraucht. Sie liegt an der Schädelbasis, in der Medulla oblongata, wie es der Arzt nennt.

Die Begeisterung und der Wagemut sind eine sehr spezielle Geisteskraft, die einen besonderen Typ von Energie freisetzt, welche für den Körper und die Persönlichkeit eines Menschen benötigt wird.

Die Menschen des Altertums fühlten, daß Begeisterungsfähigkeit und Wagemut eine besondere Gabe Gottes sind, die nur wenigen Auserwählten zuerkannt wurde. Der Grund für das Merkmal von Wagemut als etwas Besonderem war, daß die alten Seher bemerkten, daß wagemutige Menschen durch »irgend etwas« aufgerüttelt wurden, was sie von gewöhnlichen Menschen unterschied; gleichzeitig gab es ihnen eine seltsame Kraft, Dinge zu vollbringen. Sie betrachteten es als ein Feuer vom Himmel und nannten es »Göttlichen Hauch«, der nach ihrer Meinung den Rost fortnehmen und die Seele reinigen sollte; so sollten sie rein von Torheit sein und bereit, große Ideen und Talente auszudrücken. Diejenigen, die auf diese Weise ausgestattet wurden, wuchsen zu geistigen Riesen.

Die Seher des Altertums hatten zum Teil recht: Leute, die die Geisteskraft des Wagemutes entwickelt haben, scheinen ganz besondere Kraft und Energie zu besitzen, was sie von der Masse unterscheidet. Sie scheinen tatsächlich seltsame Kräfte des Vollbringens zu haben, nachdem der »Göttliche Hauch« ihren Geist und ihre Empfindungen gereinigt und ihnen die Freiheit gegeben hat, Ideen und Talente auszudrücken; es sind die wahrhaft Großen. Sie unterscheiden sich tatsächlich von der Masse, die dazu neigt, unaufmerksam und untätig zu sein und auf eine Kraft oder ein Ereignis wartet, das sie erst zur Tat anregt. In Wahrheit aber besitzen wir alle dieses gewisse Etwas – diesen göttlichen Hauch, diese besondere Energie und das Talent, das uns zum rühmlichen Vollbringen anfeuern kann. Wir müssen nur wissen, wie es zu erkennen, freizusetzen und zu lenken ist.

Die Ursache von Gesundheitsproblemen am Hals

Es ist bedeutsam, daß die Geisteskraft des Wagemuts im Nakken liegt, weil der Hals Symbol für einen beweglichen und klugen Geisteszustand ist (siehe Figur 11.1). Salomon gab den Rat: »Mein Kind, laß Weisheit nicht von deinen Augen weichen, so wirst du glückselig und klug werden. Das wird deiner Seele Leben sein und ein Schmuck deinem Halse.« (Sprüche 3, Vers 21/22) Eine kluge und bewegliche Haltung, die im inneren Wesen eines Menschen wirkt, zeigt sich als Mitgefühl und Liebe, die wiederum in einem anmutigen Hals zum Ausdruck kommt.

Anmut vergibt, ohne darüber nachzudenken, ob etwas zu vergeben ist. Voll Grazie sein, heißt nachgiebig und anpassungsfähig sein. Der Hals ist eine wunderbare Kombination von Nachgiebigkeit und Anpassungsfähigkeit, da er sich nach allen Richtungen drehen kann. Bei guter Gesundheit ist er stark, beweglich und biegsam.

Wenn jemand Gesundheitsprobleme in der Halsgegend hat, mißbraucht er seine Kraft des Unternehmungsgeistes. Er ist

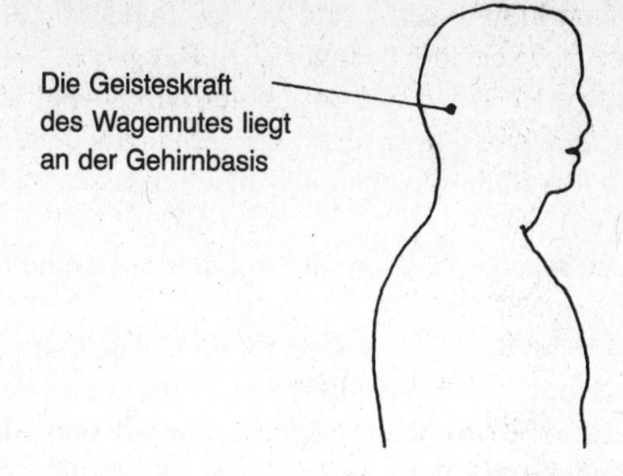

Figur 11.1 Die Lage der Geisteskraft von Begeisterung und Wagemut.

dauernd dabei zu kämpfen, Widerstand zu leisten, sich gegen irgend jemanden oder irgendeinen Lebensumstand aufzulehnen; wahrscheinlich ist er intolerant. Seine versteifte Einstellung äußert sich buchstäblich als steifer Hals.

Eine Frau war mit einem brillanten Erzieher verheiratet, der dauernd ernsthafte Familienprobleme hatte. Fünfzehn Jahre lang hatte sie an einem steifen Hals gelitten trotz der besten medizinischen Behandlung. Schließlich kam die metaphysische Ursache für die Gesundheitsprobleme dieser Frau zutage: sie war neuen Ideen gegenüber absolut intolerant. Jedesmal, wenn in der Kirche von dem heilenden Erfolgsgesetz des Zehntengebens die Rede war, faßte diese Frau es als persönliche Beleidigung auf und kehrte der Kirche monatelang den Rücken. Obgleich sie schwere Gesundheits- und Familienprobleme hatte, weigerte sie sich, über das große Gesetz des Zehntengebens als mögliche Lösung auch nur nachzudenken. Im geheimen wußte sie natürlich, daß sie Gott in jeder Phase ihres Lebens an allererste Stelle setzen sollte; und da sie das nicht tat, war es wohl ihre eigene Schuld, die ihr am meisten zusetzte. Dieses Verhalten äußerte sich in ihrer ungewöhnlichen »Versteifung« im Körper sowie im Geist gegenüber neuen Ideen.

Diese Dame könnte sehr wohl in den Tagen von Jeremias gelebt haben, der seinen Anhängern den Rat gab: . . . »Heiliget den Sabbat, wie ich euren Vätern geboten habe. Aber sie hören nicht und neigen ihre Ohren nicht, sondern bleiben halsstarrig, daß sie mich ja nicht hören noch sich erziehen lassen.« (Jeremia 17, Vers 22/23)

Unnötig zu sagen, daß diese Frau immer noch einen steifen Hals hat.

Der Jünger Jesu, der Begeisterung und Wagemut symbolisierte, war Simon der Kanaaniter, der später Simon der Zelot genannt wurde. Simon heißt »hören«. Wie oft sind wir selbst wie diese halsstarrige Frau und weigern uns, in unserem falschen Eifer die Wahrheit zu hören.

Die Bibel beschreibt das psychologische Gehabe von halsstarrigen Leuten. Moses ermahnte die Kinder Israel: »Ich kenne deinen Ungehorsam und deine Halsstarrigkeit.« (5. Mose 31, Vers 27) Trotzdem betete er für dieses dickköpfige, ungehorsame Volk und bat Jehovah, er solle ihre Unbeugsamkeit vergeben. »Habe ich, Herr, Gnade vor deinen Augen gefunden, so gehe mit uns – denn es ist ein halsstarriges Volk – daß du unserer Missetat und Sünde gnädig seiest und lassest uns dein Erbe sein.« (2. Mose 34, Vers 9) Als Antwort gab Jehovah den Rat: »So beschneidet nun eure Herzen und seid fürder nicht halsstarrig.« (5. Mose 10, Vers 16) Der Akt der Beschneidung ist ein Akt des Abschneidens und somit ein Symbol für das Abschneiden des anmaßenden, ungehorsamen, unduldsamen, kritischen Geisteszustandes. Im 7. Psalm erniedrigt Gott den Arroganten und Übereifrigen: »Ich sagte zum Anmaßenden: handle nicht arrogant. Und zu dem Listigen . . . Sprich nicht mit einem steifen Hals.« Hiskia warnte die Hebräer zu seiner Zeit: »So seid nicht halsstarrig wie euere Väter; sondern gebet eure Hand dem Herrn . . .« (2. Chronik 30, Vers 8)

Der eifrige Stephanus klagte kurz vor seiner Steinigung: »Ihr Halsstarrigen und Unbeschnittenen an Herz und Ohren, ihr widerstrebet allezeit dem heiligen Geist, wie eure Väter so auch ihr.« (Apostelgeschichte 7, Vers 51)

Immer war das psychologische Gehabe dieser Leute das

gleiche. Sie wollten ihren eigenen Weg in jeder Situation, und meistens versuchten sie, ihn mit Gewalt zu erzwingen. Sie waren intolerant gegenüber neuen Ideen, sie weigerten sich, sich in die Lage eines anderen zu versetzen.

Eine Frau hörte von der Gedankenkraft und war sofort eifrig darauf bedacht, das Denken ihres Mannes zu ändern, anstatt zu versuchen, ihr eigenes zu verbessern. Das Ergebnis? Sie hatte dauernd einen steifen Hals.

Wenn der Hals Heilung nötig hat, lassen Sie den Leidenden sich selbst fragen: »Bin ich allen Menschen gegenüber wohlwollend? Bin ich auch nicht widerborstig? Bin ich flexibel und verurteile niemanden? Versuche ich etwa, andere zu zwingen so zu denken, wie ich es für richtig halte?« Die halsstarrigen Israeliten brachten sich selbst um ihr Gutes und mußten lange auf das Betreten des »Gelobten Landes« warten, nur wegen ihres kritischen und trotzigen Verhaltens. Viele Menschen von heute bringen es aus demselben Grunde nicht zum »Gelobten Land« von besserer Gesundheit, Reichtum und Glück. Wie die alten Hebräer scheinen sie ein eisernes Joch auf ihrem Nacken zu tragen (5. Moses, Vers 28).

Lassen Sie Ihren menschlichen Willen los und ersetzen Sie jede mentale Spitzfindigkeit oder Launenhaftigkeit durch eine bewegliche und fügsame Einstellung. Seien Sie mit Gott und den Menschen in Frieden und behalten Sie so Ihr inneres Gleichgewicht. Der Hals ist die Gleichgewichtszone zwischen Hirn und Herz. Die vollkommene Einigung zwischen verstandesmäßigem Nachdenken und intuitivem Fühlen vollzieht sich beim Hals. Hier treffen sich das Bewußtsein und das Unterbewußtsein. Sobald jemand seinen Wagemut mit Weisheit gebraucht, erfährt er, was der alte Hiob meinte, als er schrieb: »Auf seinem Hals wohnt die Stärke . . .« (Hiob 41, Vers 14)

Um diese friedvolle Stärke zu gewinnen, sollten Sie Ihre Aufmerksamkeit auf den Nacken richten und bestimmen: *Ich entfessele meine Geisteskräfte. Ich bin ungezwungen und ungebunden. Mein Leben kann nicht begrenzt sein. Keine falsche Vorbedingung hat Macht über mich. Ich bin frei in der Freiheit des Geistes.*

Wie Begeisterung Ihre fünf Sinne beeinflußt

Ohne Begeisterung keine Lebensfreude. Begeisterung ist der Impuls zum Vorwärtsgehen. Es bedeutet »aktives Interesse«, und das Wort »Enthusiasmus«, das eine der höchsten Formen von Wagemut und Begeisterung ist, bedeutet »inspiriert sein«.

Wagemut und Begeisterung sind Seelenstärken

Ein Mensch ohne Wagemut und Begeisterungsfähigkeit ist wie ein Motor ohne Treibstoff. Der Wagemut und die Begeisterung eines Menschen müssen aber auch mit Weisheit gezügelt werden. Die Geisteskraft des Wagemutes kann zu solcher Aktivität anschwellen, daß sie die Vitalität des Menschen auspumpt und nichts mehr für das physische Wohlbefinden übrig läßt. Der Mensch ist ein Dynamo voll aufgestauter Energie, aber für seine Benutzung braucht er gute Urteilskraft. Seien Sie vorsichtig, damit nicht Ihr Eifer mit Ihnen durchgeht; gebrauchen Sie Ihr Urteilsvermögen richtig. Jemand könnte so wagemutig werden, daß er einen Nervenzusammenbruch erleidet. Aus einer solchen Erfahrung heraus klagte der Psalmist: »Denn der Eifer um dein Haus hat mich gefressen . . .« (Psalm 69, Vers 10)

Jedesmal, wenn das Zentrum des Wagemuts an der Schädelbasis mißbraucht wird, bleibt die Reaktion nicht aus. Es will Ihnen zu verstehen geben, daß Sie Ihren Eifer mit Weisheit paaren sollen.

Das Wagemutzentrum der Aktivität liegt bei der Schädelbasis in der Medulla oblongata. Die gewölbten Kammern, Gänge und Mysterien des Hirns erregten die Bewunderung der Menschen im Altertum, die fühlten, daß sie okkulte Bedeutung hätten. Der Gehirnraum am Nacken ist dafür vorgesehen, die feine Nervenflüssigkeit zu verdampfen und sie an die Sinne zu verteilen. Die Medulla verrichtet eine Aufgabe im Körper, die der eines Vergasers im Auto vergleichbar ist: »Verteilung von vergastem Benzin.«

Im menschlichen Körper elektrisiert der Wagemut die Nervensubstanz, die sich als Energie verströmt. Gedanken bauen Nerven- und Gehirnzentren, die als Verteiler der im Körper erzeugten Lebenssubstanz dienen. Die mit der Nahrung aufgenommenen Vitamine werden von der Körperchemie gespeichert und durch Begeisterung und Wagemut beim Denken und Arbeiten freigegeben. Jeder Gedanke und jede Geistesäußerung setzen etwas von dieser gespeicherten Substanz frei.

Die Geisteskraft von Wagemut und Begeisterung an der Schädelbasis verteilt besondere Energie an Ohren, Augen, Nase, Mund und das Nervensystem des Gefühls (siehe Figur 11.2). Wenn Sie Ihren Wagemut mißbrauchen, sei es, daß Sie

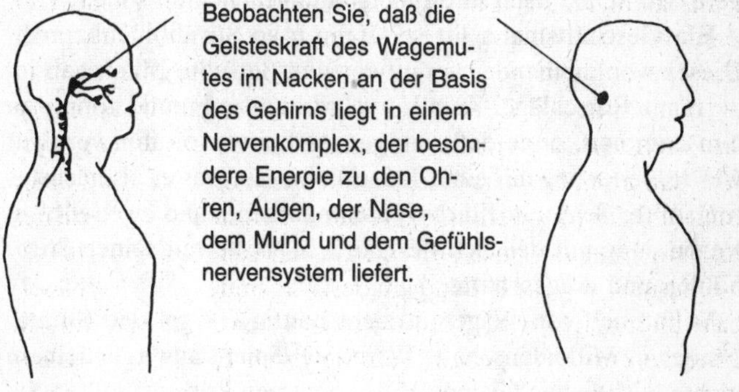

Figur 11.2 Besondere Verbindung der Geisteskraft des Wagemutes mit dem Komplex der Nervenenergie.

versuchen, jemand anderem Ihren Willen und Ihre Arbeitsweise aufzuzwingen oder daß Sie diese wundervolle Energie in sinnloser Aktivität verbrennen, erfahren Sie den Rückschlag im physischen Bereich, meist über Ihre fünf Sinne. Wenn Sie Ihre Wagemuts- und Begeisterungskraft verbrennen, werden Ihnen Ihre Augen Schwierigkeiten machen; sie sind schwach oder sehen alles verschwommen. Sie mögen sich fragen, was da nicht stimmt. Meistens ist es nichts Ernstliches. Sie haben einfach Ihre Augen wertvoller Energie beraubt, die sie benötigten, um richtig funktionieren zu können. Wenn Sie aber Ihre Wagemutskraft zu oft mißbrauchen, können Ihre Augen schlimm geschädigt werden.

Leute, die schwerhörig werden, sind mitunter diejenigen, die so eifrig versuchen, andere dazu zu zwingen, auf ihre Ideen zu hören, daß sie ihrerseits ganz unfähig werden, auf Ideen anderer zu hören. Ebensowenig können sie dann noch das Flüstern des intuitiven Verstehens in sich selbst vernehmen. Sie müssen ihre eigenen Geisteskräfte mehr entwickeln und anderen Menschen die Freiheit lassen, ihren eigenen Weg zu finden.

Leute, die Störungen der Stirnhöhle und der Nase haben, sind mitunter diejenigen, die eifrig ihre Nase in die Angelegenheiten anderer stecken und hart daran arbeiten, daß sich andere Menschen nach ihren Vorstellungen richten sollen.

Ein Geschäftsmann litt seit Jahren an Stirnhöhlenkatarrh. Dieser wohlmeinende, verantwortungsbewußte Mann gab jedermann Ratschläge. Kein Verwandter oder Freund konnte zu ihm kommen, ohne daß sein ganzes Leben von ihm verplant wurde. Jeder zog mit einer Information ab, was er als nächstes tun sollte. Sein autoritäres Vereinnahmen stand zweifellos in Verbindung mit den Schwierigkeiten, die er mit seinen Stirnhöhlen und Augen hatte.

Mißbrauch von Wagemut zieht häufig Gurgel und Stimmbänder in Mitleidenschaft. Wenn Sie einmal aus irgendeinem nicht ersichtlichen Grunde Halsschmerzen kriegen, sollten Sie sich prüfen, ob Sie nicht versucht haben, jemand zu überzeugen etwas zu tun, was *Sie* gerne getan sehen wollten. Vielleicht sprachen Sie sogar negativ mit starker Empfindung und Überzeugung zu ihm. Oder Sie haben vielleicht Ihre Energie auf unkluge Weise verschwendet und hatten als Folge davon Halsschmerzen.

Eine Frau räusperte sich andauernd. Sie ließ sich auf Halsreizungen hin behandeln und nahm verschiedene Medikamente ein. Diese beherrschende Frau mit ausgeprägter Persönlichkeit reizte oft andere Leute, wenn Sie sie eifrig zu dirigieren suchte.

Die Folge war, daß sie nach wie vor den Reizhals hatte, also gerade dort, wo sich in der Nähe das Zentrum von Eifer und Wagemut befindet.

Solche Menschen haben oft auch Ärger mit ihren Zähnen. Es ist klar, daß ein ununterbrochener Fluß von negativen Worten die Zähne beeinflußt, denn die Zähne brauchen eine Menge Energie, um einwandfrei zu funktionieren. Sie werden dauernd gebraucht, und zwar nicht nur beim Essen, sondern auch den ganzen Tag über beim Sprechen. Die Zähne verhungern, wenn sie nicht einen normalen Nervenenergiezufluß bekommen, den sie vom Zentrum des Wagemuts aus erhalten. Hohle, brüchige Zähne und weiches Zahnfleisch sind die Folge. Wenn jemand in seiner äußeren Aktivität zu eifrig gewesen ist oder versucht hat, geistig andere Menschen zu zwingen, seinen Weg zu gehen, können Sie das immer daran erkennen, daß er eine weiche Stimme hat, oft in erhöhter Tonlage. Das bedeutet, daß es ihm an Selbstbeherrschung mangelt. Jemand, der zu eifrig gewesen ist, hat oft »hohle Augen«, und das wiederum bedeutet Schwäche. Solch eine Person hat die Verbindung mit der inneren Energie- und Kraftquelle verloren.

Wagemut als großes Stimulans

Sie können nicht an »Wagemut« denken oder das Wort aussprechen, ohne daß dadurch eine gewisse geistige Erregung hervorgerufen wird, die Sie anspornt. Jedes Wort, das Sie sprechen, verläßt Ihren Mund voll beladen mit atomaren Energien, die Ihren ganzen Organismus beeinflussen.

Wagemut und Begeisterung sind ein inwendiges Feuer

Das Gesetz der göttlichen Begeisterung, des geistigen und seelischen Eifers ist eines der mächtigsten, das in Geist und Körper Geltung hat. Die Welt ist lange Zeit eifrig bemüht gewesen, Reformen zu befürworten. Die Schwierigkeit bei solchen Reformen war nur, daß sie die Lebensweise der Menschen ändern sollten, ohne vorher deren Geist und Herz zu ändern.

Das Zentrum der Begeisterung und des Wagemutes im Nakken an der Schädelbasis liefert die Nervenenergie an die fünf Sinne. Verzehren Sie diese Nervenenergie oder mißbrauchen Sie sie zur Unzeit, so gelangt sie niemals mehr zu Ihren Ohren, Augen oder Nase, Hals und Mund. Ihre fünf Sinne verhungern förmlich und reagieren darauf mit physischen Leiden.

Wenn Ihr Zentrum der Begeisterung und des Wagemuts seine ihm eigene Energie und Kraft verliert, muß es nämlich die Energie von Augen, Ohren, Nase, Hals und Mund nehmen und beraubt sie dadurch wiederum.

Das Mittel gegen den Verlust Ihres Wagemutes

Gibt es ein Mittel dagegen, daß sich der Wagemut erschöpft? Es gibt eines!

Wenn Sie Schwierigkeiten in den Körperpartien haben, die durch Mangel an Begeisterung und Wagemut beeinflußt werden, ermahnen Sie sich zur Ruhe und prüfen Sie sich, ob Sie unnötig Ihren Eifer eingesetzt oder versucht haben, jemandem Ihren Willen aufzuzwingen. Da das Zentrum des Wagemuts innerhalb des bewußten Körperbereichs liegt, können Sie es auch bewußt zur Aktivität erwecken.

Richten Sie Ihre Aufmerksamkeit für einen Augenblick auf Ihre Schädelbasis und erklären Sie voller Ruhe, daß unendliche Energie und Intelligenz als Begeisterung und Wagemut zu Ihren fünf Sinnen fließen. Verfolgen Sie dann in Ihrer Vorstellung oder mit Ihrem geistigen Auge einen Nervenstrang, der von der Schädelbasis zu Augen, Ohren, Nase, Zunge und Hals führt.

Als nächstes verbinden Sie geistig den Wagemutsstrom von der Schädelbasis mit den fünf Sinnen, besonders mit dem Hals; das erreichen Sie, wenn Sie die Worte »Wagemut und Begeisterung« laut aussprechen. Dadurch wird eine starke Schwingung erzeugt, die Ihr ganzes Nervensystem beeinflußt. Auf diese Weise können Sie Ihre Stimme kräftigen, Ihren Zähnen neue

Kraft geben und indirekt Energie in Ihr ganzes Nervensystem lenken. Wagemut ist ein großes und allmächtiges Stimulans. Wenn Sie Ihre einzelnen Geisteskräfte entwickeln, wird insbesondere das Zentrum der Begeisterung und des Wagemutes immer lebendiger. Sie können direkt die gewaltige Kraft und den Strom fühlen, wie er im Nacken wirkt. Er wird oftmals lebendig, wenn Sie denken, lesen, studieren, meditieren und Bejahungen sprechen.

Sie können dann diese Energie des Wagemuts geistig zu ihren fünf Sinnen und auch in den ganzen Körper lenken.

Der Mensch, der behauptet, er hätte keine Energie, ist entweder in seinem Wagemut falsch geleitet, oder er hat ihn überhaupt nicht entwickelt. Abgestumpfte Menschen sollten oft bejahen: *Ich errege in mir Wagemut und Begeisterung, und ich bin überall mit Glück, Erfolg und wahrer Leistung gesegnet.*

Wagemut hat eine ungeheure Anziehungskraft

Innerer Wagemut ist die Kraft, die uns umwandelt. Wagemut ist die Kraft, die die anderen Geisteskräfte zu immer größerer Entwicklung anregt. Begeisterung und Wagemut geben einer Persönlichkeit Glanz, Farbe und Strahlkraft, so wie das Funkeln dem Diamanten Schönheit verleiht.

Begeisterung gibt Ihnen etwas Attraktives, Anziehendes, wodurch Ihr Gutes veranlaßt wird, aus vielen Richtungen zu Ihnen zu strömen. Wer seinen Wagemut und seine Begeisterungsfähigkeit entwickelt und beides mit stiller Weisheit paart, ist einzigartig. Er hat eine gewisse Vitalität, die dem Durchschnittsmenschen fehlt. Diese außerordentliche Schwingung gibt ihm das unbeschreibliche »gewisse Etwas«, nach dem sich alle Menschen sehnen.

Das geschieht deshalb, weil Begeisterung die Nervensubstanz im menschlichen Körper elektrisiert, die ihrerseits wiederum die Energie hervorbringt. Dann strahlt der Mensch einen elektrischen Magnetismus aus, der sofort von seiner Umgebung empfunden wird.

Wer aber seinen Wagemut und seine Begeisterung nicht mit Weisheit in Einklang bringt, hat zu wenig Vitalität; das wiederum verleiht ihm eine abweisende Ausstrahlungskraft. Eine Sekretärin gab ihre Stellung auf, weil ihr Chef wechselte. Ihr früherer Chef war ein wagemutiger, anziehender Mensch gewesen, der Begeisterung und Lebensinteresse ausstrahlte, so daß selbst die tägliche Routinearbeit interessant wurde. Der Mann, der ihm nachfolgte, schien beinahe dumm zu sein in seiner farblosen Reaktion allen Dingen gegenüber. Diese Sekretärin erklärte: »Es war überhaupt kein Feuer mehr da. Die Stellung war glanzlos, uninteressant und wenig anziehend geworden.«

Ein berühmter Versicherungsmann, der es innerhalb von zehn Jahren aus dem Nichts zu Reichtum gebracht hatte, sagte, daß sein Erfolgsgeheimnis im Wagemut gelegen habe, der sich in Enthusiasmus äußerte. Er hatte festgestellt, daß Begeisterung der Schlüssel zum Erfolg im Leben ist. Wenn das innere Feuer nicht von Begeisterung angefacht wird, kommt der Mensch im Leben nicht vorwärts, wie ernsthaft er es auch versucht. Der Grund dafür, daß ein Mensch ohne Wagemut und Begeisterung im Leben nicht vorwärtskommt, so eifrig er sich auch darum bemüht, ist der, daß ihm die magnetische Eigenschaft fehlt, die die Leute anzieht und sie zu schöpferischer Arbeit anregt.

Charles Fillmore war für seinen Wagemut bekannt; noch mit 94 Jahren bejahte er: »Ich sprühe noch vor Wagemut und Begeisterung und stürme mit mächtigem Glauben voran, um die Dinge zu erledigen, die von mir getan werden müssen.« Eine der anziehenden Eigenschaften des Apostels Paulus waren Begeisterung und Wagemut. In seinen Schriften gebrauchte er häufig das Wort »Eifer«. Es war der Eifer des Paulus, der das Evangelium in die Welt trug. Die Bibel sagte, daß Paulus eifrig im Verhältnis zu Gott war. Wenn nicht der intensive Wagemut dieses großen Mannes gewesen wäre, das Christentum wäre unter Umständen niemals über die Grenzen des Heiligen Landes gedrungen und vielleicht innerhalb von wenigen Jahrzehnten verklungen. Paulus jedoch sah die Notwendigkeit, Begeisterung und Wagemut mit Weisheit zu paaren; beklagte er sich doch oft bei den Korinthern: »Ich weiß euren guten Willen, den ich um euretwillen rühme bei denen aus Mazedonien und sage: Achaja ist schon voriges Jahr bereit gewesen. Und euer Beispiel wurde vielen ein Anreiz.« (2. Korinther 9, Vers 2)

Wagemut ist eine stille Kraft

Eine der anziehenden Eigenschaften von wagemutigen Menschen ist, daß sie schweigsam sind und ihren Wagemut nicht in Leerlauf und Geschwätz vergeuden. Fälschlicherweise wird oft Wagemut und Begeisterung als eine laute auffällige Eigenschaft angesehen.

Nicht so! Begeisterung und Wagemut sind eine schweigsame, stetige und ausdauernde Geisteskraft, die Ihnen Herrschaft und Kontrolle über Ihre Welt gibt. Wirklicher Wagemut, der sich schweigend ausdrückt, überwindet mit seiner mächtigen, zielgerichteten Energie jedes scheinbar unüberwindliche Hindernis. Der Grund für die Kraft des Wagemutes liegt darin, daß er weiter und weiter ohne Unterbrechung schweigsam fortfährt zu wirken, bis er sein Ziel erreicht. Anstatt mit einem Riesenaufwand aufzubrechen, um dann kurz vor Erreichen des Zieles den Atem zu verlieren, hat Wagemut Ausdauer. Er hat die einzigartige Fähigkeit, durchzuhalten und dabei zu bleiben, bis das Ziel erreicht, also die Ziellinie des Erfolgs überschritten ist. Wagemut führt zur Vollendung. Jedesmal, wenn Sie unfähig zu sein scheinen, Ihrem Ziel näherzukommen, ist es Zeit, Wagemut zu bejahen und zu erklären: *Dies ist eine Zeit göttlicher Vollendung. Der Eifer der himmlischen Heerscharen bewerkstelligt es jetzt.*

Begeisterung und Wagemut arbeiten in Ihnen nicht nur als Energie, richtige Einstellung und Tätigkeit sowie als bleibende Kraft, sondern sie wirken in Ihnen manchmal auch als eine sanfte Art von Druck. Wenn Sie einen inneren Drang in sich fühlen, der bewirkt, daß Sie mit Ihrem Leben unzufrieden sind, weil es Ihnen zu begrenzt erscheint, dann fängt Ihre Fähigkeit zum Wagemut an, lebendig zu werden; sie versucht Schritt für Schritt, Sie zu einem besseren Leben zu führen.

Wenn Sie das Empfinden haben, als ob eine besondere Form von Energie Sie drückt, fühlen Sie diesen Druck häufig im Lungenbereich, so daß Sie nicht gut durchatmen können. Doch können Sie fühlen, daß der sanfte Druck Ihr Leben verbessert, ja vielleicht sogar scheinbare große Veränderungen einleitet. Und Ihr Wagemut wird mit seinem inneren Druck nicht nachlassen, bis Sie sich seiner Führung vollständig anvertrauen. Dieser Druck ist das neue Gute, das Sie drängt, um in Ihrem Leben in Erscheinung zu treten. Da Begeisterung und Wagemut nicht laute, aufgeblasene, ungeordnete Eigenschaften sind, sondern ruhige, stetige und ausdauernde Kräfte, geben sie Ihnen Herrschaft und Kontrolle. Begeisterung und Wagemut arbeiten ununterbrochen an Ihnen und durch Sie, solange Sie an ihrer Belebung arbeiten. Einmal aufgeweckt, werden sie nicht nachlassen oder aufhören, den Weg in Ihrem Leben zu suchen. Sie werden nicht aufgeben, selbst wenn ihr Weg große Anforderungen an Sie stellen könnte.

Sobald ich die Spannung des ruhigen Wagemuts in mir fühlte, bin ich seinen Anregungen gefolgt, obwohl sich oft große Veränderungen in meinem Denken und Leben ergaben. Immer wußten Begeisterung und Wagemut den bestmöglichen Weg und leiteten mich ruhig auf dem Pfade zu besserem Guten.

Sie können Ihrem Wagemut vertrauen. Sie können seinem Druck, den er auf Sie und Ihr Inneres ausübt, vertrauen. Wagemut ist eine Ihrer Geisteskräfte, die am stärksten spezialisiert ist. Sie vermag wie keine andere Ihrer Geisteskräfte Ihnen Vitalität, Kühnheit des Geistes, Anziehungskraft und eine besondere Fähigkeit, Ihre Herzenswünsche zu erfüllen, zu schenken.

Wir alle wünschen uns den Wagemut, um das Gute in unserem Leben hervorzurufen. Hierzu konzentrieren Sie Ihre Aufmerksamkeit auf die Schädelbasis dicht am Nacken und bejahen: *Ich erwecke die Gaben Gottes in mir. Ich bin von Wagemut und Begeisterung erfüllt. Ich trete mit einem mächtigen Glauben hervor, um die Dinge zu tun, die von mir getan werden sollen.*

Unsere Geisteskräfte entfalten sich normalerweise schrittweise; versuchen Sie also nicht, die Entwicklung Ihres Wagemutes zu forcieren. Wenn Sie das täten, würde es in einem verkrampften Nervensystem und einem Kraftentzug an allen fünf Sinnen enden. Bejahen Sie statt dessen die Aktivität des Wagemutes in Ihrem Leben. Dann lassen Sie ihn nach seiner Art in sich lebendig werden.

Loben Sie das große Stimulans der Wagemutkraft

Unterdrücken Sie niemals den Antrieb und die Kraft des Wagemuts, wenn er in Ihnen aufwallt. Setzen Sie sich mit ihm in Verbindung und loben Sie ihn, daß er mit so großer Energie und mit einem solchen Wirkungsgrad in Ihrem Geist und Körper arbeitet.

Worte des Lobes befreien den im Menschen eingeschlossenen Wagemut. Worte des Lobes rühren den Wagemut an und verbinden ihn mit der unendlichen Intelligenz im Geisteszentrum am Scheitel des Kopfes. Energie ist Wagemut in Aktion, und Worte des Lobes regen diese Energie an.

Worte des Lobes lassen auch Freude im Menschen aufbrechen. Jedesmal, wenn Sie sich niedergeschlagen fühlen, sollten Sie bejahen: *Ich lobe jetzt meinen Geist als die vollkommene Schöpfung der göttlichen Substanz. Ich lobe jetzt meine Empfindungen als die vollkommene Schöpfung der göttlichen Substanz. Ich lobe jetzt meinen Körper als die vollkommene Schöpfung der göttlichen Substanz. Ich lobe jetzt meine Gesundheit als die vollkommene Schöpfung der göttlichen Substanz. Ich lobe jetzt meine Welt als die vollkommene Schöpfung der göttlichen Substanz. Ich sehe jetzt mehr Gutes in meinem Leben, als ich je zuvor gesehen habe.* Es wird Ihnen vorkommen, als wenn eine »heilige Freude« in Ihnen aufquillt, die Ihnen neue Hoffnung, neue Energie, ja sogar ein neues Glücksgefühl gibt. Lob entzündet auch Begeisterung, zeugt Leben und setzt Energie in Geist und Körper frei. Lob ist der große Energiebefreier in Geist und Körper.

In alten Zeiten sagte Moses einst den Israeliten, was solchen geschehe, die keinen frohen, loberfüllten Geisteszustand entwickeln und wie dadurch das Zentrum des Wagemuts im Nakken beeinflußt würde: »Weil du deinem Gott Jehovah nicht mit Frohlocken und mit Freude im Herzen dienst über dem Überfluß in allen Dingen . . . wird er dir ein eisernes Joch auf deinen Hals legen. Dann wirst du deinen Feinden in Hunger und in Durst und in Blöße und in Mangel an allen Dingen dienen.« (5. Moses, Vers 28)

Viele Krankheiten entstehen, weil es dem Menschen nicht mehr gelingt, Freude zum Ausdruck zu bringen. Der Inhalt des Lobes besteht darin, eine innere Freude auszusenden, die bisher blockiert wurde. Ein Loben des Körpers erzeugt einen Widerhall in jeder Zelle. Lob erlöst von Müdigkeit. In einer von Lob erfüllten Atmosphäre baut jede Zelle neue Kraft und Energie. Da jede Zelle klug ist und unendliche Kraft hat, wenn sie nur als »vollkommen« gelobt wird, antwortet sie darauf so, daß sie alles Fremde und Unvollkommene ausscheidet und dann göttliche Vollkommenheit in Geist und Körper erzeugt. Da Lob Leben und Energie vermehrt, wirkt es auch in bezug auf vollkommene Körperfunktionen. Tatsächlich ist Lob das Verbindungsstück zwischen der göttlichen Kraftquelle und dem menschlichen Körper.

Sobald Lob die Lebenskraft des Menschen wachruft, berührt es drei Geisteskräfte im besonderen: das Zentrum des Wagemuts und der Begeisterung im Nacken, das Kraftzentrum im Hals, das Lebenszentrum in den Geschlechtsorganen im Unterleib. Eine Beschleunigung der Begeisterung und des Wagemuts bringt oft Heilung in einer dieser genannten Stellen; ganz sicher aber wird dort die Gesundheitsenergie angekurbelt. Lob ist ansteckend und hebt das menschliche Bewußtsein in luftige Höhen. Auf einer solchen Höhe schwinden Krankheit, Disharmonie und Mangel. Wenn der Mensch jedes noch so kleine Zeichen besserer Gesundheit beobachtet, erwartet und lobt, gibt er seiner Geisteskraft von Begeisterung und Wagemut die Freiheit, ihn zu heilen. Durch Übung kann der Mensch sich selbst erziehen zum Singen, Lachen und auch zum Erwarten der Segnungen für sein Leben, deren Verwirklichung er sich wünscht.

Lassen Sie Lob mit warmem Gefühl erschallen. Wie einstmals Jesaja, werden Sie sich selbst mit Begeisterung und Wagemut wie mit einem Mantel bekleidet fühlen (Jesaja 59, Vers 17).

Besondere Bemerkung: Lesen Sie das Kapitel über »Lob« in meinem Buch »Die Dynamischen Heilungsgesetze« (The Dynamic Laws of Healing) und das Kapitel über »Freude und Schönheit« in »Das Wohlstandsgeheimnis der Jahrhunderte« (The Prosperity Secret of the Ages).

Zusammenfassung

1) Begeisterung und Wagemut sind eine ganz besondere Geisteskraft, die eine ebenfalls besondere Energieart freisetzt, die für den Geist, den Körper und die Persönlichkeit des Menschen benötigt wird.
2) Die Geisteskraft der Begeisterung und des Wagemuts liegt an der Schädelbasis in der Medulla oblongata im Nacken.
3) Der Hals ist der Ausgleichspunkt zwischen Haupt und Herz. Die vollkommene Einheit von intellektuellem Nachdenken und intuitivem Fühlen entsteht im Hals. Hier treffen sich die bewußte und unterbewußte Phase des Geistes.
4) Begeisterung und Wagemut sind Seelenstärke. Sie sind Energie in Aktion. Begeisterung und Wagemut sind ein inwendiges Feuer.
5) Die Geisteskraft der Begeisterung und des Wagemuts an der Schädelbasis gibt besondere Energie weiter an Ohren, Augen, Nase, Mund und das Nervensystem der Empfindung. Mißbrauch der Achtlosigkeit in der Anwendung von Begeisterung und Wagemut verursachen Krankheiten in diesen Körperteilen.
6) Begeisterung und Wagemut sind ein großes Stimulans. Sie können die Worte »Begeisterung und Wagemut« nicht wiederholen, ohne dabei eine gewisse geistige Spannung her-

vorzurufen, die Sie zu einer tatkräftigen Unternehmung anregt.

7) Da Begeisterung und Wagemut im Bereich des bewußten Geistes liegen, können Sie sie *bewußt* anregen.
8) Konzentrieren Sie Ihre Aufmerksamkeit auf die Schädelbasis und erwarten Sie in Ruhe, daß unendliche Energie und Intelligenz durch Begeisterung und Wagemut in die fünf Sinne ausgegossen werden.
9) Sprechen Sie die Worte »Begeisterung und Wagemut« laut aus. Das erzeugt eine starke Schwingung, die dem gesamten Nervensystem Energie zuführt.
10) Begeisterung und Wagemut sind eine stille, stetige und ausdauernde Kraft, die unseren Geist und Körper, ja unsere ganze Welt zu wandeln vermag – sie stattet uns mit dem »gewissen Etwas« aus, nach dem sich die ganze Menschheit sehnt.
11) Worte des Lobes setzen die gefangengehaltene Begeisterungsfähigkeit und den gefesselten Wagemut im Menschen frei.

12. Kapitel

Ihre Heilkraft der Ausscheidung

Es war einmal ein junger Geistlicher, der auf die Idee kam, die Religion zu verjazzen. Er wollte alles modernisieren, entfernte also aus der Kirche das Gestühl und baute statt dessen Schalensitze ein; den Chor ersetzte er durch Volksmusik und installierte zudem noch einen »Drive-in«-Beichtstuhl.

Seine Gemeinde war an seine Sonderlichkeiten gewohnt und schenkte all diesen Änderungen keine Aufmerksamkeit. Alles ging glatt, bis sein Vorgesetzter zu Besuch kam.

Nachdem sich der Vorgesetzte all die radikalen Änderungen angesehen hatte, sagte er: »Es macht mir nichts aus, daß du das Gestühl herausgenommen und Schalensitze eingebaut hast. Ich wehre mich auch nicht gegen die Volksmusik anstelle eines Chores. Und der ›Drive-in‹-Beichtstuhl ist gar keine so schlechte Idee. Aber gegen etwas muß ich energisch einschreiten: Das Schild über dem ›Drive-in‹-Beichtstuhl muß fort.«

Erstaunt fragte der junge Geistliche: »Was stimmt denn nicht mit dem Schild über dem ›Drive-in‹-Beichtstuhl?«

Der Vorgesetzte schnauzte ihn an: »Sieh doch bloß einmal hin! Es sagt: ›Toot and tell or go to hell!‹« (»Hupe laut und beichte schnell oder schneller gehe noch zur Hölle!«)

In unserem modernen Zeitalter jedoch gibt es eine Menge Leute, die »hupe laut und beichte schnell« nötig haben. Das Heilungsgesetz der Ausscheidung hilft ihnen, gerade das zu tun.

Wo die Kontrolle über die Ausscheidung ihren Sitz hat

Die Geisteskraft der Ausscheidung liegt (wie Figur 12.1 zeigt) in den Ausscheidungsorganen. Im unteren Teil des Rückens, dicht am Ende der Wirbelsäule, ist das Nervenzentrum, wel-

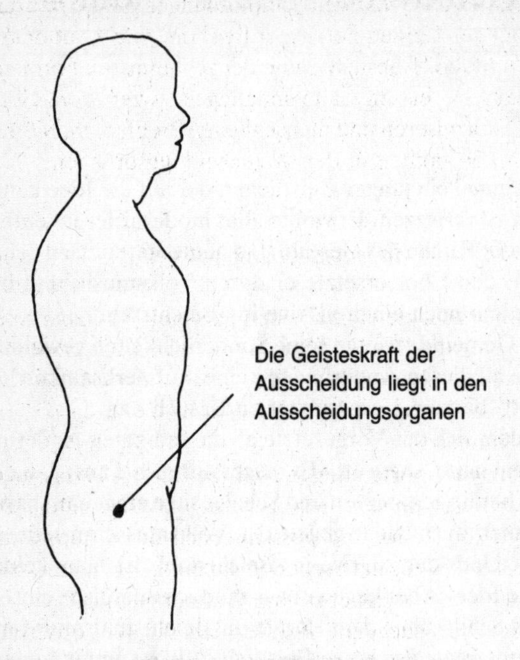

Figur 12.1 Die Lage der Geisteskraft der Ausscheidung

ches die Ausscheidung von Abfall aus dem Körper leitet. Dieses Nervenzentrum regelt ebenso die Ausscheidung von Abfall aus Gedanken und Gefühlen des Menschen. Leute, die an physischen Krankheiten in den Ausscheidungsorganen des Unterleibs leiden, haben es nötig, negative Gefühle freizusetzen und auszuscheiden. Vielleicht müssen sie irgendwelche eigensüchtige Einstellungen oder Verhältnisse in ihrem Leben bereinigen.

Am stärksten leiden die Leute an physischen Krankheiten der Ausscheidungsorgane, die eng und verbissen an dem festhalten, was nicht länger für ihr Bestes gebraucht wird. Nieren- und Leberleiden, Störungen in Mast- und Dünndarm, Zuckerkrankheiten, Hämorrhoiden und Verstopfung werden durch das Festhalten an Gedanken, Empfindungen oder Erfahrungen gerade bei den Leuten hervorgerufen, die sich emotional freimachen müßten. Habsucht, eine der schlimmsten Formen von Gebundensein, erzeugt alle möglichen Arten von Gesundheits-, Finanzmiseren und menschlichen Problemen. Sie äußert sich oft als Krankheit in den Ausscheidungsorganen.

Wie ein Fall von Habsucht geheilt wurde

Eine Dame besuchte einmal einen geistigen Ratgeber und berichtete, daß ihr Bruder sehr krank im Krankenhaus läge. Wegen seines Alters wollten die Ärzte nicht operieren. Sie hatten keine Hoffnung mehr, daß er von einer Darmkrankheit genesen könne.

Der Ratgeber hörte einiges über die innere Verfassung des Mannes. Er war ein sehr liebenswürdiger Verwandter, jedoch sehr an Geld, Besitz und ausschließlich den Leuten, die er liebte, interessiert; ganz besonders an einer Schwester, die ihn pflegte. Er forderte dauernd ihre Aufmerksamkeit.

Die um Hilfe suchende Frau erhielt die Aufforderung zu erklären, daß ihr Bruder frei von jeglicher falschen Zuneigung sei: »Die Christusliebe in dir, die unpersönlich und rein ist, löst jetzt alle Erscheinungen von Selbstsucht in dir auf; an ihre Stelle tritt die reine selbstlose Liebe des Christus. Du bist jetzt frei in Geist und Körper.« Innerhalb weniger Tage fühlte sich der Mann viel besser, und nach kurzer Zeit konnte er schon ganz gut gehen. Einige Monate später war sein Körper vollkommen geheilt, und sogar seine Veranlagung hatte sich geändert, da er anfing, seine egoistischen Ansprüche aufzugeben.

Später dachte er einmal über seine Heilung nach und sagte, daß ihm eines Tages, als er meditierte, der Christus-Geist sehr nahe gewesen sei. Dann kam ein Gefühl des geistigen und körperlichen Loslösens. In diesem Augenblick wußte er, daß der Darm geheilt war.

Und dieser Mann bewies, daß die ersten Organe im Körper, die durch das Erleben des Geistes berührt werden, die Ausscheidungsorgane sind.

Bejahen Sie oft: *Willig lasse ich jetzt jeden Gedanken, jede Situation oder jeden Zusammenhang, der meine vollkommene Heilung in irgendeiner Weise blockiert, los. Ich bin mit vollkommener Ausscheidung in Geist, Körper, Angelegenheiten und Zusammenhängen jetzt gesegnet.*

Die Wirkung der Willenskraft in Zusammenhang mit der Ausscheidung

Da die Geisteskraft von Ausscheidung und Verzicht im Unterleib liegt, hat sie ihren Sitz im Unterbewußtsein. Die Arbeit des Ausscheidens umfaßt nicht nur das Zurückweisen, Auflösen und Ausscheiden von allen Abfallprodukten des Körpers, sondern auch das aller negativen Empfindungen, die sich im unterbewußten Gefühlsbereich des Unterleibs angesammelt haben.

Das intellektuelle Zentrum des Menschen liegt in seinem Kopf; das Liebeszentrum liegt im Herzen; das sinnenhafte im Unterleib. Ein berühmter Schriftsteller, der viele Bücher zu sinnenfreudigen Themen geschrieben hatte, starb an einem Leberleiden (im Sinnenbereich des Körpers).

Dieses Nervenzentrum ist sehr empfindlich im Hinblick auf Gedanken an Substanz, Geld, Finanzen und die ganze materielle Welt. Das krampfhafte geistige Festhalten an materiellen Dingen kann eine Verengung im Unterleib verursachen. Um von der Verengung befreit zu werden und neue Gesundheit im Unterleib zu erreichen, muß der Geist entspannt und der Griff nach materiellem Besitz gelockert werden.

Eine Ursache für viele derartige Krankheiten liegt darin, daß die Geisteskraft der Ausscheidung, die im Nervenzentrum im unteren Rückenbereich nahe am Rückgrat liegt, mit der Geisteskraft des Willens im Oberteil des Vorderhirns an der Stirn in Verbindung steht. Der im Vorderhirn arbeitende Wille reguliert die Zirkulation des Lebens im ganzen Körper.

Ein zäher Wille, der entschlossen seine eigenen Wege geht, blockiert und verengt alle Funktionen des Körpers. Eine feste Entschlossenheit kann die Fähigkeit der Ausscheidung so stark behindern, daß der Körper seine Abfallprodukte nicht mehr loswerden kann. Tatsächlich verursacht ein zähes Wesen eine Verlangsamung sämtlicher Prozesse im Körper und folglich ein Nachlassen von Energie und Beweglichkeit.

Ein eigenwilliges Festhalten an materiellen Dingen führt zur Verengung in den Ausscheidungsorganen, weil es deren Aufgabe ist, etwas zu entlassen und wegzugeben, anstatt es festzuhalten.

Die feste Entschlossenheit, in einem selbst gewählten Tätigkeitsbereich, Studium, Beruf, Geschäft ehrgeizig voranzukommen, ruft die ganze Körperenergie in den Kopf, so daß die Geisteskräfte in Brust und Unterleib verhungern. Schulkinder werden mit weltlichem Wissen vollgestopft und angespornt, gute Zeugnisse zu bringen. Das treibt das Blut in den Kopf und verengt den Fluß zum Unterleib.

Manchmal merken Sie, wenn Sie sich auf eine geistige Arbeit konzentrieren, wie das Blut in den bewußten Bereich Ihrer Stirn getrieben wird und Kopfschmerzen verursacht und wie andererseits im Unterleib Spannungen und Unannehmlichkeiten auftreten.

Das Überfließen von Leben, Blut und Energie zum Willenszentrum in der Stirn kann Mandel-, Stirnhöhlenentzündungen, angeschwollene Pharyngea-Drüsen und andere Kopfkrankheiten zur Folge haben, während gleichzeitig der Darm an Verstopfung und allgemeinem Mangel an Vitalkraft leidet.

Das Mittel gegen diese Vorkommnisse liegt in der Entspannung des Willens und im Loslassen rein persönlicher Ziele. Entspannung des verkrampften Willens hängt von der Entspannung des festen Willens ab. Das Üben der Entspannung und der geistgesteuerten Verteilung Ihrer Nervenenergie im Körper sollte Ihnen zur Gewohnheit während der täglichen Meditationszeiten werden. Beginnen Sie einfach am Scheitel des Kopfes und gleiten Sie langsam hinunter durch den Körper und bestimmen: *Entspanne dich und lasse los.* Werfen Sie die Vorstellung, Sie hätten so viel zu tun, Sie seien von Arbeit überlastet und unter Zeitdruck, aus Ihren Gedanken hinaus. Weder mit Kraft noch mit Gewalt, sondern mit dem Geist Gottes wird alles für Sie getan.

Wenn Sie eigenwillige Bejahungen aussprechen, können Sie Verstopfung hervorrufen und mit der Ausscheidung in Konflikt geraten. Wenn Sie statt in angestrengter, mühseliger Weise in entspanntem Zustand die Bejahungen sprechen und sie ununterbrochen eine Weile benutzen, werden sie frei und in vollkommener Weise ihr Werk im Unterbewußtsein tun. Permanente angestrengte und angespannte Bejahungen bergen die Gefahr in sich, Verengungen im Zentrum der Ausscheidung zu verursachen. Das Gegenmittel liegt in Entspannung und Loslassen. Ihre Heilungsworte müssen genügend Zeit haben, sich in den unterbewußten Regionen Ihres Wesens auszuwirken.

Man kann den Geist überlasten, so wie man den Magen überlasten kann. Gedanken müssen in ähnlicher Art wie das Essen verdaut werden. Ohne geeignete Verdauung und Assimilation können Ihre Gedanken in einer geistigen Verstopfung und vollständigen Ergebnislosigkeit enden.

Manchmal wird dem Willen eines Menschen so ununterbrochen von dem Willen eines anderen Widerstand entgegengebracht, daß sich sein Rückgrat verkrümmt. Falsche und herrschsüchtige Willensäußerungen hinterlassen ihre Spuren am unteren Rücken und Rückgrat. Auch die Vorstellung, allzu schwer belastet zu sein, was typisch für den depressiven, zynischen Geistzustand ist, führt dazu, daß sich der Rücken doppelt so stark beugt als bei einer Person, die ihre Probleme in einem geistigen »Rucksack« trägt.

Kleine alte Damen, die sich häufig die Hüfte brechen, sind oft Menschen, die ihre Familien beherrscht haben. Wenn sie älter werden und nicht mehr die Kraft haben, über andere zu bestimmen, wie sie es früher taten, »zerbricht es sie«, sowohl geistig als auch physisch. Gebrochene Hüften oder andere Leiden am unteren Rücken und an der unteren Wirbelsäule sind buchstäblich das Resultat, meistens durch einen Unfall verursacht.

Eine sehr herrschsüchtige Frau verlor plötzlich ihre Kraft, andere zu beherrschen, als ihr Ehemann starb. Sie hatte immer unter Verstopfung, Hämorrhoiden und anderen »eigenwilligen« Krankheiten des Darmes gelitten. Sie war überrascht, daß sie noch genauso neidisch auf ihren Mann war wie zu seinen Lebzeiten, und daß der Grund ihrer Eifersucht in ihren eigenen Empfindungen lag und nicht in den Reaktionen ihres Mannes. Als sie eines Tages wieder in einer solch brütenden, eifersüchtigen Stimmung über ihren verstorbenen Mann war, fiel sie hin und brach sich die Hüfte.

Gebrechen an den Hüften sind ein Zeichen für Eigenwilligkeit und Habsucht. Die Hüften stehen über das Rückenmark in direkter Verbindung mit der Geisteskraft des Willens im Vorderhirn. Der große Reichtum einer anderen Dame war einem Verwandten zur Verwaltung übergeben worden. Sie war nun nicht länger in der Lage, ihre Verwandten, Freunde und Angestellte durch ihren Reichtum zu beherrschen und fühlte sich hilflos und »zerbrochen«. Eine gebrochene Hüfte folgte bald!

Eine andere Frau litt an einer vielfach verkümmerten Wirbelsäule; zwei der Wirbel waren verschoben und nicht mehr in eine Linie mit den übrigen zu bringen. Auf der Gegenseite waren zwei etwas höher liegende Wirbel aus ihrer Lage geraten. Das Fleisch um die Wirbel war heiß, gerötet, geschwollen und tat weh. Die Leidende war osteopathisch behandelt worden, bis der Rücken sich entzündete und schmerzte. Dem Arzt war es nicht gelungen, auch nur zwei der Knochen in die richtige Lage zurückzubringen, da der Rücken der Patientin so weh tat, daß man ihn noch nicht einmal leicht berühren konnte. Sie suchte einen geistigen Ratgeber auf, der für sie bejahte: »Die Erinnerungen an die Vergangenheit sind vorüber, so wie der Nebel in der Sonne vergeht; denn Gott liebt dich, sein Kind, in einen gesunden Körper hinein; dieser ist jetzt behütet und beschützt von der guten Kraft in dir. Du bist weder willensschwach noch widerstrebend in deinem menschlichen Willen; Gottes Wille regiert deinen Geist so, daß du Gedanken der Liebe, Wahrheit und Reinheit denkst. Du bist gerade und aufrichtig in deinem Charakter; und du tust gerne immer das Richtige für jeden, mit dem du irgendwie zu tun hast, sei es im Geschäft, in der Gesellschaft oder in deinem Heim. Es gibt nichts Unwahres um dich. In Geist, Körper und in deinen Angelegenheiten gibt es keine Intrigen. Du bist ganz, du bist aufrecht, du bist in Frieden, du bist frei.«

Als der Berater diese Offenbarungen sprach, wurden der Patientin einige ihrer widerstrebenden Einstellungen bewußt, die ihren Rücken in die schmerzliche Lage gebracht hatten. Mit diesem Bewußtsein wallte ein großes Glücksgefühl in ihr auf. Dann folgte ein eigenartiges, aber angenehmes Empfinden, das die Wirbelsäule herauf- und hinunterfloß.

Innerhalb von 24 Stunden waren Schmerz und Entzündung verschwunden. Der zweite und dritte Tag brachte keine Veränderung der noch immer falschen Knochenlage. Aber am vierten Tag hatte sie ein sanftes, kraftvolles Empfinden wie von einer zarten Hand, das jeden Wirbel für sich getrennt im Abstand von einigen Sekunden an die richtige Stelle brachte. Dann stellte sich ein prickelndes Gefühl ein, als wenn neues

Leben von einem Ende der Wirbelsäule zum anderen flösse; diesem folgte ein sich über alles erstreckendes Wärme- und Freiheitsgefühl. Sie war geheilt.

Ursache von Darmkrankheiten

In einem gesunden Körper gibt es kein Stagnieren. Sein vollkommenes System der Assimilation und Ausscheidung wird von keiner menschlichen Erfindung erreicht. Der Körper arbeitet mit Furchtlosigkeit und Intelligenz beim Empfangen von Nahrung aller Art und beim Ausscheiden dessen, was nicht länger gebraucht wird.

Bei der Abnutzung durch das Leben sammelt sich dauernd Abfall, der fortgeworfen werden muß; oder der Körper wird vergiftet und stirbt. Obgleich es eine ganze Reihe von Ausscheidungsorganen gibt, durch die der Auswurf unnützer Masse vor sich geht, sind doch die wichtigsten Organe die Leber, die Nieren, die Lungen, die Schweißdrüsen der Haut und der Darmkanal.

Substanzen, die der Körper aufgenommen hat und die ihre Schuldigkeit getan haben, werden zu lebloser Materie und stehen nicht länger mit der Lebenskraft in Verbindung. Der Körper muß die Abfallprodukte loswerden, um Platz für neue lebenserfüllte Substanzen zu schaffen.

Negative Empfindungen blockieren normale Ausscheidung

Stark negative Empfindungen behindern die Ausscheidung der verbrauchten Substanzen aus dem Körper; alle möglichen Arten von Gesundheitsproblemen sind die Folge.

An erster Stelle stehen die willensstarken Menschen, deren Leber langam arbeitet, eine Leber, die nicht offen und frei ihre Arbeit tun kann. Irgendein Mißempfinden im Geist bremst die Leber. Wenn man in der Vergangenheit lebt, sich selbst verurteilt und Bedauern über vergangene Dinge hegt, wird die Leber negativ beeinflußt; man kann darüber den Tod erleiden. Menschen, die neue Ideen aufnehmen wollen, aber nicht imstande sind, alte loszuwerden, leiden an Leberstörungen. Nachtragen und Selbstbedauern werden in der Leber reflektiert, denn eine gesunde Leber vertreibt das Unwahre und hält am Guten fest. Wenn die Leber gezwungen wird, mit Bedauern an der Vergangenheit zu hängen, melden die Nieren diesen Gemütszustand, indem sie sich entzünden.

Ausscheidung durch die Haut

Die Notwendigkeit der Ausscheidung äußert sich auch in der Haut. Das fällt besonders auf, wenn die Transpiration infolge von im Geiste festgehaltener Trübsal gestört ist. Eine der Funktionen der Lunge ist, verbrauchte Gase abzugeben. Das ungenügende Einatmen von Frischluft führt zur Überarbeitung der Nieren, was wiederum aus dem spezifischen Gewicht des Urins bestimmt werden kann.

Eine Dame wurde einmal von einer schmerzhaften, sich über den gesamten Körper einschließlich der Haare erstreckenden schweren Hautkrankheit geheilt. Ebenso von einer schweren Nierenerkrankung, an der sie jahrelang gelitten hatte. Das geschah dadurch, daß sie sich einen ganzen Monat lang freiwillig von allen irritierenden, kritischen und störenden Reaktionen auf lächerliche Kleinigkeiten zurückhielt.

Ursachen von Entzündungen, die durch schlechte Verdauung entstehen

Die Verdauung wird durch mentale Gifte im Geist verlangsamt oder zu stark angeregt. Ein bestimmter Geisteszustand verursacht Entzündungen im Darm. Einige Fälle von Verdauungsschwierigkeiten können ihren Ursprung in einem egoistischen Zurückhalten dessen haben, was anderen gegeben oder aus dem Leben eines Menschen entfernt werden sollte. Ein geiziger

Mann wurde einmal von einer chronischen Verstopfung geheilt, als er freimütig begann, anderen zu geben, was er vorher gemein und knickerig zurückgehalten hatte. Wenn Sie bejahen, *göttliche Intelligenz regiert jetzt alle Funktionen meines Körpers*, wird Ihnen gezeigt werden, welche Tätigkeiten im Geistigen oder im Körperlichen unternommen werden sollten, um eine Heilung zu erreichen.

Hämorrhoiden werden von einer Geistesträgheit herbeigeführt. Reizbarkeit, Ängstlichkeit, Widerstand und Furcht führen zu Verstopfung, die chronisch werden kann. Auch unrichtig gegebene Wertschätzungsbezeugungen sind die Ursache von Hämorrhoiden. Eine Witwe, die ihren Mann immer beherrscht hatte, litt dauernd an Hämorrhoiden noch nach seinem Tode; ihre Zuneigung war nicht ehrlich gemeint, und sie hatte Geist, Seele und Körper des Mannes herumkommandiert. Nun konnte sie das nicht länger tun und wurde reizbar, ironisch, ängstlich und stand in Widerstreit mit ihren neuen Lebensbedingungen.

Wie man Spannungen in den Ausscheidungsorganen beseitigen kann

Wie diese Dame es bewies, bringt Spannung gesundheitliche Probleme in den Ausscheidungsorganen. Wenn man dem inneren Drang, Altes gehen zu lassen, um Raum für Neues zu schaffen, nicht folgt, verstopft man sein Leben mit den Trümmern vergangener Fehler, Enttäuschungen und Leiden. Keine Funktion des Körpers lehrt diese Lektion klarer als die Verdauung.

Bejahe oft: *Ich lasse willig die Gedanken und Dinge los, die mein Leben in Unordnung halten. Ich vergebe mir und anderen, und ich bin frei von allen Fehleinschätzungen, Bitterkeiten, Ungerechtigkeiten, Unduldsamkeiten und Rachegedanken. Jedes Organ meines Körpers erhält schnell seinen guten Teil davon. Jedes Mißverstehen und jede Bitterkeit werden jetzt aus meinem Geist, meinem Körper und meiner Welt ausgeschieden.*

Unnötige Anspannung und Anstrengung sind die Ursache vieler Krankheiten des Unterleibs. Furcht, übertriebenes Verantwortungsgefühl, Ängstlichkeit, Nachtragen und ähnliche einengende Gefühle sind der Anlaß. Das Sichabwenden von der Vergangenheit ist eine der größten Hilfen für die Gesundheit aller Ausscheidungsorgane. Niemals sollten Sie versuchen, alte Erfahrungen wieder aufzufrischen oder neu zu durchleben. Wenn Sie dazu versucht werden, sollten Sie bejahen: *Ich reinige den Geist von toten Gedanken und toten Verhältnissen.*

Alkalische Reaktionen im Körper scheinen von unseren Gefühlsempfindungen bestimmt zu werden, saure hingegen von unserem denkenden Wesen.

Religiöser Glaube hat einen sehr belebenden oder beruhigenden Effekt auf Geist und Körper, besonders auf die Nieren, in denen sich die Urteilsfähigkeit des Geistes widerspiegelt. Das griechische Wort für Urteil ist »zu scheiden oder auseinanderzusetzen«, und das ist eben die Aufgabe der Nieren. Wenn die Nieren durch schwere Kritiksucht entzündet werden, wird auch die Leber in Mitleidenschaft gezogen. Falsches Urteil und Kritiksucht äußern sich immer in den Ausscheidungsorganen.

Wenn die Nieren überanstrengt sind, ist der Grund wahrscheinlich in kritischer, unfreundlicher, sarkastischer Haltung zu suchen. Dazu gehören auch spitze Bemerkungen, der Hang, nach Fehlern zu suchen, das Schlechteste herauszufinden, auf die Schwächen der Menschen hinzuweisen und ihr Versagen herauszustreichen. Diese »sauren« Gedanken sollten aufgeweicht und versüßt sowie vom Verurteilen der Zeitgenossen befreit zu werden.

Eine Frau, die seit Jahren an Rücken- und Nierenschmerzen gelitten hatte, wurde innerhalb zweier Wochen vollständig geheilt, nachdem sie ihre Zunge gezügelt und sich von schneidender Kritik, Sarkasmus und Verurteilung anderer zurückgehalten hatte. Mit Erfahrung und Geduld entwickelte sie schließlich ein liebenswertes Wesen, das unendlich viel zu ihrem Wohlbefinden im Leben beitrug.

Eine Wanderniere kann auf eine gemischte, unsichere, weiche Urteilskraft zurückgeführt werden, die sich niemals klar zu etwas bekennt. Eine Hausfrau litt einmal daran, als ihr Mann sich für eine andere Frau interessierte. Er machte in dieser Angelegenheit einen unentschiedenen Eindruck und schuf niemals Klarheit, ob er weggehen oder bei seiner Frau bleiben würde. Seine Unentschiedenheit spiegelte sich in dem Gesundheitszustand seiner Frau wider.

Wenn sich einer erhebt und in dem Guten bei sich und anderen verweilt, es außerdem vermeidet, andere zu verurteilen, vollzieht sich ein Wandel in seinem Atem und der Substanz, die er aus dem Äther zieht. Wenn er in seinem Denken höhersteigt, werden seine Lungen ansprechbarer und sensibler für eine feinere Luftzusammensetzung; das wiederum findet seinen Niederschlag in seinem Blut und in seiner Haut. Es ist der feine, hohe Klang des Denkens, der den Körper veranlaßt, Abfallprodukte ganz leicht und schnell abzuwerfen. Lob und Danksagung reinigen und befreien den Geist und helfen auch, den Körper zu reinigen und von Schlacken zu befreien. Danksagung und Lob haben eine entlastende, befreiende Wirkung auf den ganzen Körper. Die Körperfunktionen, besonders die des Unterleibes, reagieren auf Lobpreisung. Geradeso wie Erwachsene als auch Kinder oft nach Liebenswürdigkeit, Anerkennung und Lob hungern, so tun es die einzelnen Organe des Körpers. Ein Arzt erzählte mir einmal, daß Lobpreisung Verstopfung und andere Krankheiten des Unterleibes heilen kann.

Die guten Auswirkungen regelmäßiger Ausscheidung

Die Kraft der Ausscheidung ist ein himmlisches Geschenk. Sie arbeitet dauernd daran, Hemmungen in Ihrem allgemeinen Denken, in Ihren Angelegenheiten und Beziehungen zu überwinden. Ausscheidung ist Ihre Kraft, alles wegzuwerfen, dem Sie entwachsen sind in Ihrem Leben; alle Hemmungen zu überwinden und in jedem Bemühen siegreich zu sein. Bejahen Sie: *Ich lasse jetzt den Christus-Geist sein befreiendes Werk in mir tun!*

Eine Änderung im Denken löst eine entsprechende Änderung im Körper aus. Wenn die Gedanken erhoben werden, wird der gesamte Organismus zu einer höheren Schwingungsebene emporgehoben. Wenn der Organismus verstopft war, wird ihm die höchste Lebensenergie Befreiung schenken. Zuvor jedoch müssen alte Gedanken verworfen und losgelassen werden, bevor das Neue seinen Platz im Bewußtsein finden kann. Das ist ein psychologisches Gesetz, das seinen äußeren Ausdruck in den zarten Ausscheidungsfunktionen des Körpers findet. Verwerfen bedeutet nicht Aufgeben eines glücklichen, wohlausgewogenen Lebens, sondern das Aufgeben von tiefeingewurzelten, negativen Gedanken und Empfindungen.

Ein gesunder Geisteszustand wird erreicht und beibehalten, wenn der Mensch willig alte Gedanken fahren läßt und dafür neue und bessere übernimmt. Alte Gedanken immer wiederaufzunehmen, hält die Tür für neue Gedanken geschlossen. Dann setzt eine Kristallisation ein. Tuberkulose, Krebs, Geschwüre und viele andere Krankheiten des Fleisches sind ein Beweis dafür, daß die menschliche Natur vergewaltigt worden ist. Nun protestiert sie dagegen und schüttelt sich von alten, abgetragenen Standpunkten frei. Die vorherrschenden Krankheiten des Unterleibes – Verstopfung, Geschwüre usw. – werden durch Verkrampfung der gesamten Körperenergie hervorgerufen.

Sobald Freiheit erklärt wird und die Geisteskraft der Ausscheidung diese Freiheit im Gefühlsleben und im menschlichen Körper aufrichtet, wird sich im ganzen Organismus Leichtigkeit und Wohlbehagen einstellen; gleichzeitig entwickeln sich Kraft und Elastizität.

Die Geisteskraft der Ausscheidung injiziert dauernd mehr Energie in unser Wesen und wirft zu gleicher Zeit allen Abfall aus Geist und Körper. Die vergebende Liebe des Christus-Geistes ist nicht nur ein wundervolles geistiges Stimulans für Seele und Leib, sie ist auch ein wichtiger Faktor im Ausscheidungsprozeß. Sie läßt das Neue einfließen, sobald ein Loslassen des Alten stattfindet. Wenn das Gesetz der Vergebung erfüllt wird, zieht es neues Leben, Stärke und Kraft aus der göttlichen Quelle herbei und wirft das Alte fort. Das Festhalten an Gedanken von Glücklosigkeit, Sünde, Krankheit und Armut ist die Ursache aller Disharmonie, die heutzutage existiert. Sobald ein neues Licht im Bewußtsein geboren wird, verliert der alte Irrtumsgedanke seinen Halt und fällt ab. Sie müssen sich klarmachen, daß das Vorübergehen des Alten und das Einströmen des Neuen die Ergebnisse vom Wirken von Gottes Gesetz des Guten in Ihrem Leben ist. Sie sollten mithelfen, diese Veränderungen herbeizuführen, anstatt sich gegen sie aufzulehnen! Sobald Sie Vergebung üben, wird es Ihnen klar, daß Sie allen Überdruß, allen Zweifel und alle Furcht verlieren; und Sie werden Leichtigkeit und Freiheit in Ihrem ganzen Wesen empfinden.

Wie Sie von der krank machenden Habsucht frei werden können

Ihre Geisteskraft der Ausscheidung läßt Sie wissen, was Sie loslassen oder ausscheiden sollten. Wenn Sie physische Schmerzen oder ein Mißbehagen in den Ausscheidungsorganen haben, ist das der Aufforderungsversuch der Geisteskraft der Absonderung, einige alte Vorstellungen, Erfahrungen oder Beziehungen loszulassen und aufzugeben. Wenn Sie sie aufgeben, wird Ihnen der Weg zur Heilung gezeigt werden. Wenn Sie trotzdem daran festhalten, wird die Heilung nicht von Dauer sein, ganz gleich, was Sie tun, so lange, bis Sie endlich loslassen.

Manchmal entstehen Gesundheitsprobleme im Unterleib aus Habsucht. Wenn Sie die Fesseln eines Besitzgierigen fühlen, ist das zugleich ein Zeichen dafür, daß Sie einen anderen besitzen wollen. Jedesmal, wenn Sie sich gebunden fühlen, binden auch Sie. Sie können vollständig von der Habsucht eines anderen befreit werden, wenn Sie persönlich aufhören, andere an sich zu binden und ihnen befehlen zu wollen. Wenn Sie sich persönlich durch den Habsinn anderer Leute beengt fühlen und plötzlich den Drang verspüren, sich davon zu befreien, fangen Sie an, denjenigen gegenüber, die Sie zu beherrschen scheinen, zu bejahen: *Ich gebe dich ganz und gar frei. Ich lasse dich los und lasse dich gehen. Ich lasse los und lasse jetzt Gott Freiheit in diese Beziehung bringen.*

Auf diese einfache Weise können Sie damit beginnen, gefühlsmäßig Freiheit zu erhalten und zu geben; somit werden Geist und Körper geheilt.

Wie man anderen gefühlsmäßig Freiheit gibt und dabei selbst gewinnt

Zwang und Disharmonie treten dann in Ihren menschlichen Beziehungen auf, wenn Sie versuchen, zu reformieren, festzuhalten oder andere nach Ihren Wünschen zu formen. Dann ist die Zeit gekommen aufzuhören, sich um andere zu sorgen, und Einkehr bei sich selbst zu halten, um eine Änderung herbeizuführen.

Der erste Schritt besteht darin, bei sich selbst Einkehr zu halten und sich zu ändern. Das geschieht dadurch, daß wir unsere Lieben freilassen, damit sie zu ihrem eigenen Guten gelangen können. Auf den ersten Blick erscheint ja gerade das genau der Fehler zu sein, den Sie nicht machen wollen. Sie glauben, daß sie gerade Ermutigung, Hilfe und Verstehen nötig brauchen. Aber wenn Sie zu helfen versuchen, indem Sie sie fest an sich binden, werden sie dermaßen aufgebracht über die Einengung, daß sie nicht mehr frei sind, Sie so zu lieben, wie sie es sonst getan hätten.

Liebe, die einen anderen gegen seinen Willen bindet, kann für keinen der beiden Menschen Glück bringen. Eine Liebe hingegen, die sich selbst für das Höchste hingibt, bringt die im Geiste verbundenen Seelen immer enger zusammen. Wenn eine Frau an ihren Mann denkt, sollte sie ihn weder verurteilen noch meinen, er gehöre ihr allein, sondern sie soll an ihn als ein Gotteskind denken. Dann sollte sie ihn mit der selbstlosesten Liebe umgeben, die ihr nur möglich ist. Auf diese Weise macht sie ihn und sich selbst frei für das Einssein in der Liebe Gottes.

Manchmal hängt eine Mutter derartig an ihren Kindern, daß sie deren Entwicklung und auch ihre eigene hemmt. Wenn sie erwachsen werden, versucht sie in so starkem Maße ihre Liebe und Anhänglichkeit zu erhalten, wobei sie an ihre Verpflichtung den Eltern gegenüber appelliert, daß sie bestimmt nicht mehr deren wirkliche Liebe erhält.

Das Selbst, das verleugnet werden soll, wie Jesus von Nazareth es lehrte, liegt in der raffgierigen persönlichen Einstellung. Jeder Mensch muß seine habsüchtige Einstellung aufgeben, bevor sich eine harmonische Tätigkeit in den Ausscheidungsorganen herausbilden kann. Die beherrschende Position gegenüber anderen Menschen muß aufgegeben werden, bevor sich die Probleme lösen lassen.

Ich beobachtete einmal, wie dieses Prinzip an einem Mann-Frau-Verhältnis wirkte. Die Frau war sehr beherrschend, mißtrauisch und neidisch auf ihren Mann geworden; sie hatte ihn mit ihren negativen Gefühlen gebunden. Er, der ein empfindlicher Mensch war, begann diesen Zwang zu fühlen. Und immer, wenn wir uns gebunden fühlen, regt sich der Widerstand, um die Freiheit zurückzugewinnen. Der Mann leistete in der Form Widerstand, daß er heftig zu trinken anfing.

Diese Frau tat alles, um ihren Mann vom Trinken abzubringen; aber es wurde nur noch schlimmer. Durch die Hilfe eines geistigen Beraters erfuhr sie endlich, daß sie ihren Mann gefühlsmäßig freigeben und ihm Vertrauen schenken sollte; wenn der Mann diese Freiheit fühlte, würde er zu trinken aufhören.

Zu diesem Zweck bejahte sie täglich: »Ich werfe diese Last auf den Christus in dir; und ich bin frei, und du bist frei.« Sie reagierte auch nicht mehr negativ auf seine Trinkereien und sprach nicht mehr darüber; nicht einmal nach seinem Kommen und Gehen fragte sie. Statt dessen sagte sie ihm einfach, er sei frei, zu tun und zu lassen, was er für richtig hielte. Als sie ihn geistig frei gab, ließ seine Trunksucht augenblicklich nach und hörte schließlich ganz auf.

Durch den Akt des Freigebens verlieren Sie niemals etwas, was Ihnen nach göttlichem Gesetz noch gehört. Sie geben aber dafür den Weg frei, daß sich Ihr Gutes in weit größerem Maße denn je zuvor verwirklicht.

Die Geisteskraft der Ausscheidung hat in Wirklichkeit zwei

Funktionen: den Irrtum auszuscheiden und gleichzeitig Ihr Gutes zu erweitern. Wenn irgend etwas aus Ihrem Leben verschwindet, ist das immer ein Zeichen dafür, daß etwas Besseres unterwegs ist. Wenn etwas in Ihrem Leben ausgeschieden wird, sucht sich das Gute zu erweitern. Wenn man das weiß, ist es leichter, das Alte gehen zu lassen, um das Gute in Erscheinung treten zu sehen. In solchen Zeiten sollten Sie bejahen: *Ich lasse los und vertraue!*

Wie man sich für eine Heilung reinigen und läutern soll

Wenn Sie sich nach Erfolg sehnen, nach Erfüllung eines Herzenswunsches oder der Wiedergewinnung von Gesundheit, und nichts davon ist bisher eingetroffen, liegt der Grund oft darin, daß immer noch etwas in Ihrem Geist, Körper oder persönlichen Bereich ausgeschieden werden muß. Sobald Sie das tun, werden Sie Erfolg haben. Sowie Sie aber diesen Ausscheidungsprozeß auf die lange Bank schieben, läßt der Erfolg auf sich warten, ganz gleich, was Sie unternehmen.

Jede Phase Ihres Lebens hat irgendwie mit Zurücknehmen zu tun. Jeder Schritt vorwärts bedeutet das Zurückweisen von etwas Altem, besonders wenn das »Vorwärts« eine Heilung sein soll. Im Körper wird kein neues Wachstum, kein gesundes Fließen der Lebenskräfte stattfinden, und es werden keine neuen Zellen gebildet, wenn nicht vorher eine Ausscheidung erfolgt ist.

In Ihrem Leben besteht dauernd die Notwendigkeit der Ausscheidung, die für die Reinigung des Körpers sorgt und Platz für die Vermehrung des Guten schafft.

Jeder beklagt sich, daß es so schmerzvoll ist, etwas herzugeben. Das stimmt. Es kann jemanden kreuzunglücklich machen, wenn er etwas Liebgewordenes loslassen soll, selbst wenn er ihm längst entwachsen ist. Thaddäus war der Jünger Jesu, der symbolisch für die Geisteskraft der Ausscheidung steht; sein Name bedeutet »loben, bekennen, mutig sein«. Es braucht Mut, etwas loszulassen.

Jedoch scheidet die Geisteskraft der Zurückweisung nicht nur das Alte aus, sie erweitert sogar noch das Neue. Sie werden nicht verlassen dastehen, wenn Sie Ihr Teil dazu beitragen. Ihnen wird nicht nur einiges weggenommen, sondern Sie erhalten Neues!

Wenn Sie also nicht willig in Ihrem Leben das loslassen, was nicht mehr länger zu Ihrem Besten dient, dann verläßt Sie das, dem Sie entwachsen sind, doch auf irgendeine Weise. Wenn Sie etwas festhalten oder versuchen, andere Leute zu beherrschen, finden diese doch einen Weg, sich zu entfernen. Krankenhäuser, Nervenheilanstalten und Friedhöfe sind voll von denen, die sich von den Fesseln befreien wollten und das auf ihre Weise auch erreichten.

Ausscheidung ist die Geisteskraft im Menschen, die ihn reinigt und befreit. Deshalb entspannen Sie sich oft, lenken Sie Ihre Aufmerksamkeit auf den Unterleib und bejahen Sie: *Ich bin jetzt mit vollkommener Ausscheidung an Geist, Körper sowie allen Belangen gesegnet.*

Zusammenfassung

1) Die Geisteskraft der Ausscheidung liegt in den Ausscheidungsorganen am unteren Teil des Rückens.
2) Menschen, die engherzig und habgierig an etwas festhalten, was nicht länger zu ihrem Besten dient, leiden oft physisch an Krankheiten der Ausscheidungsorgane, weil sie die dort befindliche Geisteskraft der Ausscheidung mißbrauchen.
3) Habsucht verursacht alle möglichen Probleme im Gesundheits-, Finanz- und zwischenmenschlichen Bereich. Sie äußert sich oftmals als Krankheit in den Ausscheidungsorganen.
4) Die Organe des Körpers, die als erste von einer Erhebung des Geistes profitieren, sind die Ausscheidungsorgane.
5) Ein im Geiste krampfhaftes Festhalten an materiellen Dingen führt zu einer Verengung im Unterleib.

6) Geistige Entspannung und das Loslassen einer verkrampften Einstellung zu materiellem Besitz sind notwendig, um von Verengungen freizuwerden und neue Gesundheit zu erlangen.
7) Die Geisteskraft der Ausscheidung, die im Nervenzentrum am unteren Teil des Rückens dicht beim Ende des Rückgrats liegt, ist eng mit der Geisteskraft des Willens im Vorderhirn an der Stirn verbunden. Der Wille, der durch das Vorderhirn arbeitet, regelt die Lebenszirkulation im ganzen Körper.
8) Es ist möglich, den Geist zu überanstrengen, so wie man den Magen überladen kann. Fehlurteile und Kritiksucht äußern sich immer in den Ausscheidungsorganen.
9) In einem gesunden Körper gibt es keine Stauung. Sein vollkommenes System von Assimilation und Ausscheidung wird von keiner menschlichen Erfindung übertroffen. Der Körper arbeitet furchtlos und klug bei der notwendigen Nahrungsaufnahme; genauso tut er es beim Ausscheiden von all dem, was nicht länger benötigt wird.
10) In dieser Weise sollte auch der Geist arbeiten: Das Loslassen der Vergangenheit ist eine der größten Hilfen zum Aufrechterhalten der Gesundheit in allen Ausscheidungsorganen. Es ist ein feiner, hoher Klang der Gedanken, der den Körper veranlaßt, seinen Abfall ganz leicht und schnell loszuwerden.
11) Eine Geistesänderung löst eine entsprechende Veränderung im Körper aus. Wenn die Gedanken erhoben sind, wird der gesamte Organismus auf eine höhere Schwingungsebene gebracht.
12) Wenn Sie ein physisches Unbehagen in den Ausscheidungsorganen haben, versucht die Geisteskraft der Ablehnung, Sie darauf hinzuweisen, daß Sie einige veraltete Einstellungen, Erfahrungen oder Verhältnisse aufgeben und gehenlassen sollten.
13) Gehen Sie in sich, um eine Veränderung auszuarbeiten. Fangen Sie an, Ihre Lieben geistig freizugeben, damit sie zu ihrem Guten gelangen können. Durch Freigeben verlie-

ren Sie nichts, sondern öffnen lediglich den Weg für das Gute, damit es sich überall manifestieren kann.

14) Die Geisteskraft der Ausscheidung hat eine doppelte Funktion: einmal den Irrtum aus Ihrem Leben auszuscheiden, zum anderen, Ihr Gutes zu erweitern. Wenn irgend etwas aus Ihrem Leben ausgeschieden wird, ist das immer ein Zeichen dafür, daß etwas Besonderes auf dem Wege zu Ihnen ist.

13. Kapitel

Ihre Heilkraft des ewigen Lebens

Zwei Damen plauderten miteinander. Die eine sagte: »Was würdest du als erstes tun, wenn dir dein Arzt sagte, du hättest nur noch sechs Monate zu leben.«

»Ganz einfach«, war die Antwort, »ich würde zu einem anderen Arzt gehen!«

Für manche Leute ist es mitunter überraschend zu hören, daß Leben selbst eine Geisteskraft ist, deren Aktivitätszentrum in den Geschlechtsorganen liegt.

Im allgemeinen betrachten wir Leben als eine mysteriöse Eigenschaft, die manche Menschen im Überfluß haben, während andere sie kaum besitzen. Selbst das Lexikon scheint sich nicht sicher zu sein, was das Ding, genannt Leben, ist. Es beschreibt Leben als eine vitale Kraft, die man weder als physisch noch als geistig »ansehen kann«. Leben ist ein Zustand des Lebendigseins, der sicher vom Geisteszustand eines Menschen beeinflußt wird.

Es ist ziemlich logisch, daß die Geisteskraft des Lebens in den Geschlechtsorganen liegt (siehe Figur 13.1). Diese Organe sind dafür verantwortlich, daß neues Leben auf dieser Welt hervorgebracht wird; außerdem sorgen sie für die Gesundheit und Vitalität dieser Seelen, sobald sie angekommen sind. Deshalb ist der richtige Gebrauch der Geisteskraft des Lebens im Menschen von großer Wichtigkeit, wenn er sich guter Gesundheit und Vitalität erfreuen will. Wenn Jesus von Nazareth sagte »Ich bin die Auferstehung und das Leben« (Johannes 11, Vers 25), könnte er eine geistige Technik benutzt haben. Das An-

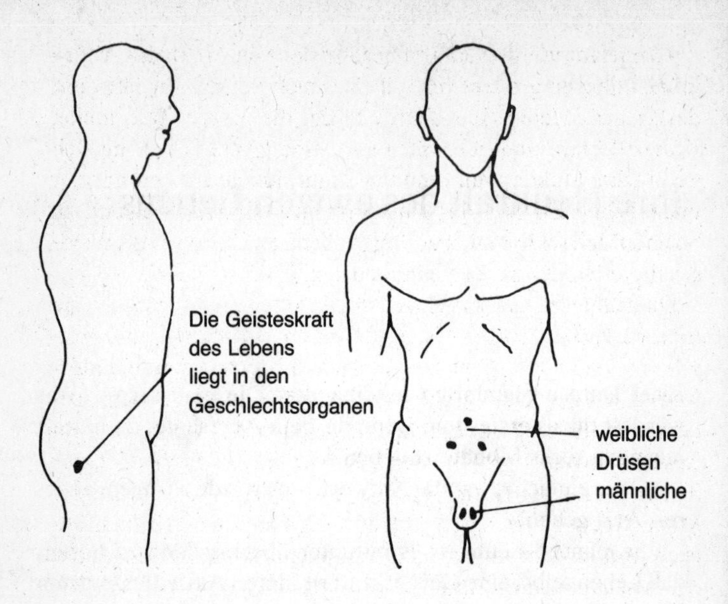

Figur 13.1 Die Lage der Geisteskraft des Lebens.

sprechen seiner Geisteskraft genügte, um seinen ganzen Körper zu neuem Leben zu erwecken. Dieser Auferstehungsakt ist für uns alle erreichbar. Wenn Sie jemals daran zweifeln, daß Leben eine Geisteskraft ist, sollten Sie nur das Wort »Leben« nehmen und es immer und immer wieder bejahen. Sie werden eine neue Woge begeisterten Lebens in sich aufwallen fühlen.

Die beste Art, die mächtige Lebenskraft in sich zu aktivieren, ist folgende: In Ihren Ruhezeiten der Entspannung und des Loslassens verordnen Sie »Leben, Leben, Leben«; dabei fangen Sie am Scheitel Ihres Kopfes an und gleiten im Geist abwärts in die verschiedenen Körperteile. Wenn Sie das tun, fühlen Sie einen gewissen Strom von Erregung und Begeisterung sowie eine warme elektrische Energie in den einzelnen Körperteilen aufleben. Charles Fillmore erklärte, wie er das machte, als er sich den Fünfzigern näherte:

»Ungefähr vor drei Jahren begann der Glaube an das Altern in mir Platz zu greifen. Ich näherte mich der halben Jahrhundertgrenze. Meine Haut wurde faltig, die Haare grau, meine Knie zitterten, und über mich kam eine große Schwäche. Ich verbrachte Stunden um Stunden damit, meine Einheit mit der unendlichen Energie des einen treuen Gottes schweigend zu bejahen. Ich schloß mich an Jugendliche an ... auf diese Weise schaltete ich den Altersgedanken um.

Dann ging ich tief in meinen Körper hinein und sprach zu den inneren Lebenszentren. Ich sagte ihnen mit Strenge und Entschiedenheit, daß ich mich niemals dem Alterungsteufel unterwerfen würde, daß ich entschlossen wäre, niemals nachzugeben. Schrittweise fühlte ich einen neuen Lebensstrom vom Lebenszentrum hochkommen. Es war ein schwacher kleiner Strom, der sich durch Sprünge und Rückschläge kräftigte. Meine Backen haben sich gestrafft, die Falten und Krähenfüßchen sind verschwunden, und ich fühle mich wie ein Junge, der ich tatsächlich auch bin.«

Wissenschaftler sagen heute, daß Leben eine Geisteskraft ist, daß Leben eine mentale Eigenschaft im Menschen ist. Wenn Sie sich das klarmachen, können Sie beginnen, diese Lebenskraft anzuzapfen, um sie in die Organe und Zellen Ihres Körpers zu entsenden. Wissenschaftler bestätigen jetzt, daß im Körper ungenutzte Energien vorhanden und eingeschlossen sind.

Wie in Kapitel 1 berichtet, bewies Myrtle Fillmore bereits in den 90er Jahren des 19. Jahrhunderts oben Gesagtes, als sie die ungenutzten Energien mittels des gesprochenen Wortes entfesselte. Sie sprach zu ihrem Körper und sagte ihm, daß er wieder vollkommen würde; damit heilte sie sich selbst von einer unheilbaren Krankheit.

Wenn Sie sich müde, erschöpft und entmutigt fühlen, ist der Augenblick gekommen, die Geisteskraft des Lebens in sich anzurufen. Diese Kraft, die fähig ist, neue Energie wieder aufzubauen, ist keine übernatürliche Kraft. Leben, Substanz und Intelligenz sind in jeder Zelle, ja in jedem Atom Ihres Körpers. Wenn Sie Worte des »Lebens« sprechen, reagiert jede

Zelle. Sie können die Zellen Ihres Körpers mit Leben aufladen, da diese immer wach und aufnahmefähig sind. Wenn Sie sich dauernd mit der Idee des »Lebens« beschäftigen, nimmt Ihr Körper diese Vorstellung auf und handelt dementsprechend: zuerst bewußt und dann unterbewußt. Die Idee des Lebens wird dann durch die Zellen Ihres Körpers wirken und dabei neue Energie erzeugen.

Eine sterbende Frau wird vom Tode zurückgeholt

Eine Frau schien an bronchialer Lungenentzündung, begleitet von hohem Fieber, Schmerzen und Schüttelfrost, zu sterben. Es setzte eine Verstopfung der Lungenbläschen ein, die das Atmen und ihre Herztätigkeit behinderten. Trotz der besten medizinischen Versorgung schwanden die Lebensgeister dieser Frau. Ein Verwandter bat eine geistige Beraterin, für sie zu beten. Immer wieder bejahte die Beraterin »Leben, Leben, Leben, du kannst nicht sterben. Du lebst und erfüllst den göttlichen Plan für dein Leben. Nichts kann dir das Leben nehmen!«

Als die Beraterin nach einiger Zeit wieder für die kranke Frau betete, hatte sie den Eindruck, in einer fremden Umgebung und in einer Atmosphäre zu sein, die gar nicht dieser Welt glich. Als einziges Wesen konnte sie in einiger Entfernung die kranke Frau erkennen. Die Beraterin wurde ganz erregt, als ihr klar wurde, daß die kranke Frau zwar gesegnet und glücklich war, aber doch immer weiter fortrückte. Sie sah, daß sie in wenigen Augenblicken jenseits der Grenze sein würde, von der man sie noch zurückrufen könnte. Zuerst versuchte die Beraterin, zu der kranken Frau zu sprechen, aber sie konnte ihre Aufmerksamkeit nicht erregen; sie entfernte sich immer mehr. Schließlich befahl die Beraterin laut: »Du kannst das Leben nicht verlassen. Komm zurück und erfülle deine Aufgabe. Erfülle deinen göttlichen Plan.« Darauf fühlte sie eine Erschütterung, so als ob die kranke Frau plötzlich auf den irdischen Plan zurückgebracht worden wäre.

Die sterbende Frau erinnerte sich später an dieses Erlebnis: »Mein Hals begann anzuschwellen, und ich hatte nicht genügend Kraft zu husten. Ich konnte nicht mehr atmen und glaubte zu ersticken. Augenblicklich sah ich, wie mein Geist den Körper verließ. Da hörte ich eine Stimme sagen: ›Lebe! Komm zurück in deinen materiellen Körper und erfülle deinen göttlichen Plan.‹ Sofort war ich wieder in meinem Körper aus Fleisch und Blut; ich trat aber sehr zögernd ein, denn als ich durch den Scheitel des Kopfes in gleicher Weise eintrat wie der Geist ihn verlassen hatte, schüttelte sich mein Körper von Kopf bis Fuß; und mehrere Tage lang hatte ich den Eindruck, daß ich nicht fest in meinem Körper verankert sei.«

Sie starb nicht – sie erholte sich vollständig.

Die dynamische Natur des Lebens – wie man sie für sich in Anspruch nimmt

Durch die Kraft Ihrer Gedanken und Worte können Sie grenzenlose Energien in den Atomen Ihres Körpers freisetzen; und Sie werden über die Reaktion erstaunt sein. Wenn irgendwelche Funktionen im Körper abgestorben sind, können Sie sie wieder erneuern, wenn Sie zu der Intelligenz und dem Leben in ihnen sprechen. Ein Wissenschaftler, der viel Zeit mit dem Studium der atomaren Körperstruktur verbracht hatte, sagte: »Ihr Körper besteht aus Trillionen von Atomen. Im Mittelpunkt jedes Atoms in Ihrem Körper ist ein zentrales Licht, um das fortwährend kleinere Lichter kreisen. Im Zentrum eines jeden Atoms sind Leben und Energie. Wenn Sie ›Leben‹ bejahen, regen Sie diese ungeheure atomare Energie in Ihrem Körper an und setzen sie in Bewegung. Wenn Sie das Wort ›Leben‹ bejahen, arbeiten Sie tatsächlich mit nuklearer Energie, die allmächtig ist, weil Sie ein ›atomares Wesen‹ sind!«

Meistens wird schlechte Gesundheit, sei sie körperlich oder geistiger Art, durch Mangel an Verständnis für die wahre Natur des Lebens ausgelöst. Der Mensch ist wirklich nur zum Teil lebendig, weil er es nicht versteht, die Lebenskraft in sich selbst hervorzurufen. Wenn Sie Ihr Denken auf Lebensenergie richten, werden Sie sich anders fühlen und eine andere Lebensqualität erfahren. Sie können mit der Verjüngung Ihres Körpers und Ihrer Welt beginnen.

Die berühmte dynamische Gebetsgruppe »Silent Unity« hält einige kraftvolle Bejahungen bereit, die Leuten in aller Welt geholfen haben, die Verjüngungskraft in ihrem Leben freizusetzen: »Leben, Leben, Leben! Ich bin mit erfrischendem Leben erfüllt und ausgestattet! Ich bin lebendig, aufgeschlossen, wach und voller Feude und Begeisterung über mein Leben! Ich bin der sich ständig erneuernde und erweiternde Ausdruck unendlichen Lebens.«

Wenn man mit großer Aufmerksamkeit über »Leben« nachdenkt, erweckt man es zur Aktivität. Wenn man über Energie, Kraft und Stärke spricht, regt man die Lebensströme an, stark durch unseren ganzen Körper zu fließen. So vergessen Sie endlich das Altwerden und beginnen Sie richtig zu leben!

In ihrem wunderbaren Buch »Wage zu glauben« (Dare to believe) erzählt May Rowland die Geschichte einer Frau, der ihr Arzt gesagt hatte: »Die Schmerzen in Ihrem Bein sind altersbedingt.«

»Unsinn«, antwortete sie. »Mein anderes Bein ist genauso alt und tut kein bißchen weh!«

Lassen Sie niemals zu, daß tote Ideen Ihren Geist verstopfen, sondern öffnen Sie Ihr Denken der Idee des Lebens und lassen Sie neue, schöpferische, lebengebende Vorstellungen in sich Ausdruck finden. Bejahen Sie oft: *Mein Geist, mein Körper und meine Angelegenheiten sind jetzt mit verjüngendem Leben erfüllt. Ich bin mit verjüngendem Leben erfüllt und ausgestattet.* Sie können tatsächlich Ihren Geist, Ihren Körper und Ihre Angelegenheiten umwandeln und in sich eine elektrische Energie und Aktivität zu ungeheurem Guten aufleben lassen, wenn Sie diese Bejahungen benutzen. Lebensbejahungen können Angelegenheiten jeder Art verjüngen; das gleiche gilt für Ihre Gesundheit. Wir hängen tatsächlich so stark am Leben, daß wir uns instinktiv von trägen und gleichgültigen Menschen zurückziehen, die nicht genügend Interesse und Begeisterung für das

Leben haben. Sie langweilen uns. Dagegen werden wir unwiderstehlich von lebhaften Menschen angezogen. Und das ist auch richtig. Das Wort »Leben« bedeutet Aktivität, Bewegung, Anregung! Wenn Sie sich jemals in Ihrer Umwelt gelangweilt fühlen, bejahen Sie »Leben«, und es beginnt etwas zu geschehen! Sie werden in den Lebensstrom hineingezogen; Sie werden sich dort wiederfinden, wo etwas los ist!

Ein Fall von Syphilis geheilt

Wenn Geschlechtskrankheiten im Körper auftreten, können sie diese Störungen oftmals durch die Bejahung von »Leben« überwinden; das gilt sowohl für Sie selbst als auch für andere.

Ein Mann suchte eine geistige Beraterin auf in dem Wunsch, irgend etwas zu finden, was ihm Linderung von einer Krankheit verschaffen könnte, die von den Ärzten als unheilbar angesehen wurde.

Die Beraterin versicherte ihm, daß bei Gott kein Ding unmöglich sei. Dieser Mann litt an heftigen Rückenschmerzen. Ein Teil der Lippe war bereits von der Krankheit in Mitleidenschaft gezogen worden, eine Ohrmuschel fehlte, andere Körperteile waren ebenfalls angegrifffen.

Die Beraterin begann in Ruhe mit diesem Mann um Führung zu beten. Im Gebet wünschte sie, daß die reinigende Kraft des Geistes von nun an in ihm am Werke sein möge; daß in und durch jede einzelne Körperzelle alle Unreinheit hinweggenommen würde. In ihrer Meditation blitzte plötzlich das Wort »Syphilis« auf.

Ihr wurde klar, daß die Geschlechtsorgane dieses Mannes von dieser Krankheit befallen waren, und sie schlug vor, er solle nach Hause gehen und drei Tage im Gebet verbringen; er solle »Leben« bejahen und daran glauben, daß er geheilt würde. Sie sagte ihm, er solle intensiv die Heilungen, die Jesus vollbracht habe, studieren, so wie sie in den vier Evangelien berichtet werden. Er solle dann über die Heilungen, die ihn am meisten ansprächen, meditieren; diese sollte er jeden Tag mindestens vier Stunden ständig bejahen. »Ich übergebe dir, lieber Vater, meinen Geist und meinen Körper. Ich bin jetzt gewillt und bereit, die alten Gewohnheiten und Überzeugungen, die mich gebunden hielten, aufzugeben. Ich bin nun bereit, das neue, höhere Leben vom Universalen Geist anzunehmen. Lieber Vater, ich weiß, du hast mir jeden Irrtum vergeben und siehst in mir nur mein vollkommenes Selbst, das rein ist. Jetzt sehe ich nur mein reines, vollkommenes Selbst, wie es als strahlendes Licht in jeder Zelle meines Körpers scheint. Ich bin völlig rein, gesund und frei. Gelobt sei Gott, ich bin frei.«

Dieser Mann befolgte voll Glauben das geistige Rezept, und als er sich am dritten Tag wieder vorstellte, war die Entzündung an Ohrmuschel, Lippen und anderen Körperteilen abgeklungen. Als er dabei blieb, sich auf die geistige Seite des Lebens zu stellen, wurde ein völlig anderer Mensch aus ihm. Schrittweise kam seine höhere Natur des Ewigen Lebens in seinem physischen Körper zum Ausdruck; er überwand die als unheilbar angesehene Krankheit und erlangte vollständige Gesundheit.

Die Wechseljahre und wie man mit ihnen fertig werden kann

Was als »Wechseljahre« bezeichnet wird, ist ein viel leichter zu überwindendes Ereignis, wenn man Leben bejaht. Einige Dinge, die den physischen Ausdruck des Lebens betreffen, sollten immer heilig gehalten werden. Dazu gehören die Wechseljahre. So leicht wie eine Jahreszeit in die andere übergeht, so wechselt eine Lebensperiode in die andere über. Die bei Mann und Frau gleichermaßen auftretenden Wechseljahre sind in Wirklichkeit eine Zeit des Wachsens der Seele, ein Gewinn an Freiheit und größerem Guten. Als sie die physischen und psychischen Veränderungen dieser Lebensperiode überwunden hatten, erhoben sich viele Menschen zu neuen Höhen. Für viele beginnt mit dieser Phase erst wirklich das Leben. Man sollte diese Veränderung begrüßen! Bejahen Sie: *Jeder Wechsel in meinem Leben geschieht genau zur rechten Zeit. Jeder Wechsel in meinem Leben ist im Einklang mit Gottes stets wachsendem*

Guten für mich. Ich gehe leicht durch jeden Wechsel, um meinem höchsten Guten zu begegnen.

Das Folgende ist besonders für die Erfahrungen in den Wechseljahren gedacht: »Vater, ich danke dir für das richtige Funktionieren aller meiner Körperteile. Ich danke dir für das neue Leben, in das ich jetzt eintrete. Ich bin bereit, das alte gehen zu lassen und nehme glücklich das neue an. Laß jetzt deinen vollkommenen Willen in mir geschehen!«

Eine Frau litt an ernstlichen Störungen der Menstruation; der Kopf tat ihr weh, als ob ein eisernes Band ihn umspannt hielte. Eine Untersuchung der persönlichen Verhältnisse ergab, daß ihr Ehemann eifersüchtig war und ihre Talente gering einschätzte. Als sie sich dessen bewußt wurde, begann sie für ihren Mann zu erklären: »Du und ich sind eins, und jedes Lob, das du mir gibst, gilt gleichermaßen für dich!« Bald war sie von jeglichem Unbehagen in Kopf und Geschlechtsorganen befreit.

Ursache von Frauenleiden und Sterilität

Eine der vielen geistigen und emotionalen Ursachen für Krankheiten der Geschlechtsorgane liegt in einem Gefühl von Begrenzung und Zwang. Was man gemeinhin als »Frauenleiden« bezeichnet, ist oft nur das Ergebnis eines Gefühls von Beengtsein. Wahrscheinlich wird so ein Mensch von irgendeinem anderen Familienmitglied beherrscht oder ist sogar selbst derjenige, der versucht, andere zu beherrschen. Die Geisteskraft des Lebens in den Geschlechtsfunktionen fühlt diesen Zwang und reagiert mit einem Mangel an Wohlgefühl.

Krankheiten in den weiblichen Geschlechtsorganen können von einem verborgenen Hader gegen Mann, Sohn, Vater oder ein anderes Mitglied des anderen Geschlechts hervorgerufen werden. Wenn der Sinn einer Frau nicht zart und sanft ist, wenn ihre Haltung kalt und abweisend ist, kann sich leicht Unfruchtbarkeit ergeben.

Kürzlich durchgeführte klinische Versuche geben Anlaß zu der Vermutung, daß emotionale Konflikte wie Haß, Furcht,

Ängstlichkeit und geringes Anpassungsvermögen in der Ehe leicht zu Unfruchtbarkeit führen können. Solche gefühlsmäßige Zustände haben schätzungsweise ein Viertel bis ein Drittel aller Fälle von unfreiwilliger Kinderlosigkeit verursacht. Sobald diese Ursachen beseitigt werden, ist eine Schwangerschaft möglich.

Durch die Funktion der Eileiter findet eine Vereinigung der männlichen und weiblichen Zellen statt, so daß eine Empfängnis ermöglicht wird. Bei empfindlichen Frauen sind die Eileiter häufig fest geschlossen, wahrscheinlich infolge nervöser Spannungen. Wenn dies der Fall ist, können sich die männlichen und weiblichen Zellen natürlich nicht begegnen. Selbst wenn die Eileiter offen bleiben und eine Vereinigung von männlichen und weiblichen Zellen vor sich geht, kann bei stark nervösen und angespannten Frauen die Oberfläche des Uterus, die weich und entspannt sein sollte, sich derart verfestigen, daß sie keinen Haftplatz für den entstehenden Embryo bietet. In solchen Fällen tritt keine Schwangerschaft ein.

Psychiater wissen, daß in vielen Fällen, in denen psychische Sterilität herrscht, bei den Eltern oft eine starke Zurückhaltung gegenüber dem Sex zu finden war, so daß auch die Kinder in ihrem sexuellen Verhalten gehemmt wurden. Das reicht dann bis in ihre ehelichen Verbindungen hinein.

Eine empfindsame Frau blieb in ihrer ersten Ehe kinderlos, hatte jedoch in einer späteren Ehe mehrere Kinder. Die psychiatrische Erklärung hierfür war, daß eine bewußte oder verborgene Abneigung gegen ihren ersten Ehemann zu einer Schließung der Eileiter führte. Die zweite, glücklichere Ehe brachte eine geistige und physische Entspannung und machte eine Empfängnis möglich. Eine »sterile« Frau, die bewußt Kinder haben wollte, haßte ihre Schwiegermutter, die sie oft ihr Verlangen hatte wissen lassen, Großmutter zu werden. Die Sterilität dieser verbitterten Frau schien unbewußt das von ihrer Schwiegermutter fernzuhalten, was diese sich am meisten wünschte.

Impotenz und andere Gesundheitsstörungen bei Männern können oft mit einer Feindschaft gegenüber dem anderen Geschlecht erklärt werden; meist stammt sie noch aus der Kindheit. Da die Geisteskraft des Willens im Gehirn an der Stirn mit der des Lebens in den Geschlechtsteilen eng verbunden ist, äußert sich eine ausgesprochene Feindschaft auf verschiedene und mannigfaltige Weise in den Geschlechtsorganen.

Heilung einer kranken Vorsteherdrüse

In seinem Buch »Du kannst dich selbst heilen« (You can heal yourself) berichtet Dr. Masahara Tanigushi von einem Mann, der an Prostatakrebs litt. Da die Geschwulst eine so unglückliche Lage hatte, war eine Operation ausgeschlossen.

Zur gleichen Zeit, als er unter starken Schmerzen litt, hörte der Mann von einem Vortrag über Heilung, der in seiner Nähe gehalten wurde. In seiner Verzweiflung ging er hin. Doch während des Vortrags wurde er von so heftigen Schmerzen geschüttelt, daß er sich an seinen neben ihm sitzenden Nachbarn anlehnen mußte. Als er ihm erklärte, warum, lief dieser zum Vortragenden und sagte:

»Neben mir sitzt ein Mann mit Prostatakrebs. Was soll er tun, um geheilt zu werden?«

»Krankheiten im Geschlechtsbereich, wie z. B. Prostatakrebs, haben oft eine dreifache Verkettung«, war die Antwort des Vortragenden.

»Kann er geheilt werden, wenn er beichtet?« war die nächste Frage.

»Ja, Sünden vergehen, wenn sie gebeichtet werden. Irrtum existiert nicht in Wirklichkeit. Daher verschwindet er.« Das war die metaphysische Antwort.

Der kranke Mann gab dann vor der Versammlung zu, daß eine dreifache Verkettung vorherrschte; daß er eine Liebschaft mit dem Dienstmädchen seiner Frau gehabt und sich dazu entschlossen hätte, diese zu heiraten. Er hatte sogar einen anderen Mann dafür bezahlt, seine Frau zum Ehebruch zu verführen, in der Hoffnung, so einen Grund für eine Scheidung zu haben. Aber seine Frau widerstand nicht nur den Verführungskünsten des anderen Mannes, sondern berichtete sie auch ahnungslos ihrem Ehemann.

Schließlich erfuhr die Frau von dem Verhältnis ihres Ehemannes und entließ das Dienstmädchen. Dann kam eine Zeit endloser Gefühlsausbrüche und Zänkereien, in der der Mann an Prostatakrebs erkrankte.

Die Zuhörer waren erschüttert über das Bekenntnis des Mannes und beteten für ihn. Nach der Beichte und dem Gebet hörte jeglicher Schmerz auf. Er kehrte nach Hause zurück und konnte erstmalig seit Wochen ohne Schmerzen schlafen. Als der Schmerz auch später nicht wiederkehrte, merkte er, daß er geheilt worden war, und äußerte: »Es ist wirklich ein Wunder, daß ein Mensch mit so wenig Wahrheitserkenntnis wie ich vollständig geheilt worden ist.«

Ein Bericht über die Heilung von Gebärmutterkrebs

Ein anderes Beispiel, das Dr. Tanigushi berichtet, ist das einer jungen japanischen Hausfrau, der die Ärzte gesagt hatten, daß sie an Gebärmutterkrebs litte. Dieser sei bereits so weit fortgeschritten, daß eine medizinische Behandlung nicht mehr viel helfen könnte. Eine Schwester von ihr war eine Wahrheitssucherin. Sie erklärte, daß eine besondere Art der Dreiecksverkettung zugrunde läge. Diese junge Frau konnte ihre Schwiegermutter nicht leiden und hatte ihr auch nicht gestattet, mit ihr und ihrem Mann zusammenzuleben. Nach alter orientalischer Sitte mußte das aber der Fall sein.

Die kranke Frau erkannte schließlich ihren Egoismus und bat ihre Schwiegermutter zurückzukehren; sie behauptete ferner, daß jegliche Disharmonie der Vergangenheit allein ihr Fehler gewesen sei. Natürlich war die Schwiegermutter überglücklich, und die ganze Familie nahm daran Anteil. Kurz danach kam aus der Gebärmutter der kranken Frau, die noch bettlägerig war, eine Flut von Absonderungen und Sekreten, was sich als ein Teil des Heilungsprozesses erwies. Von da an besserte sich ihr Gesundheitszustand zusehends. Der Arzt sagte später, daß man ihre Genesung als göttliches Wunder betrachten müsse.

Heftig emotionale Konflikte verursachen Leiden, die sich als schwere Krankheiten der Geschlechtsorgane äußern können. Sobald der »unheilbare« Konflikt durch die Bejahung von Wahrheit geklärt ist, verschwindet auch die entsprechende Begleitkrankheit des Körpers.

Kinder haben ein vorgeburtliches Gedächtnis

Wenn die Empfängnis eines Kindes unerwünscht war, kann das in dem Kind Taubheit oder seelische Probleme auslösen. Vorgeburtliche Studien zeigen, daß die Seele noch ungeborener Kinder ein Bewußtsein hat, und zwar vom Tage der Befruchtung an. Unterbewußt kennen sie die Einstellung ihrer Eltern von der Empfängnis an. Jahre später reflektiert sich in diesen Kindern die vorgeburtliche feindliche Einstellung der Eltern. Sie haben das unterbewußt im Mutterleib aufgenommen und zeigen nun körperliche und verhaltensmäßige Störungen.

Ein kleines Kind kam in der Schule nicht voran. Seine Eltern suchten Hilfe bei einem geistigen Ratgeber, der sogleich fragte: »Haben Sie sich gefreut, als Sie erfuhren, daß ein Kind unterwegs sei?« Überrascht verneinten das die Eltern. Das Kind war in der unmittelbaren Nachkriegszeit empfangen worden, als noch ein großes Chaos herrschte. Sie hatten sogar mit dem Gedanken der Abtreibung gespielt. Das Kind wurde tatsächlich in diese Atmosphäre des Nichtgewünschtseins hineingeboren.

Der Berater forderte sie auf: »Entschuldigen Sie sich bei dem Kind – sowohl schweigend gegenüber seinem unterbewußten Gedächtnis, in dem das Gefühl begraben liegt, bei der Geburt unerwünscht gewesen zu sein, als auch dem bewußten gegenüber, indem Sie es lieben und anerkennen. Das Kind kam auf die Welt und wählte Sie beide als Eltern, und das nach göttlichem Ratschluß. Es ist ein Gottesgeschenk. Lassen Sie es das wissen!«

Im Geiste sagte die Mutter zu ihrem gehörlosen kleinen Jungen: »Vergib mir, Liebling; Mutter wollte dich töten. Und doch wähltest du mich als die geeignete Person in dieser Welt, deine Mutter zu sein. Trotzdem fuhr ich fort zu denken, ich wollte dich nicht, aber ich wollte dich doch. Bitte, vergib mir, und ich will dir die allerbeste Mutter werden. Ich verspreche es dir.« Ganz bewußt begannen beide Eltern Worte der Liebe, des Lobes und der Anerkennung zu ihrem kleinen Jungen zu sprechen. Bald darauf machte das Kind ohne jegliches Zureden der Eltern interessiert seine Hausaufgaben. Seine Zensuren wurden merklich besser, als die Eltern fortfuhren, ihr Kind zu loben und es ihrer Liebe zu versichern.

Seelische Qualen haben einen sexuellen Grund

Sexuelle Energie ist in Wirklichkeit Seelenenergie, die ihren Ausdruck durch die höhere menschliche Natur sucht. Wenn sie in irgendeiner Weise begrenzt oder unterdrückt wird, äußert sie sich in Komplexen, Verklemmungen oder neurotischen Anwandlungen, die die Persönlichkeit, emotionale Natur und Gesundheit eines Menschen verändern.

Der bekannte Psychiater Nandor Fodor zeigte das in seinem Buch »Der gejagte Geist« auf; psychische Verwirrung tritt vornehmlich bei Leuten ein, die Schwierigkeiten im sexuellen Bereich haben, vornehmlich bei Frauen. In allen Fällen von psychischer Verwirrung, die mir im Laufe von Jahren begegnet sind, handelte es sich um Frauen, die sexuell frustriert waren. In zwei von diesen Fällen hielten sich die Frauen für geistig zu fortgeschritten, um verheiratet zu bleiben. Zum mindesten war das die Entschuldigung für ihre tiefeingewurzelte Feindschaft gegenüber dem Sexuellen. Wahrscheinlich lag der Grund dafür schon in der Kindheit; jetzt brauchen sie dafür eine psychiatrische Behandlung. Beide Frauen waren mit einer dritten Frau in Berührung gekommen, die behauptete, geistig zu hoch entwikkelt zu sein, um gebunden zu bleiben; sie hatte sich von ihrem Mann scheiden lassen. (Derartig irregeführte Seelen sind als

»geschlechtslose Heilige« beschrieben worden, »die über leidenschaftliche Sünden zu Gericht sitzen«.)

Obgleich sich diese dritte Frau als geistig zu hoch entwickelt erachtete, um mit einem guten Mann verheiratet zu bleiben, hinderte es sie doch nicht, eine andere geistig hoch entwickelte Frau als ihre Geliebte zu nehmen.

Freud, Jung und Adler stimmten darin überein, daß gleichzeitig mit den falschen geistigen Ideen, die sich in der unterbewußten Geistessphäre festgesetzt haben, auch der bewußte Geistesbereich einer Menge falscher Vorstellungen hingebe. Sobald diese bewußten und unbewußten Ideen, die eine sexuelle Grundlage haben, an die Oberfläche kommen, tritt eine seelische Störung auf, die sich häufig im Zurückziehen von der Realität äußert.

Die eine Frau, die das an sich erlebte, behauptete, diese Störungen kämen von ihrer eingebildeten hochwirksamen Geistigkeit, während sie in Wirklichkeit nur das Ergebnis ihrer sexuellen Enttäuschungen waren.

Die Priester des Altertums nannten solche geistigen Verirrungen »einen Dämon haben«; mit Hilfe eines bestimmten Exorzismus-Rituals trieben sie diese Dämonen aus, so wie Jesus es tat. In heutiger Zeit hat sich eine psychiatrische Behandlung als die wirksamste Lösung erwiesen.

Es gibt eine feine metaphysische Heilbehandlung für den geistig Verirrten. Sie besteht in der Bejahung: »Der Friede des Christus-Geistes ist über dir ausgegossen. Du hast Frieden in Geist und Körper.«

Wie man die Lebenskraft erheben kann für eine vollständige Heilung

Leute, die gern schmutzige Witze erzählen oder anhören, öffnen ihren Geist und Körper für gesundheitliche Probleme in den Geschlechtsorganen. Unreinheit des Geistes wirkt sich als Unreinheit im Körper aus. Eine Hausfrau, die steril war und kinderlos blieb, mußte sich einer Brustamputation unterziehen. Sie schwelgte in drastischen Schundromanen und bewies mit ihrer Krankheit, daß sich unbewußt die Unreinheit des Geistes als Unreinheit des Körpers äußerte.

Die Ohren des Menschen sollten gegenüber allen Einflüssen von schmutzigen Skandal- und Klatschgeschichten, die sich mit dem Geschlechtsleben anderer befassen, verschlossen sein, wenn er von Krankheiten im Geschlechtsbereich frei sein will.

Judas war der Jünger Jesu, der das Symbol der Lebenskraft in den Geschlechtsorganen bildete. Wenn wir diese Lebenskraft durch Mißbrauch betrogen haben – sei es durch physisches oder gefühlsmäßiges Verschleudern, wenn wir im Negativ-Sinnlichen verweilen –, so ist doch noch eine Hoffnung auf Versöhnung und Erhebung der Lebenskraft vorhanden.

Der Wille, der im Vorderhirn an der Stirn liegt, und das im Nacken liegende Zentrum des Wagemuts sind beide mit dem Lebenszentrum in den Geschlechtsorganen verbunden. Sie können mithelfen, diese schöpferische Energie zu erheben, indem sie sie durch den ganzen Körper zum überbewußten Geist am Scheitel des Kopfes emportragen. Wenn die schöpferische Energie aufwärts in die unterbewußten Funktionen des Solarplexus-Bereichs, dann in die bewußten Funktionen des Geistes im Vorderhirn an der Stirn und in die fünf Sinne, sowie schließlich in die überbewußten Funktionen am Scheitel des Kopfes geleitet wird, wird diese schöpferische Energie konstruktiv eingesetzt. Das Rückenmark ist ein Kabel, das Energie leitet. Durch dieses Kabel wird das Nervensystem versorgt und eine Verbindung von Geist und Körper hergestellt. Wenn Sie bei dem Wort »Leben« verweilen, wird die Lebenskraft der Geschlechtsfunktionen gestärkt und als eine belebende Kraft in alle Teile der Seele und des Körpers geschickt. Sie steigt im Rückenmark empor und fließt über die zahllosen Nervenverteiler vom Rückenmark in jedes Organ des Körpers.

Wenn Sie intensiv über »Leben« nachdenken, regen Sie es zur Tätigkeit an

Leben bejahen bewirkt, daß Lebenskraft durch unser ganzes Wesen fließt: *Leben kräftigt meinen Geist, fließt durch meine Adern, durchdringt meine Schleimhäute, Nerven, Muskeln und Zellen. Meine Augen leuchten, meine Haut glüht, und mein ganzer Körper strahlt vor Gesundheit.*

Alle anderen Drüsen scheinen eng mit den Geschlechtsdrüsen verbunden zu sein, die aus den männlichen Hoden und den weiblichen Eierstöcken bestehen. Augenscheinlich hängen Persönlichkeit und Temperament eines Menschen sowie der Zustand seiner anderen Drüsen vom Zustand der Geisteskraft des Lebens in den Geschlechtsorganen ab.

In jeder Zelle und in jedem Atom des Körpers sind Leben, Substanz und Intelligenz. Sprechen Sie ein Wort des Lebens, und jede Zelle reagiert darauf. Sie sind fähig, die Zellen des Körpers mit Leben aufzuladen. Wenn Sie die Idee des Lebens anbieten, nimmt Ihr Körper diese Vorstellung an und richtet seine Tätigkeit darauf ein.

Die Reaktionen von Uterus und Eierstöcken in den Geschlechtsorganen sowie die der Milchdrüsen in der Brust haben eine enge Verwandtschaft mit der Hirnanhangdrüse an der Schädelbasis. Deshalb sollten die Geschlechtsorgane sorgfältig vor Mißbrauch bewahrt werden. Die Geschlechtsorgane sind Zentren der Reinheit. Wenn ihre Substanz vergeudet wird, werden sie zu einem Ausgangspunkt wirbelnder zerstörerischer Konflikte in Geist und Körper. Die Worte »heilig« (sacred) und »geheim« (secret) haben die gleiche Wurzel. Das Geschlechtsleben des Menschen sollte geheiligt und geheimgehalten werden.

Die chinesischen Mystiker haben eine uralte Lehre, die besagt, daß, wenn die Lebenskraft im Menschen behütet wird, sie sich in eine feinere Geist- und Körperessenz verwandelt. Infolgedessen entsteht besseres Verstehen der geistigen und gesundheitlichen Funktionen. Die eben beschriebene Behandlung für »Leben« hilft Ihnen, das zu erlangen.

Zusammenfassung

1) Die Geisteskraft des Lebens liegt in den Geschlechtsorganen.
2) Wenn Sie jemals daran zweifeln, daß Ewiges Leben eine Geisteskraft ist, sprechen Sie nur das Wort »Leben« und wiederholen Sie es immer wieder. Sie werden eine neue Lebenswoge in sich aufwallen fühlen.
3) Wenn Sie sich müde, abgearbeitet oder entmutigt fühlen, ist es der rechte Augenblick, die Geisteskraft des Lebens in sich aufzurufen.
4) Durch die Kraft Ihrer Gedanken und Worte können Sie unbegrenzt Energie aufbringen und freisetzen; sie ist in den Atomen Ihres Körpers verankert und ruft erstaunliche Reaktionen hervor.
5) Wenn Sie »Leben« bejahen, rühren sie eine ungeheure atomare Energie in Ihrem Körper auf und setzen sie in Tätigkeit.
   Wenn Sie das Wort »Leben« bejahen, arbeiten Sie mit einer allmächtigen atomaren Energie, denn Sie sind ein aus Atomen bestehendes Wesen.
6) Sie beschleunigen Leben in seiner Tätigkeit, wenn Sie eindringlich Leben denken. Wenn Sie über Energie, Kraft und Stärke sprechen, veranlassen Sie die Lebenssäfte, intensiv durch Ihr ganzes Wesen zu fließen.
7) Emotionale Konflikte erzeugen sogenannte unheilbare Krankheiten in den Geschlechtsorganen. Wenn dieser sogenannte »unheilbare Konflikt« geklärt wird, ist auch die entsprechende Krankheit behoben.
8) Unreinheit im Geist wirkt sich als Unreinheit im Körper, meist in den Geschlechtsorganen aus.
9) Bei den chinesischen Mystikern gibt es eine uralte Lehre, wonach sich die Lebenskraft des Menschen, wenn sie behütet wird, in eine feinere Seelen- und Körperessenz verwandelt; bessere Gesundheit und besseres geistiges Verstehen sind die Folge.
10) Um dieses Vorhaben zu verwirklichen, sollten Sie über das

Wort »Leben« nachdenken. Wenn Sie das tun, wird die Lebenskraft in den geschlechtlichen Funktionen gehoben und als belebende Kraft an alle Glieder des Körpers und der Seele verteilt. Wenn die Lebenskraft durch das Rükkenmark emporsteigt, ergießt sie sich über Tausende von Verteilernerven vom Rückenmark aus zu jedem Organ des Körpers.

Nachwort

Lassen Sie das Ende dieses Buches nun zum Beginn eines der faszinierendsten Erlebnisse Ihres Lebens werden. Nun, da Sie wissen, welches Ihre Geisteskräfte sind, wo sie liegen und wie sie zu entwickeln sind, fangen Sie an, damit zu arbeiten!

Als ich vor einigen Jahren durch alle Tiefen eines schweren persönlichen Verlustes gehen mußte, hat mich das Studium dieser zwölf Geisteskräfte mit zusätzlicher Stärke ausgerüstet. Es folgte die Hoffnung auf zukünftige glücklichere Tage. Diese Hoffnung hat sich jetzt auf wunderbare Weise erfüllt.

Deshalb unterschätzen Sie nicht Ihre faszinierenden Geisteskräfte. Wenn Sie sie studieren, können sie Sie aus hoffnungsloser Verzweiflung in eine »schöne neue Welt« besserer Gesundheit, Überfluß und Glück emporheben – schöner als Sie es sich haben jemals träumen lassen.

Mein Freund Reverend Charles Neal aus St. Petersburg/Florida hatte ungeheuren Erfolg, als er unzähligen Menschen half, ihre Probleme durch Gebet zu meistern. Seine Erfolgsformel ist ganz einfach zu handhaben: Es beginnt damit, daß sich die hilfesuchende Person entspannen muß; gemeinsam aktivieren Sie dann die zwölf Geisteskräfte der betreffenden Person dadurch, daß sie Bejahungen aussprechen. Meistens ist das betreffende Problem, für dessen Lösung sie zusammen beten, schnell überwunden. Das erklärt er damit, daß durch das Erwecken aller zwölf Geisteskräfte zusammen die betreffende Person mit den großen Nöten automatisch eine Superintelligenz freisetzt, die für sie und durch sie wirkt. Diese Superintelligenz wird im gewöhnlichen Leben nicht benutzt; wenn sie aber freigesetzt wird, kann der Mensch dem Leben siegreich begegnen. Und so sage ich noch einmal: »Legen Sie los und machen Sie sich bereit für eines der tiefgreifendsten Erlebnisse in Ihrem Leben.«

Wie man sich entspannen und loslassen soll

Fangen Sie auf leichte, feine und zarte Weise damit an. Es ist die sanfte Art, die zur Entwicklung der Geisteskräfte führt.

Legen Sie sich auf eine schräges Brett oder machen Sie es sich in Ihrem Bett bequem und sagen zunächst ruhig zu Geist und Körper: »Entspannt euch und laßt los!« Es ist gut, zu Geist und Körper zu sprechen, so als ob Sie zu einem Freund sprächen, dem Sie helfen möchten. Sie sagen vielleicht: *Entspanne dich und laß alle Verkrampfung, jeden Druck und jede Überbeanspruchung los. Entspanne dich und entlasse alle Disharmonie aus Geist und Körper. Entspanne dich und lasse los.*

Dann atmen Sie tief und lassen sich in einen geistigen und emotionalen Ruhezustand hinabsinken; leiten Sie Ihre Aufmerksamkeit vom Scheitel hinunter durch den Körper bis zu den Zehenspitzen und erklären Sie sanft: *Du entspannst dich und läßt los.* Wenn Sorgen Ihre Aufmerkamkeit abzulenken versuchen, schieben Sie sie fort und sagen Sie leise zu ihnen: *Entspanne dich und laß los.*

Sie können eine Superintelligenz vom Christus-Geist am Scheitel des Kopfes in Geist und Körper senden, wenn Sie sich erinnern: *Ich bin göttliche Intelligenz. Ich lasse göttliche Intelligenz sich jetzt vollkommen durch mich ausdrücken.* Oder Sie ziehen vielleicht diese Bejahung vor: *Ich bin der Christus-Geist! Ich bin, ich bin, ich bin! Ich lasse den Christus-Geist sich jetzt vollkommen durch mich ausdrücken.*

Überschütten Sie mit dieser Idee Ihren ganzen Körper von Kopf bis Fuß. Dadurch wird die Super-Weisheit in allen Körperteilen belebt. Geisteskräfte werden erweckt, so daß sie schnell bereit sind, auf Ihren Anruf zu antworten. Sobald sie Geist und Körper beruhigt, ihn friedvoll und bereitgemacht haben, sind Sie so weit, daß Sie jede beliebige Geisteskraft, die Sie besonders aktivieren wollen, mobilisieren können. (Selbst wenn Sie bereits durch Ihr allgemeines Studium mentaler und geistiger Bereiche vorher Aktivität besessen haben.) Erinnern Sie sich, daß Ihre zwölf Geisteskräfte wie Menschen sind. Sie können gelobt und gesegnet werden, sie können auch viele Arbeit für Sie verrichten, aber sie widersetzen sich jeder Gewalt. Wenn Sie ihnen vorsichtig und behutsam Aufmerksamkeit und Anerkennung zollen, werden sie darauf reagieren, jedoch zu ihrer eigenen Zeit und in ihrer eigenen Art und

Weise. Sie wollen aber nicht gezwungen, gedrängt oder kommandiert werden.

Wie Sie Ihre zwölf Super-Geisteskräfte für eine Heilung aktivieren können

Nachdem Sie sich entspannt haben, sollten Sie Ihre Geisteskräfte sanft aktivieren; rufen Sie sie liebevoll – ohne allen Nachdruck – an. Im allgemeinen ist es eine gute Übung, am Anfang alle zwölf Geisteskräfte kurz nacheinander zart aufzurufen. Nennen Sie einfach den Namen der Geisteskraft und lenken Sie eine Weile Ihre Aufmerksamkeit auf die betreffende Körperstelle.

Fangen Sie mit »Glauben« in der Pineal-Drüse an der Kopfmitte an; dann »Stärke« im Kreuz; »Beurteilung« in der Magengrube; »Liebe« im Herzen; »Kraft« an der Zungenwurzel; »Vorstellung« zwischen den Augen; »Wille« und »Verstehen« hinter der Stirn im Vorderhirn; »Ordnung« hinter dem Nabel; »Wagemut und Begeisterung« an der Schädelbasis; »Ausscheidung« am Ende des Rückgrats und schließlich »Leben« in den Geschlechtsorganen des Unterleibs.

Wenn dann Gesundheitsprobleme an einer bestimmten Stelle auftreten, rufen Sie die Geisteskraft dieser Gegend an. Rufen Sie z. B. immer wieder das Wort »Liebe, Liebe, Liebe« und richten Sie Ihre Aufmerksamkeit sanft auf das Herz. Eine derartige tägliche Übung kann der Beginn für die Besserung von Herzbeschwerden und deren Ursachen sein. Druck, Spannung und Überbeanspruchung dieses Bereiches lassen nach und weichen der belebenden Geisteskraft der Liebe.

Wenn Sie immer wieder »Kraft, Kraft, Kraft« anrufen, werden Sie größere mentale, geistige und physische Kraft erhalten; sie wird vom Halsbereich aus im ganzen Körper freigesetzt und aktiviert. Sie werden entdecken, daß Sie verstärkte physische und mentale Energie besitzen, wenn Sie diese Geisteskraft zur Aktivität aufrufen.

Ich wurde daran erinnert, als ich das Kapitel über »Kraft« schrieb. In den Tagen, an denen ich an diesem Thema arbeitete, merkte ich, daß ich viel mehr Energie als sonst besaß, so daß ich, um diese größere Energie zu verwenden, dauernd meine Wohnung saubermachte, obwohl diese Arbeit bereits seit Jahren von einer tüchtigen Frau verrichtet wird.

Wenn Sie mehr Körper- und Gefühlskraft brauchen, können sie diese erlangen, wenn Sie Ihre Aufmerksamkeit auf das Wort »Stärke, Stärke, Stärke« lenken und dabei gleichzeitig intensiv an Ihr Kreuz denken.

Als ich das Kapitel über »Stärke« schrieb, betete ich um geistige und physische Stärke, um das ganze Buch zu vollenden, denn ich sah größere geistige und gefühlsmäßige Anforderungen an meine Zeit und Energie auf mich zukommen. Als ich eines Tages auf meinem schrägen Liegebrett lag und »Stärke, Stärke, Stärke« bejahte, bemerkte ich, wie mein Stärkezentrum am Kreuz zu vibrieren angefangen hatte und scheinbar elektrische Energie an meinen Geist und Körper leitete. Ais ich hernach dieses Manuskript Kapitel um Kapitel vervollständigte, erfuhr ich, daß ich in Augenblicken geringer geistiger oder körperlicher Vitalität schnell wieder »aufgeladen« wurde; dazu entspannte ich mich und blieb bei dem Gedanken »Stärke, Stärke, Stärke«. Jedesmal floß wieder diese elektrische Energie vom Zentrum der Geisteskraft der Stärke am Kreuz in meinen Geist und Körper.

Nachdem Sie nun Ihre zwölf Geisteskräfte in ihrer Gesamtheit aufgerufen haben und dann wegen eines Gesundheitsproblems bei einem bestimmten verweilen, ist es gut, sich noch einmal ganz zu entspannen und den ganzen Körper mit dem Gedanken »Freude« zu überschütten. Das vermittelt den aktivierten Geisteskräften in Ihnen die ganze Freiheit, für Sie in den bestimmten, unter- und überbewußten Regionen des Geistes zu arbeiten.

Dann erklären Sie: *Die Freude des Herrn ist eine Kraftquelle in mir und zeitigt jetzt vollkommene Ergebnisse.* Sie gießen geistig diese Vorstellung der Freude von Kopf bis Fuß über sich aus. Dann ist es Zeit, sich zu erheben, um sich wieder an die »äußere« Arbeit zu machen.

Wie man seine Heilkraftperioden zeitlich einteilen soll

Wenn Sie zum erstenmal damit beginnen, Ihre Geisteskräfte in täglichen Bejahungen zu entwickeln, tun Sie es nur für kurze Zeit. Verlängern Sie dann Ihre Zeiten der Entspannung und Bejahung schrittweise, und denken Sie daran, während des ganzen Vorganges entspannt zu bleiben. Sobald Sie beim Aufrufen der Geisteskräfte angespannt oder kopfschwer werden, ist es meistens klüger, die Übung für den Moment aufzugeben und an die täglichen Aufgaben zurückzukehren. Im allgemeinen werden Sie von einer inneren Stimme geführt werden, wie lange Sie bei Ihrer täglichen Übung verweilen sollten.

Eines werden Sie bei dem Vorgang beobachten: daß nämlich die Geisteskräfte im Unterleib bzw. in der unterbewußten Zone des Körpers viel schneller auf Ihren Anruf reagieren, also Stärke am Kreuz, Beurteilung in der Magengrube, Liebe im Brustkorb/Lungen/Herzbereich usw., als die weiter innen liegenden Geisteskräfte im bewußten Geistes- und Intelligenzbereich des Kopfes. Der Grund dafür ist natürlich einleuchtend. Die Gefühle reagieren immer schneller als der menschliche Verstand. Deshalb reagieren die gefühlsmäßigen Geisteskräfte in Brust und Unterleib schneller als die verstandesmäßigen Geisteskräfte im Kopf. Sie werden auch entdecken, daß, wenn durch Ihr tägliches Anrufen der Geisteskräfte die Lebenskräfte allmählich im ganzen Körper erwachen, dies zuerst im Solarplexus-Bereich, dem Sitz des Unterbewußtseins hinter Herz und Magen, zu bemerken ist. Der Solarplexus ist das »große Körpergehirn« und Substanz-Zentrum im Körper; wenn es mental erhoben wird, sendet es frische Energie und Intelligenz in den gesamten Körper.

Wenn Ihnen diese Schwingungsenergie bewußt wird, können Sie sich freuen (selbst wenn es zunächst ein fremdartiges, beinahe unangenehmes Gefühl ist), daß Ihre Geisteskräfte angefangen haben, für und durch Sie zu arbeiten! Zweifellos werden später verschiedene Schwingungsaktivitäten in anderen Teilen Ihres Körpers auftreten – ein weiterer Beweis für das Erwachen Ihrer Geisteskräfte.

Ergebnisse, die durch die Entwicklung Ihrer Geisteskräfte erreicht werden

Glauben Sie mir, diese dynamischen Geisteskräfte sind nicht nur Theorie. Sie existieren tatsächlich! Sie verlangen nur, daß man ihnen Aufmerksamkeit schenkt. Dann werden sie zu treuen Dienern, die Ihren Geist und Körper still mit Inspiration und neuer Lebenskraft versorgen. Wenn Sie sie Tag für Tag, Monat für Monat in Ruhe entwickeln, werden sich Ihre Gesundheit sowie jede Phase Ihres ganzen Lebens bessern. Diese Kräfte verleihen Ihnen die Fähigkeit, sich glücklich zu erheben und schnell auf eine andere Ebene zu gelangen. Sie werden weiterhin entdecken, daß Sie sich schneller in Geist und Körper entspannen können. Größere Gefühlskraft und stärkeres Wachstum kommen über Ihren Geist und Körper; neue Stärke, tiefere Weisheit und mehr Liebe zu Leben und Menschen werden Ihr Bewußtsein erfüllen. Schließlich wird sich leise in Ihnen eine größere Lebensfreude entwickeln. Bei diesem Vorgang werden Sie das wahre Geheimnis des Seelenfriedens und der körperlichen Gesundheit entdecken. Wenn Sie sich darin üben, sich mehr und mehr zu verinnerlichen und Ihre Geisteskräfte aufzurufen, in Ihnen lebendig zu werden, um Ihnen in jeder Phase Ihres Lebens zu helfen, werden sie es in solchem Maße tun, daß Sie sich niemals mehr allein oder hoffnungslos fühlen werden.

Die Menschen werden sich wahrscheinlich unbewußt auf Ihre dynamische Ausstrahlung einstellen und sagen, Sie hätten »das gewisse Etwas«, das Sie vitaler, anziehender und erfolgreicher macht. Leben wird für Sie tatsächlich eine neue Bedeutung gewinnen.

Aber denken Sie bitte auch an dieses: Wenn Sie Ihre Geisteskräfte anfangen zu entwickeln, mögen sie sich einfach allgemein besser fühlen; friedlicher, kräftiger, hoffnungsvoller. Wenn Sie aber fortfahren, sie zu entwickeln, wird sich allmählich Ihr ganzes Leben verbessern und reicher werden.

Heilende Hände

Daß die Geisteskräfte eine ungeheure Wirkung auf den Körper haben, ist mir auf eine interessante Weise klargeworden, während ich dieses und das vorangegangene Buch über Heilung schrieb. Bei diesen Arbeiten merkte ich, daß das Sichvertrautmachen mit den Gesetzen und Geisteskräften der Heilung mächtige Heilschwingungen in meinen Händen wachrief, die buchstäblich in die Seiten des Manuskripts hineinflossen.

Die Berichte von geistigen Heilungen, welche sich im Leben der Leser der »Dynamischen Heilungsgesetze« (The Dynamic Laws of Healing) ereigneten, werfen ein Licht auf eine ungeheure Heilungsschwingung, die in die Seiten jenes Buches gesenkt wurde.

So gut wie es auch ist, ich persönlich praktiziere nicht das Handauflegen als Heilmittel. Ich ziehe es vor, »Heilungsideen aufzulegen«, und zwar durch das geschriebene Wort; damit erreiche ich eine große Zahl von Menschen, denen damit gezeigt wird, wie sie sich selbst durch die gegebenen Anweisungen helfen können.

Kürzlich sagte eine Kollegin, die in gleicher Weise geistig arbeitet, zu mir: »Mit deinen Händen ist etwas ganz Besonderes. Was ist es nur?« Als ich ihr erzählte, wie während meiner Schreibtätigkeit über dieses Thema eine Heilschwingung ins Leben gerufen wurde, bemerkte sie: »Das ist natürlich nur ein weiterer Beweis, daß die Kraft der Gedanken Heilungskräfte im Körper zu erwecken vermag.«

Sie können sich an die gleiche Kraft wenden

Sie haben die gleiche Kraft in sich und können die Geisteskräfte zum Leben erwecken. Gerade wenn Sie bei dem Gedanken an Ihre Heilung verweilen, werden auch Sie anfangen, sie in sich einströmen zu lassen.

Da Sie jetzt die Heilkräfte aller Zeiten kennen, sollten Sie sie oft einschalten. Lassen Sie Ihre dynamischen Geisteskräfte für und durch sich zu wirken beginnen.

Ich vertraue darauf, daß, sobald Sie das tun, das Ende dieses Buches nur der Anfang sein wird eines *gesunden, glücklichen, neuen Lebens, für ein glückliches, neues SIE!*